Kai Meyer
Das Wolkenvolk · Lanze und Licht

Lange Gesundheit
viel Glück.

Papa

Kai Meyer

DAS WOLKENVOLK

Lanze und Licht

Band 2 von 3

ISBN 978-3-7855-5742-6
2. Auflage 2008

Innen- und Umschlagillustrationen: Joachim Knappe
Printed in Germany (007)

www.loewe-verlag.de

Inhalt

China
während der Qing-Dynastie
1761 n. Chr.

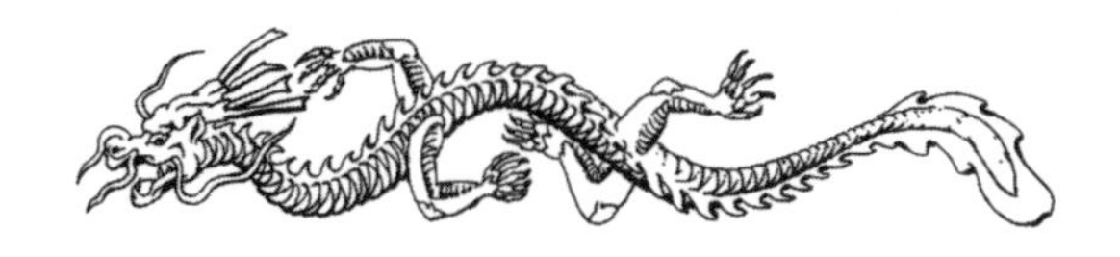

Prolog

Einsam verlor sich der Junge in der ungeheuren Weite der Landschaft.

Das Schwert auf seinem Rücken war einst für die Götter geschmiedet worden, aber ein Krieger war er nicht. Seine Liebe gehörte einem Mädchen mit Zauberkräften, doch auch ein Magier war er nicht. Und obwohl er um das Schicksal des Reiches China kämpfte, war er selbst kein Chinese.

Niccolo wanderte den Felsenkamm eines Berges entlang und stemmte sich gegen Winde, die von den höheren Hängen und Gipfeln herabstrichen. Zu seiner Linken gähnte ein Abgrund, viele hundert Meter tief. Aber Niccolo kannte keine Höhenangst. Er war auf einer Wolke aufgewachsen, hoch über dem Erdboden.

Seine Augen waren golden wie Bernstein, sein Haar dunkelbraun wie das seiner italienischen Vorfahren. Er trug die Kleidung chinesischer Bauern, erdfarbene Hosen und ein knielanges Wams, außerdem ein Bündel, das er sich seitlich an die Hüfte geschnallt hatte, damit es dem Schwert auf seinem Rücken nicht im Weg war.

Vor drei Tagen hatte er seine Gefährten verlassen und sich allein auf den Weg gemacht, hinauf ins Gebirge, auf der Suche nach dem Unsterblichen Tieguai. Bislang hatte er nichts gefunden außer schroffem Fels, eisigen Winden und ein paar Bergziegen mit zerzaustem Fell. Wenn er über die Schulter blickte, zurück in die Lande am Fuß der Berge, dann sah er Wälder und zerfurchte Felsnadeln, auf deren Spitzen knorrige Zedern wuchsen. Unsichtbar in der Ferne floss der uralte Lavastrom. Wolken hingen dort über dem Horizont, dunkelgrau, fast schwarz; sie verbargen, was Niccolo, Nugua und die anderen im Lavasee am Ende des Stroms gefunden hatten.

Er wandte sich nach vorn und schaute zu den schneebedeckten Kuppen des Himalayagebirges empor. Er war noch Tage, vielleicht Wochen von den wirklich hohen Gipfeln entfernt. Aber bis dorthin würde er nicht gehen müssen. Seit gestern Abend hatte er sein Ziel vor Augen. Der Unsterbliche Tieguai lebte im Vorgebirge, auf einem Gipfel wie schnurgerade abgeschnitten. Doch obgleich Niccolo den Berg vor sich sah, hatte er nicht das Gefühl, ihm näher zu kommen. Hinter jeder Kuppe lag eine weitere, am Ende jedes Gipfelgrates der nächste Pfad über albtraumtiefen Schluchten und Klüften.

Oft träumte er im Gehen von Mondkind.

Wenn er ihr Seidenband an seinem Gürtel berührte, sah er ihr Gesicht vor sich, bleich und herzförmig, mit dunklen Mandelaugen, umrahmt von schwarzem, glattem Haar. Ihren schlanken Hals, an dem sichtbar die Schlagader pochte, immer so schnell wie Niccolos eigenes Herz.

Mondkind schwebte in diesen Träumen langsam auf ihn zu, gehüllt in einen Ozean aus Seide, der mit wehenden Schleiern und Bändern nach ihm tastete. Bald war ihr

Gesicht ganz nah an seinem, er konnte ihre Wärme spüren, roch ihre Haut, sah zu, wie sich ihre Lippen bewegten und lautlose Versprechen formten. Sie lächelte sanft, und das Glück, das Niccolo dabei empfand, lullte ihn ein und betäubte seine Verzweiflung.

Doch wenn er in ihre Augen blickte, tief in sie hinein, dann entdeckte er sein Spiegelbild, und es zeigte keine Spur von Freude. Stattdessen sah er sich schreien, eine Grimasse des Entsetzens, denn etwas in ihm erkannte die Wahrheit. Das Wolkenvolk starb, während er Zeit vergeudete. Die Menschen hatten ihm vertraut, und er hatte sie aufgegeben für eine Liebe, die nur im Verderben enden konnte – für die Liebe zu einer Mörderin.

Aber immer, wenn er das erkannte, schloss Mondkind ihre Augen, und Niccolos Abbild verschwand unter ihren langen, dunklen Wimpern.

Das Schwert auf seinem Rücken erschien ihm von Tag zu Tag schwerer. Er wusste, warum Wisperwind ihm die Klinge Silberdorn überlassen hatte. Töte Mondkind!, schien die Waffe zu flüstern. Töte sie, und rette das Wolkenvolk. Rette *alle* Völker dieser Welt.

Doch er verbannte die Stimme aus seinem Verstand und kämpfte sich wie betäubt weitere Hänge empor, erklomm kargen Fels, suchte sich seinen Weg über schwindelerregende Tiefen. Weiter ging seine Suche nach Tieguai, dem unsterblichen Einsiedler dieser Berge.

Aber Niccolo fand ihn nicht.

Stattdessen – am dritten Tag seiner Wanderung – fand der Unsterbliche ihn.

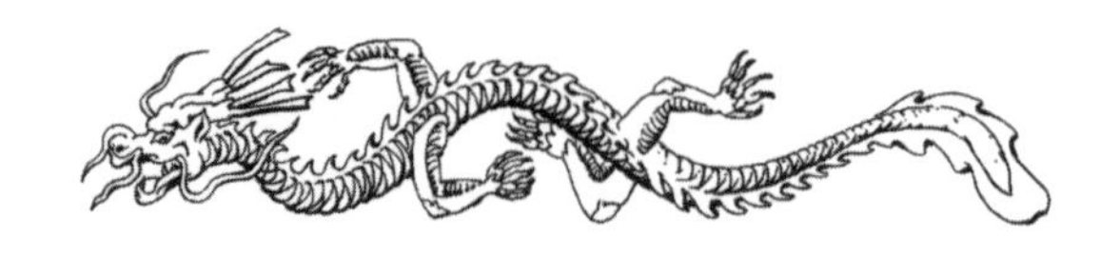

Der Drachenfriedhof

Der Riesenkranich flog höher und überwand einen Wall aus zerklüfteten Felszähnen. Dahinter waberte Nebel, schlängelte sich in Schlieren über die unteren Pässe und kletterte an grauen Granitzähnen empor.

„Wir sind bald da“, rief Li über seine Schulter. Der Unsterbliche packte die Zügel des Kranichs fester und gab dem Tier mit seinen Füßen Signale.

Nugua hörte kaum hin. Sie saß hinter ihm auf dem Rücken des Vogels, eng an Lis gewaltigen Körper gepresst, und konzentrierte sich auf den Schmerz in ihrem Inneren. Li meinte es gut, natürlich. Aber sie spürte, wie der Fluch der Purpurnen Hand sie mit jedem Tag schwächer machte. Ihr Pulsschlag galoppierte so schnell, dass sie manchmal kaum Luft bekam, und sie wagte nicht mehr, das magische Mal auf ihrer Brust anzusehen: der Umriss einer Faust, die sich immer fester um ihr Herz schloss. Lotusklaue, ein Hauptmann der Mandschu, hatte ihr die Verletzung vor drei Tagen im Kampf zugefügt, und nun blieb ihr nur noch wenig Zeit. Vielleicht, wenn sie den Drachenfriedhof rechtzeitig erreichten ... Aber all ihre Hoffnungen waren nicht aufrichtig. Tief im Inneren wusste sie, wie schlecht ihre Chancen standen. Sie ahnte, dass sie sterben würde.

Nugua war zierlich, mit struppigem schwarzem Haar und grünen Mandelaugen. Im Vergleich zu dem Unsterblichen, der vor ihr die Zügel des Riesenkranichs führte, wirkte sie zerbrechlich wie eine Puppe. Nugua war kein gewöhnliches Mädchen: Sie war aufgewachsen unter der Obhut von Yaozi, dem Drachenkönig des Südens.

Inzwischen war es fast ein Jahr her, seit Yaozi und die übrigen Drachen verschwunden waren und Nugua sich auf die Suche nach ihnen gemacht hatte. Unterwegs war sie Niccolo begegnet, dem Jungen mit den goldenen Augen. Niccolo, der ausgezogen war, das Wolkenvolk zu retten. Er hatte die Wolkeninsel, auf der das Volk der Hohen Lüfte seit zweihundertfünfzig Jahren lebte, verlassen, um in den Weiten Chinas nach einem Drachen zu suchen. Denn Drachen atmeten eine rätselhafte Substanz aus, die der Wolkeninsel Festigkeit verlieh. Ohne sie drohte die Heimat des Wolkenvolks abzustürzen und alle, die auf ihr lebten, ins Verderben zu reißen.

Nugua sah nach vorn und folgte Lis Blick über die Felszacken hinweg. „Woher weißt du, wie nah wir sind? Da ist nur Nebel."

Der Xian, einer der acht Unsterblichen, nickte mit seinem kahlen Schädel, aber weil man zwischen den mächtigen Schultern seinen Hals nicht sah, fiel das kaum auf. Li war der größte Mensch, dem Nugua jemals begegnet war – vor allem aber der breiteste. Drei Männer nebeneinander hätten seinen Umriss nicht hinter sich verbergen können, selbst sein haarloser Kopf hatte einen kolossalen Umfang. Als kleines Kind hatte Nugua sich manchmal

Spielgefährten aus flachen Flusssteinen gebaut, die sie mit Baumharz aufeinanderklebte; ihre Körper hatten den Proportionen des Xian geähnelt.

Lis Rückenmuskulatur zuckte unter Nuguas Wange. Er deutete nach unten. „Das da ist die Schlucht von Wisperwinds Karte."

Der Kranich flog mit majestätischem Flügelschlag zwischen zwei Felsnadeln hindurch, die sich mehrere hundert Meter über dem Wald erhoben. Dahinter, im Norden, dampfte der Nebel als graue Masse aus der Schlucht empor. Es gehörte nicht viel dazu, sich vorzustellen, dass dieser Ort Geheimnisse barg.

„Es regnet nicht", stellte Nugua beunruhigt fest. „Wenn da unten wirklich Drachen wären, *müsste* es regnen."

Regenwolken folgten den Drachen auf ihren Wanderungen durchs Land. Selbst im Winter nieselte ein warmer Sommerregen auf die leuchtenden Schuppenleiber herab. Während der vierzehn Jahre, die Nugua an der Seite Yaozis und seines Clans verbracht hatte, hatte sie keinen trockenen Tag erlebt; ihr war der lauwarme Regen als etwas ganz Alltägliches erschienen.

Li seufzte leise, während der Kranich sie aus dem Schatten der Felsen trug. Keine zehn Meter unter ihnen breitete sich die Oberfläche des Nebels aus wie ein See, der bis zur gegenüberliegenden Seite der Schlucht reichte. Auch dort wuchs eine zerfurchte Kette aus Granitspitzen in die Höhe.

„Ist Nebel nicht genauso gut wie Regen?", fragte der Xian.

Nuguas erster Impuls war zu verneinen, doch dann war sie nicht mehr sicher. Die Schuld daran trug die Purpurne Hand; sie machte es schwierig, sich auf einen Gedanken zu konzentrieren, der *nicht* ums Sterben oder stechende Schmerzen in der Brust kreiste. Trotzdem – Nugua konnte sich vage an Tage erinnern, an denen der Drachenclan durch Nebelbänke gezogen war und die Schwaden mit der Leuchtkraft ihrer gigantischen Schlangenleiber zum Glühen gebracht hatten. „Ich weiß es nicht", gestand sie schließlich.

Li ließ den Kranich kreisen, während er nach einem aufgewehten Riss im Nebel suchte, nach einer Stelle, die ihnen einen Blick zum Grund der Schlucht gewährte. Doch der Dunst erfüllte die Senke zwischen den Felswänden so dicht wie grauer Schlamm.

„Das ist kein gewöhnlicher Nebel", sagte Li nach einer Weile. Der Kranich zog gerade seine dritte Runde über der wabernden Oberfläche. „Versuchen wir's!"

Sogleich neigte sich der Kranich nach vorn und schoss in die Tiefe. Nugua krallte die Finger in Lis Gewand. Darunter war sein massiver Oberkörper so hart wie Stein, ein Koloss aus purer Muskelmasse.

Der Kranich bohrte sich mit vorgerecktem Schnabel in den Nebel. Innerhalb weniger Augenblicke umgab sie dichtes Grau. Die Feuchtigkeit drang durch Nuguas Wams und Hose. Sie bekam eine Gänsehaut, auch weil sie jeden Moment mit einem Aufschlag rechnete. Nicht einmal die Augen des Kranichs konnten scharf genug sein, um durch solch einen Dunst zu sehen.

„Li, bist du sicher, dass – “

Sie brachte den Satz nicht zu Ende, denn von einem Atemzug zum nächsten lichtete sich der Nebel. Die letzten Dunstschwaden wischten wie weiße Fledermäuse an ihnen vorüber. Unter ihnen gähnte ein tiefer Abgrund. Düsternis verbarg die Rätsel dieser Kluft, obwohl die Sonne oberhalb des Nebels gerade ihren höchsten Stand erreichte.

Bald schälten sich helle Strukturen aus dem Dämmer, weißgelbe Bögen, manche so hoch wie Türme.

Titanische Gerippe.

„Wir sind da“, stellte Li zufrieden fest. „Der Friedhof der Drachen.“

Nugua blickte sich um und schwieg lange Zeit. Selbst sie, die von Drachen aufgezogen worden war, war bis zuletzt nicht sicher gewesen, ob sie lediglich einer Legende nachjagten. Der Ort, an den sich die Drachen nach Jahrhunderten, manchmal Jahrtausenden zum Sterben zurückzogen, war unter Yaozis Volk ein Geheimnis, über das niemand sprach. Nur ein einziger Drache, so hieß es, lebte dort, wo alle anderen nichts als den Tod fanden: ein uralter Wächter, der den Friedhof seit vielen Zeitaltern vor Eindringlingen bewahrte. Er war Nuguas letzte Hoffnung – denn ganz gleich, was die Drachen dazu gebracht hatte, ohne ein Wort zu verschwinden, der Wächter würde niemals seine Pflicht verletzen und das Heiligtum seines Volkes ungeschützt zurücklassen.

Lebende Drachen besitzen Ähnlichkeit mit gigantischen Schlangen, doch aus der Luft erschienen Nugua ihre Skelette eher wie bizarre Hybriden aus Reptil und Säugetier. Die Bögen, die ihr aus der Höhe als Erstes auffielen, waren Rippen, dutzendfach aneinandergereiht, sodass sie am Grund der Schlucht gewundene Tunnel bildeten. Manche Drachen hatten sich zum Sterben ineinandergerollt, andere lang ausgestreckt. An einigen waren Kletterpflanzen emporgerankt, verschlungene, schwarzblättrige Gewächse, wie sie womöglich nur an einem Ort wie diesem gedeihen konnten.

Selbst aus der Luft war es unmöglich zu sagen, wie viele Drachenleiber dort unten zusammengekommen waren. Über Tausende von Jahren hinweg hatten sie sich hierher zum Sterben begeben, abgeschottet von der Welt durch Nebel und Granit. Es mussten Hunderte sein, viele so weit zerfallen, dass die Gestalt ihrer Körper nicht mehr zu erkennen war. Knochen waren ineinandergesunken, hatten sich zwischen anderen verhakt, waren zersplittert oder auf bizarre Weise miteinander verschmolzen. Dort, wo sich einzelne Leiber von anderen unterscheiden ließen, lagen viele so eng beieinander, dass sie wahre Labyrinthe formten, zehn, zwanzig Meter hohe Säulengänge aus bleichem Gebein und Vorhängen aus vermoderter Schuppenhaut.

Längst sank der Kranich nicht mehr tiefer, sondern kreiste wieder, aber das wurde Nugua erst nach einer Weile bewusst. Sie hatte den Atem angehalten, starr vor Erstaunen, zitternd vor Ehrfurcht. Schlagartig überkam sie die Erkenntnis, dass sie hier etwas erblickte, das nicht für menschliche Augen bestimmt war. Gewiss, sie hatte sich selbst nie als Mensch gefühlt, vielmehr als eine vom Drachenvolk, obgleich sie die Wochen an der Seite Niccolos, Feiqings und Wisperwinds beinahe eines Besseren belehrt hatten. Nun aber, da sie den Drachenfriedhof unter sich liegen sah, fühlte sie zum ersten Mal, dass sie nie ein echter Drache geworden wäre, ganz gleich, wie viele Jahrzehnte sie noch in Yaozis Clan verbracht hätte. Obwohl das dort unten nichts als tote Leiber waren, nur blanke Knochen ohne Leben, ohne Verstand, ohne das, was wahre Drachen ausmachte, flößten sie ihr doch ein so überwältigendes Gefühl von Fremdartigkeit ein, von Verlorenheit und schlichtem *Kleinsein*, dass ihr die Tränen kamen. Sie war kein Drache, würde nie einer sein; aber sie war auch kein Mensch wie alle anderen.

Li schien zu spüren, was in ihr vorging, denn er löste eine seiner Pranken von den Zügeln und legte sie auf Nuguas Hand an seinem Gewand. „Ich weiß, was du fühlst. Mir ist es genauso ergangen, als ich den Göttern gegenüberstand und begriffen habe, dass ich niemals sein würde wie sie. Nicht einmal wie der Staub unter ihren Füßen."

„Immerhin haben sie dich zum Xian gemacht."

Er nickte wehmütig. „Nicht Mensch, nicht Gott, sondern etwas dazwischen. Nirgends zu Hause, von keinem geliebt. Immer mit dem Gefühl zu leben, man gehöre weder hierhin noch dorthin, ist nicht einfach. Das ist es, was einen Auserwählten von anderen Lebewesen unterscheidet: seine Fähigkeit zu leiden, zu zweifeln, niemals Gewissheit über sich selbst zu besitzen. Nicht einmal die

Aussicht, dass der Tod all dem einmal ein Ende bereiten könnte, ist uns Xian vergönnt."

Zum ersten Mal spürte Nugua tiefe, uneingeschränkte Freundschaft für den Unsterblichen. Sie verstand ihn, erfasste das ganze Ausmaß seiner Worte, und obwohl manches davon auch auf sie selbst zutraf, fühlte sie, dass es ihr im Vergleich zu ihm doch viel besser erging. Sie konnte frei entscheiden, wie sie leben wollte – als Mensch oder unter Drachen.

Falls sie leben würde und die Purpurne Hand sie nicht umbrachte. Und *falls* sie die Drachen jemals wiederfände.

„Du willst nicht sterben", sagte sie nach einem Moment. „Nicht wirklich."

„Bist du dir da sicher?"

„Warum machst du sonst Jagd auf Mondkind?"

„Weil wir zu Xian gemacht wurden, um zu dienen. Den Göttern, aber vor allem der Welt der Menschen. Wenn wir aufhören zu existieren, reißen zugleich die Bande zwischen Himmel und Erde. Wir dürfen das nicht zulassen. Denkst du, wir wurden wegen unserer Stärke oder wegen unseres Wissens auserwählt? Unsere größte Tugend ist unsere Opferbereitschaft." Er lachte und deutete aufwärts. „Aber erzähl das nicht denen da oben."

Während der vergangenen Wochen hatte Li fünf seiner Brüder und Schwestern verloren. Mondkind hatte sie im Auftrag des Aethers ermordet. Von einstmals acht Xian waren nur Li und seine Brüder Tieguai und Guo Lao noch am Leben. Falls es Mondkind gelingen würde, auch über sie zu triumphieren, gab es niemanden mehr, der den Aether davon abhalten konnte, die Welt ins Chaos zu stürzen. Li hatte gar keine andere Wahl, als sich Mondkind früher oder später zu stellen – aber er würde alles tun, damit diese Begegnung zu seinen Bedingungen stattfand. Er *musste* sie aufhalten, um jeden Preis.

Nugua legte den Kopf an seinen Rücken, als sie ein neuerlicher Schwächeanfall überkam. Die Purpurne Hand presste ihre Brust zusammen und raubte ihr ein paar Sekunden lang den Atem. Panik schnürte ihr die Kehle zu, Todesangst grub sich in ihren Magen. Nur allmählich verging das Gefühl wieder. Die Abstände, in denen sich der Fluch des Mandschuhauptmanns in Erinnerung rief, wurden immer kürzer.

„Alles in Ordnung?“, erkundigte sich Li.

„Ja ... schon gut.“

„Wir werden einen Drachen finden, der den Fluch aufheben kann“, erklärte er entschlossen. „Halt dich fest!“

Und wieder rauschten sie abwärts, begleitet von einem Krächzen des Kranichs, das verzerrt von den Felswänden widerhallte. Es gab keinen Grund zur Heimlichkeit. Sie mussten den Wächterdrachen des Friedhofs finden und ihn um Hilfe bitten – je früher er sie bemerkte, desto besser.

„Dort drüben“, rief Li über das Fauchen der Schwingen hinweg. „Dort gehen wir runter.“

Der Kranich näherte sich einer Lichtung im Irrgarten der Gerippe. Aus der Nähe hatten die Gebeine Ähnlichkeit mit einem bleichen, laublosen Urwald – riesige Stämme, morsche Äste, verwachsenes Unterholz aus Knochen. Dort, wo noch Schuppenhaut erhalten geblieben war, hing sie in verfaulten Fetzen von mächtigen Rippenbögen und wurde vom Luftzug der Kranichschwingen zum Wehen gebracht.

Hier unten war es düster, obwohl oberhalb des Nebels helles Tageslicht herrschte. Falls zwischen den Gerippen noch irgendetwas lebte, blieb es unsichtbar. Nugua bezweifelte, dass es Tiere gab, die sich von den Kadavern ernährten – dafür kam viel zu selten ein sterbender Drache hierher, im Abstand von Jahrzehnten, eher Jahrhunderten.

„Er ist nicht hier", sagte sie finster, nachdem der Kranich den Boden berührte, auf seinen Stelzenbeinen in die Hocke ging und den Stoß der Landung abfederte. „Was, wenn Feiqing gelogen hat?"

Feiqing, der falsche Drache – ein Mann ohne Gedächtnis, den ein Zauber in einem lächerlichen Drachenkostüm gefangen hielt. Er hatte Nugua und Niccolo auf ihrer Reise begleitet und als Erster von dem Wächterdrachen berichtet, dem er angeblich das Dasein in seinem Kostüm verdankte. Und obwohl Feiqing so etwas wie ein Freund geworden war, vertraute sie ihm nicht uneingeschränkt – was daran liegen mochte, dass sie niemandem vertraute. Nicht einmal Niccolo, für den sie mehr empfand, als sie sich eingestehen wollte. Seine Liebe zu Mondkind hatte ihn unberechenbar gemacht; Nugua wusste noch immer nicht, wie sie damit umgehen sollte.

„Sei vorsichtig beim Absteigen", riet ihr der Xian, aber

da war sie schon nach hinten über das Schwanzgefieder des Kranichs gerutscht und versuchte, mit beiden Füßen gleichzeitig am Boden aufzukommen. Doch statt im Stehen zu landen, knickten ihre Beine ein. Ihre Knie waren nach dem langen Vogelritt wachsweich, ihre Beine ohne Kraft. Keuchend lag sie am Boden, biss die Zähne zusammen und versuchte sich einzureden, dass ihre Schwäche nichts mit der Purpurnen Hand auf ihrer Brust zu tun hatte.

Der Xian sprang trotz seines ungeheuren Gewichts leichtfüßig vom Kranich und landete auf dem Fels. Sie hatte den Verdacht, dass sein Schwanken nur gespielt war, damit sie sich nicht noch ungeschickter fühlte.

Er half ihr auf, aber es dauerte eine ganze Weile, ehe sie einigermaßen sicher stehen konnte. Ihre Beine und Hüften kribbelten wie von Ameisengift, aber Li meinte, das sei ein gutes Zeichen: Das Blut flösse zurück in ihre Glieder, und schon bald werde sie wieder die Alte sein.

Sie waren auf einer lang gestreckten freien Fläche gelandet, nicht sehr breit, aber mindestens fünfzig Meter von einem Ende zum anderen. Überall um sie wuchsen die riesenhaften Rippenbögen der Drachengebeine empor, fünf- oder sechsmal so hoch wie sie selbst. Der Kranich setzte sich nieder und ließ seine Beine unter dem Gefieder verschwinden. Müde bog er den Hals nach hinten und schob seinen langen Schnabel unter die linke Schwinge.

„Er hat sich ein wenig Ruhe verdient." Li streichelte über den Kopf des Vogels und schaute sich um.

„Hier ist kein Drache!", brachte Nugua in einem Anflug von Panik heraus. „Zumindest kein lebender! Er hätte uns doch längst bemerken müssen."

„Hmm", machte Li, was alles und nichts bedeuten mochte.

Sie ging mit wackligen Schritten zum nächstbesten Rippenbogen hinüber und berührte ihn mit den Fingerspitzen. Der Knochen reckte sich Ehrfurcht gebietend ins Dämmerlicht wie ein geschälter Baumstamm; nicht einmal gemeinsam hätten Nugua und Li ihn mit ausgebreiteten Armen umfassen können. Hoch über ihnen war die Rippe mit einem grotesk langen, vielfach segmentierten Brustbein verwachsen, das von Dutzenden ähnlicher Rippenbögen in der Luft gehalten wurde.

Li trat neben sie. „Schwer vorzustellen, dass das hier einmal ein lebender, atmender Drache war, hm?"

Der Knochen fühlte sich an wie Stein. Plötzlich kämpfte Nugua mit den Tränen. Der Schmerz der langen Trennung von Yaozi und den anderen stieg in ihr empor. „Ich vermisse sie so", schluchzte sie. Sie hasste sich, wenn sie weinte, sogar jetzt noch.

Li zog sie unbeholfen an sich und tröstete sie. Alles drängte zugleich auf sie ein. Die Sorge um die Drachen, ihre einzige Familie. Die Angst um Niccolo und ihre Verzweiflung über den Bann, der ihn an Mondkind fesselte. Selbst der Druck des Versprechens, das sie ihm bei ihrer Trennung am Lavastrom gegeben hatte, war mit einem Mal zu viel für sie: Falls es gelang, sie zu heilen, dann würde sie an Niccolos Stelle den Atem eines Drachen zum Wolkenvolk bringen. Der Aether, den die Drachen ausatmeten, sammelte sich jenseits des Himmels in einer Schicht aus goldenem Dunst; von dort pumpte ihn das Wolkenvolk herab und verlieh damit seiner Wolkeninsel Festigkeit. Dass der Aether aber zugleich ihrer aller Leben bedrohte, gar die Existenz der ganzen Welt, war etwas, das Nugua noch immer kaum glauben konnte. Und dass die Aetherpumpen des Wolkenvolks versiegt waren und nun auf anderem Wege Drachenatem herbeigeschafft werden musste, schien ihr selbst jetzt noch bizarr und sehr weit weg von allem, was sie je mit eigenen Augen gesehen hatte.

Der Gedanke an ihr Versprechen aber traf sie wie ein Schlag. Auf einmal, ohne dass sie es wollte, verwandelte sich ihr Schmerz in Wut. Wie hatte Niccolo zulassen können, dass sie solch einen Schwur leistete? Sie würde sterben, wenn kein Wunder geschah! Und dieser selbstsüchtige, verblendete Dummkopf verlangte von ihr, dass sie seine Aufgabe übernahm, nur damit er weiter mit Mondkind herumturteln konnte!

Sie wusste, dass sie nicht wirklich so empfand, dass es nur ihr Kummer war, der sie das denken ließ – und doch: Irgendwo in all dem steckte ein wahrer Kern, der Ansatz eines Verrats. Sie mochte Niccolo einfach zu sehr, und das erschreckte sie. Und dieses Gefühl war nur eines von all den neuen, schwer zu begreifenden Dingen, die in letzter Zeit auf sie eingehagelt waren.

Li tätschelte ihren Kopf – ähnlich, wie er das vorhin beim Kranich getan hatte – und wartete, bis sie sich ausgeweint hatte. Abrupt zog sie sich wieder von ihm zurück.

„Wir sollten – “, begann er, runzelte unvermittelt die Stirn und stürmte dann zu seinem Vogel hinüber. Blitzschnell riss er die Lanze aus dem Lederschaft am Zaumzeug des Kranichs. Die rasiermesserscharfe Schaufelklinge an der Spitze der Waffe zog eine silberne Spur durch die Luft, als Li den Schaft mit beiden Händen packte und in Kampfposition sprang.

„Komm her!“, rief er Nugua mit gepresster Stimme zu. „Schnell! Hinter mich!“

„Was ist denn – “

„Beeil dich!“

Sie lief an seine Seite, nicht *hinter ihn*, und blickte in dieselbe Richtung wie er. Der Kranich zog seinen Schnabel unter der Schwinge hervor und richtete sich auf.

„Etwas kommt“, raunte Li.

Angestrengt starrten sie in das Zwielicht zwischen den Drachengerippen. Es war, als blickte man bei Nacht in einen Wald; jenseits der vorderen Knochentürme versank die Schlucht in einem verworrenen Durcheinander aus Rippenbögen, vermoderter Schuppenhaut und Dunkelheit.

Jetzt hörte sie etwas. Ein Scharren und Klappern. Es wurde rasch lauter. Zugleich erklang ein sanftes Trommeln, wie von Fingerspitzen auf Holz. *Tausend* Fingerspitzen.

„Auf den Kranich!“, brüllte Li und machte zwei Schritte in die Richtung der Geräusche.

Nugua rührte sich nicht. „Was ist das?“

„Steig auf den Kranich! Sofort!“

Das Tier verstand ihn und stieß Nugua mit dem Schnabel an. Widerwillig fasste sie die Zügel, als der Vogel neben ihr zu Boden sank, damit sie leichter aufsteigen konnte.

„Mach schon!“, befahl Li.

Nuguas Herz hämmerte fast genauso schnell wie das unheimliche Trommeln in der Finsternis. Sie setzte sich hinten auf den Kranich, kurz vorm Schwanzgefieder. „Was ist mit dir?“ Sie deutete auf den freien Platz vor sich.

„Halt dich gut fest“, sagte Li ohne aufzusteigen und gab dem Riesenvogel einen Wink.

Nugua keuchte laut auf, als der Kranich das Hinterteil anhob und sie auf seinem Rücken ein Stück weit nach vorn warf; sie kam dort zum Sitzen, wo eigentlich Lis Platz war, kurz vor der Stelle, an der das graue Körpergefieder in den weiß-schwarzen Hals überging. Der Kranich drückte die Beine durch und erhob sich. Ein-, zweimal spreizte er versuchsweise die Schwingen, bevor er sich in die Luft erhob.

„Ich kann ihn nicht lenken!“, rief Nugua panisch. Ihr erster Impuls war, sich an dem langen dünnen Kranichhals festzuhalten, aber das Tier stieß ein drohendes Fauchen aus, sodass sie die Finger geschwind zurückzog und sich an die Zügel klammerte. Sie presste die Beine an die Flanken des Vogels, duckte sich tief über das Gefieder und war so beschäftigt damit, nicht herunterzufallen, dass sie gar nicht bemerkte, wie schnell sie an Höhe gewannen. In Windeseile schwebten sie fünfzig Meter über dem Boden, weit über den höchsten Rippenbögen und Wirbelsäulen.

Ich kann das nicht!, durchzuckte es sie. Aber im nächsten Moment konnte sie es doch, denn sie blieb wider Erwarten sicher sitzen, so als hätte sie während des langen Fluges gemeinsam mit Li mehr über das Steuern eines Riesenkranichs gelernt, als ihr selbst bewusst gewesen war. Dabei war ihr klar, dass sie den Vogel nicht wirklich lenkte. Er tat nur das, was er wollte – oder was Li ihm befohlen hatte. In engen Runden kreiste er über der Lichtung im Knochenlabyrinth, wo sein Meister noch immer kampfbereit stand und auf den unsichtbaren Gegner wartete.

Nach der zweiten Runde saß Nugua sicher genug, um einen längeren Blick in die Tiefe zu riskieren. Der Schwingenschlag des Kranichs rauschte in ihren Ohren, und dennoch hörte sie noch immer das Scharren, das allmählich zu einem Wälzen wurde, während das Trommeln die Intensität einer nahenden Büffelstampede erreichte.

„Li!", brüllte sie. „Worauf wartest du? Warum, verdammt noch mal, bist du nicht mit hier oben?"

Der Xian beachtete sie nicht. Angestrengt spähte er ins Dunkel, die Schaufellanze stoßbereit. Noch einmal versuchte Nugua, etwas zu erkennen, weiter östlich im Irrgarten der Gebeine, aber die Höhe lenkte sie ab, und es erforderte noch immer gehörige Mühe, sich auf dem Vogelrücken zu halten.

„Kannst du nicht irgendwo landen?", fragte sie den Kranich, aber es klang eher wie ein Fluch, weil sie annahm, dass er sie eh nicht verstand und ihr erst recht nicht gehorchen würde. Zu ihrem Erstaunen schwenkte der Vogel aus seiner Kreisbahn und stieß auf den höchsten Punkt eines nahen Rippenbogens herab, unmittelbar neben der Stelle, wo der Knochen mit der titanischen Wirbelsäule verschmolz. Die Vogelkrallen fanden festen Halt, und Nugua hatte mit einem Mal freie Sicht auf die Lichtung und den Xian.

Die Dunkelheit auf der anderen Seite nahm Gestalt an. Aber erst, als der vordere Teil des Wesens das Dickicht der Gebeine verließ und heraus in den Dämmerschein glitt, ließ sich erahnen, worum es sich handelte.

Nugua öffnete den Mund zu einem Schrei. Ihre Kehle war ausgetrocknet vor Entsetzen, und mehr als ein Krächzen drang nicht über ihre Lippen. Dafür stieß der Kranich ein schrilles Kreischen aus, schlug aufgeregt mit den Schwingen, blieb aber auf der Rippe sitzen, fünf Mannslängen über dem Boden. Nugua klammerte sich an Zügel und Gefieder und konnte den Blick nicht von der Kreatur nehmen, die sich auf Li zubewegte. Plötzlich wirkte selbst der mächtige Unsterbliche winzig im Vergleich zur Körpermasse des Ungeheuers.

Das Wesen hatte Ähnlichkeit mit einem Tausendfüßler, chitinartig glitzernd und segmentiert, mit einer Unzahl verwinkelter Beine zu beiden Seiten seines hässlichen Leibes. Es musste sechs, sieben Meter breit sein, vielleicht mehr. Wie lang es war, blieb ungewiss, denn bisher hatte es gerade einmal seine vorderen Segmente aus dem Gebeinlabyrinth ins Freie geschoben und füllte dennoch bereits die Hälfte der Lichtung aus. Mit brachialer Urgewalt raste es auf seinen rasselnden Panzerbeinen auf den Xian zu, der gar nicht erst versuchte, sich zum Kampf zu stellen. Stattdessen wirbelte er herum und rannte – rannte so schnell, wie Nugua es ihm bei seiner Leibesfülle niemals zugetraut hätte.

Der Kranich schrie erneut, als Li in das Dunkel zwischen den Drachengebeinen tauchte. Das Tausendfüßlerbiest glitt weiter hinaus auf die Lichtung, verharrte aber plötzlich, als sein Kopf die Stelle erreichte, an der eben der Xian gestanden hatte. Noch immer war kein hinteres Ende in Sicht. Der mächtige, wurmartige Leib verschwand irgendwo auf der anderen Seite des Platzes im Knochengewirr. Das Erstaunlichste war – abgesehen von seiner atemberaubenden Scheußlichkeit –, dass das Wesen trotz seiner Größe keines der Drachengerippe auf seinem Weg zermalmt hatte. Wendig wie eine Schlange musste es sich auf Hunderten von Beinpaaren durch das Labyrinth am Grund der Schlucht bewegen, so als besäße es, ja ... *Achtung* vor den gewaltigen Skeletten.

Die Stelle, wo der Kranich und Nugua kauerten, war kaum zwanzig Meter vom Vorderende des riesenhaften Vielfüßlers entfernt. Sie hätte jetzt sein Gesicht sehen können – wäre da eines gewesen. Vielmehr endete das Vordersegment in einer nach außen gewölbten rauen Fläche, in deren Mitte eine winzige Öffnung erschien, wie ein Trichter im Treibsand. Sie wurde immer größer, bis sich das halbe Kopfsegment in einen strudelartigen Schlund verwandelt hatte. Mehrfach öffnete und schloss er sich wieder, in pulsierenden, organischen Schüben, ehe er sich abermals glättete, einen Moment lang erstarrte und dann eine neue Form bildete, diesmal kein Trichtermaul, sondern ein Nest wirbelnder Tentakel wie ein Tintenfisch.

Nugua würgte vor Ekel und Furcht, aber noch immer gab sie dem Kranich keinen Befehl, sich in die Luft zu erheben. Der Vogel musste am besten wissen, wann der Augenblick zur Flucht gekommen war. Noch schien er sich hier oben auf dem Gerippe sicher zu fühlen.

Die Fangarme am Vorderende des Tausendfüßlers tasteten mit fingerdünnen Spitzen über den Boden, genau dort, wo Li und Nugua gestanden hatten. Sie schauderte, als ihr bewusst wurde, dass das Ungeheuer wie ein Raubtier ihre Witterung aufnahm.

Das Kopfende richtete sich auf. Die Vordersegmente zogen sich auseinander, richteten sich ebenfalls auf und wandten sich Nugua zu. Obwohl inmitten des Tentakelnests keine Augen zu erkennen waren, hatte sie das schreckliche Gefühl, dass das Biest sie anstarrte.

„Los!“, brüllte sie heiser.

Der Kranich stieß sich vom Knochen ab, die Schwingen sorgten für blitzschnellen Auftrieb. Innerhalb eines Atemzuges war der Vogel zehn Meter aufgestiegen und flog in die Richtung, in der Li verschwunden war.

Nugua schaute über die Schulter zurück zu dem Ungeheuer am Boden der Schlucht. Seine vorderen Segmente waren noch immer hochgereckt und folgten ihrem Flug mit einer schwingenden Bewegung. Die Tentakel wurden in das Kopfende zurückgezogen und verschmolzen wieder zu einer glatten Fläche. Statt ihrer erschien erneut der Trichter, diesmal von zottigen Auswüchsen umrahmt, die biegsame Zähne, aber auch Stopfwerkzeuge sein mochten.

Zugleich drang ein urgewaltiges Trompeten aus dem schwarzen Strudelmaul.

Das Kopfsegment sank zu Boden. Das Biest setzte sich wieder in Bewegung und glitt auf scharrenden Beinpaaren vorwärts, bis es die gesamte, lang gestreckte Lichtung ausfüllte – und trotzdem noch kein Ende sehen ließ. Es war mindestens fünfzig Meter lang und dabei beängstigend schnell. Wendig wie ein Aal schoss es zwischen den Gebeinen dahin, ohne auch nur einen einzigen Drachenknochen zu zerbrechen. Kurvenreich und biegsam schlängelte es sich durch das Dickicht der Skelette, vielleicht auf Lis Spur, vielleicht aber auch hinter dem Kranich her. Obwohl der Vogel so geschwind flog, wie es der Platz zwischen den Felswänden zuließ, hielt die Tausendfüßlerbestie am Boden mühelos mit, trotz aller Schlenker, die sie um Beinberge und Knochensäulen machen musste.

Wo steckte nur Li? Nugua konnte ihn von oben nirgends entdecken, was womöglich ein gutes Zeichen war; vielleicht hatte er ein Versteck gefunden, in dem er vorerst sicher war. Er konnte unmöglich vor dem Biest herlaufen, so flink war nicht mal ein Xian.

Sie beugte sich vorsichtig zur Seite, um unter sich zu blicken. Mindestens dreißig Meter hoch flog der Kranich, während sich am Boden die schwarze Chitinmasse des Tausendfüßlers durch das Gebeinlabyrinth wälzte. Das Trommeln der zahllosen Krallen klang jetzt wie Hagel.

Der Vogel flog eine wilde Schlangenlinie, unbeeinflusst

von Nugua. Er suchte sich selbst seinen Kurs, und sie vermutete noch immer, dass er Signalen des Xian folgte.

Fauchend und trompetend wurde der Riesentausendfüßler noch einmal schneller, bis sich seine Vordersegmente weit vor dem Kranich befanden, so als könnte er voraussehen, in welche Richtung der Vogel flog. Dann und wann sanken Nebelfetzen von der Dunstglocke in die Schlucht hinab; sie zerstoben, wenn der Kranich und Nugua sie durchstießen.

Ein panischer Schrei drang aus dem aufgerissenen Schnabel des Vogels, so unvermittelt, dass Nugua vor Schreck fast den Halt verlor. Dann begriff sie mit blankem Entsetzen, was geschehen war.

Der Kranich wurde herumgerissen und Nugua um Haaresbreite von seinem Rücken geschleudert. Ein schwarzer Strang hatte sich von unten um seinen Hals gewickelt, glitschig und ölig schimmernd – die Fangzunge der Bestie.

Der Tausendfüßler war zum Stehen gekommen, hatte sein Kopfsegment hoch aufgerichtet und gleichzeitig nach hinten gedreht, sodass er zurückblickte, dorthin, wo der Kranich genau über ihm schwebte und mit verzweifeltem Flattern gegen den Griff der Zunge ankämpfte. Der Strang dehnte sich über die volle Distanz, dreißig Meter vom dünnen Hals des Vogels hinab in den Trichterschlund.

Die Bestie begann zu *ziehen*.

Tobend und flatternd verlor der Kranich an Höhe, stemmte sich gegen den Sog der Zunge, schlug mit den riesigen Krallen danach. Nugua rutschte nach hinten, dann wieder nach vorn, und alles, was sie tun konnte, war haltlos zu schreien, als das Tier immer tiefer sank, geradewegs auf das Maul des Ungeheuers zu.

Sie würde fallen. Das stand völlig außer Zweifel. Das Geflatter des gefangenen Kranichs wurde immer heftiger. Der Chitinrücken des Tausendfüßlers kam näher, schien unter ihnen jetzt die ganze Schlucht auszufüllen. Nugua hing an den Zügeln, klammerte zugleich die Beine um den Federleib des Vogels, hatte aber nicht genug Kraft, um den panischen Bewegungen des Tiers standzuhalten.

Ein neuer Laut drang aus dem Maul der Bestie.

Ein lang gezogener Kampfschrei ertönte, als Li mit einem gewaltigen Sprung aus dem Knochendickicht zur Linken des Ungeheuers wirbelte, im Federflug über den haushohen Leib hinwegsetzte und dabei einen gezielten Schlag mit der Schaufellanze führte.

Die schwarze Zunge zersprang und schnellte in beide Richtungen davon. Während Li im Schatten des Gebeindschungels abtauchte, verschwand das eine Ende der Zunge im Trichtermaul des Tausendfüßlers, das andere klatschte unter den Bauch des Kranichs. Vor Schmerz richtete sich der Vogel in der Luft auf, wollte in Panik nach oben davonschießen –

– und verlor in derselben Bewegung seine kreischende Reiterin.

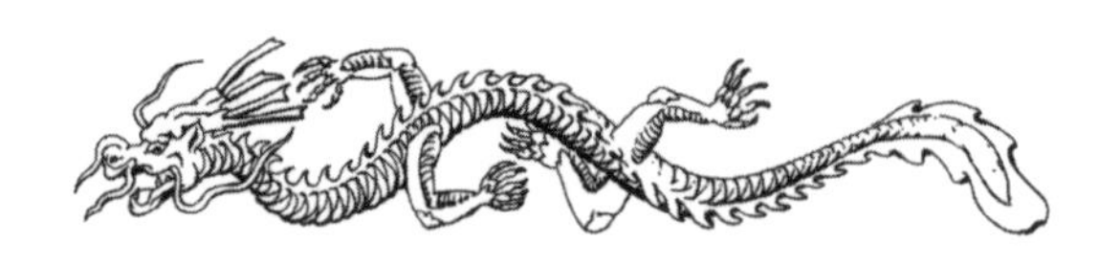

Seelenschlund

Sekundenlang sah es noch aus, als könnte Nugua sich an den Zügeln des Kranichs festhalten – dann entglitten sie ihren Fingern. Über ihr stieß der Vogel nach oben fort, immer noch panisch, ein weißer Schemen, der blitzschnell kleiner wurde. Nugua stürzte rückwärts in die Tiefe. Ihr Verstand war wie ausgebrannt, gähnende Leere in ihr und unter ihr.

Der Aufprall tat weh, aber der Schmerz wurde vom Schock verschluckt, als sie viel schneller als erwartet auf Widerstand traf. Ihr Rücken prallte auf Chitin, sie schlitterte abwärts, aber nicht zur Seite, sondern in die Vertiefung hinab, wo ein Segment des Untiers ans andere stieß. Dort blieb sie wie betäubt liegen, eingezwängt zwischen den mahlenden Panzerplatten, nur wenige Meter von den riesenhaften Beinen entfernt, die sie augenblicklich zermalmt hätten, wäre sie seitlich daruntergestürzt.

Ganz kurz dachte sie: *Aber ich sterbe ja sowieso!* Warum sollte sie noch vor diesem Ding davonlaufen? Was gewann sie dadurch? Ein paar Tage? Eine Woche?

Ihr Herzschlag hämmerte gegen den Klammergriff der Purpurnen Hand an, und sie hatte Mühe, sich zusammenzureißen und wieder klar zu denken. Hoch über ihr kreiste der Kranich. Sie sah ihn verschwommen unterhalb der grauen Nebeldecke, sichtlich angeschlagen, ein Bein leicht angewinkelt. Aber wie verletzt er auch sein mochte, schien er doch auf Nugua herabzublicken, als wollte er sie um jeden Preis im Auge behalten und sofort herabstoßen, wenn sich die Möglichkeit dazu bot.

Der Riesentausendfüßler erbebte und zitterte, als er sich wieder in Bewegung setzte. Entweder hatte er nicht bemerkt, dass da ein Mensch auf ihm lag, oder aber es kümmerte ihn nicht. Vielleicht hatte er wieder die Witterung des Xian aufgenommen, denn er änderte seine Richtung, bog seinen Titanenleib nach rechts und glitt unter dem Gitterwerk eines Drachengerippes hindurch, folgte dem beinernen Tunnel aus Rückgrat und Rippenbögen nach Norden.

Nuguas Überlebenswille kehrte zurück, als sie die blanken Wirbel über sich hinwegziehen sah, jeder einzelne so groß wie sie selbst. Rechts und links glitten die Rippen des toten Drachen vorüber. Unter ihrem Rücken bebten die Chitinplatten. Sie lag genau auf der Kante, wo zwei von ihnen zusammenstießen, der Übergang zwischen den Wurmsegmenten des Ungeheuers. Wenn sie in den Spalt geriet, würde sie sofort zerquetscht werden. Darum wagte sie kaum, sich zu bewegen oder gar ihre Position auf dem Rücken des Tausendfüßlers zu verändern.

Nur – irgendetwas *musste* sie tun.

Ihr Kreuz tat weh vom Aufprall auf dem Chitin, aber sie war nicht hoch genug in der Luft gewesen, als dass sie sich ernsthaft hätte verletzen können. Das monströse Wesen, das sie über den Drachenfriedhof trug, mochte sie nicht bemerkt haben, doch die Gefahr, zwischen den Chitinplatten entzweigeschnitten oder unter den verwinkelten Beinen zertrampelt zu werden, wurde dadurch nicht geringer.

Ganz vorsichtig zog sie erst einen Fuß an, dann den anderen. Langsam winkelte sie die Ellbogen an und setzte die Handflächen neben ihren Ohren auf das Chitin. Dann drückte sie die Hüften nach oben, bildete über dem Spalt zwischen den mahlenden Panzerplatten eine Brücke. Das Schaukeln und Ruckeln machte es alles andere als einfach, diese Position länger als ein paar Sekunden zu halten, aber das hatte sie auch gar nicht vor. Stattdessen federte sie mit einem Ruck den Oberkörper nach oben und stand im nächsten Moment schwankend auf den Füßen, mit dem Rücken zur knirschenden Chitinkante.

Sie war selbst überrascht, dass sie nicht gleich wieder hinfiel. Irgendwie gelang es ihr, die Erschütterungen des Untergrunds auszugleichen und sich vorwärtszubewegen, entgegen der Kriechrichtung der Kreatur. Im Augenblick folgte der Riesentausendfüßler noch immer dem Verlauf des Drachenskelettes, schlängelte sich durch den Säulentunnel aus Rippenbögen.

„Nugua!"

Sie hörte Lis Ruf, konnte aber nicht einordnen, aus welcher Richtung er kam. Der Xian war weder vor noch hinter ihr. Statt abzuwarten erklomm sie die Kuppe des Chitinsegments, bis sie so weit wie möglich von den tödlichen Reibekanten entfernt war. Außerdem befand sie sich hier fast einen Meter höher, was es leichter machen würde, nach einem der Wirbelvorsprünge über sich zu greifen.

Mit gespreizten Armen hielt sie ihr Gleichgewicht, drehte sich vorsichtig um, jetzt wieder in Kriechrichtung des Tausendfüßlers.

Das Kopfende der Bestie hatte den Gerippegang bereits verlassen. Noch zwanzig Meter, höchstens, dann würde auch Nugua wieder im Freien sein. Wenn sie wirklich versuchen wollte, sich an den vorübersausenden Wirbeln festzuhalten, dann musste sie es *jetzt* tun.

„Nugua!"

Wieder Lis Stimme. Und diesmal begriff sie.

Sie hob den Kopf und blickte nach oben. Da war er, sprintete trotz seiner Körpermasse schräg über ihr von einem Rippenbogen zum nächsten, parallel zur Drachenwirbelsäule. Als er sah, dass sie ihn entdeckt hatte, wurde er noch schneller. Nugua glaubte, die baumstammdicken Knochenbögen unter seinen Schritten erbeben zu sehen, war aber derart mit ihrem eigenen schwankenden Halt beschäftigt, dass sie keinen weiteren Gedanken an seine unglaubliche Geschwindigkeit verlor. Seit ihren Erlebnissen am Lavastrom wusste sie, dass ein Xian Entfernungen verkürzen konnte; Li hatte das bereits mehrfach getan, zuletzt während ihres Kranichfluges, und sie nahm an, dass er dort oben gerade etwas Ähnliches versuchte.

Mit einem Mal war er verschwunden. Aber als sie nach vorn sah, entdeckte sie ihn wieder. Er lag bäuchlings auf der letzten Rippe, direkt über dem Ausgang des Knochentunnels, und streckte beide Arme hinunter. Dazwischen hielt er den Schaft der Schaufellanze wie ein Trapez.

Nugua bewegte sich vorsichtig einen Meter nach rechts,

bis sie auf dem gewölbten Panzer eine Stelle erreichte, die sich in wenigen Sekunden genau unter Lis Armen befinden würde. Der Riesentausendfüßler donnerte weiter, trug sie genau darauf zu. Einen Augenblick, bevor ihr Segment ins Freie glitt, löste sie sich mit einem verzweifelten Sprung von dem Chitin, streckte die Hände nach dem Lanzenschaft aus und bekam ihn zu fassen. Sogleich fühlte sie sich nach oben gewirbelt, als Li sie an der Lanze aufwärtszerrte, fort vom Rücken des Ungeheuers, hinauf auf den äußeren Rippenbogen des Drachenskeletts.

Ehe sie sich versah, stand sie neben dem Xian, atemlos, schwindelig, mit schlotternden Knien. Unter ihr rauschte das Schwanzsegment des Tausendfüßlers aus dem Rippenkäfig ins Freie, hinaus in eine Schneise zwischen weiteren Gebeingebirgen.

„Schnell!“, sagte Li. „Er wird jeden Moment wieder meine Witterung aufnehmen.“ Er ging in die Hocke und deutete auf seinen breiten Rücken. „Rauf da! Nun mach schon!“

Sie hatte den Ritt auf dem Tausendfüßler überlebt, da mutete es fast wie ein Spaziergang an, sich von dem Xian tragen zu lassen. Sie klammerte sich mit beiden Armen um seine Schultern, schlang die Beine um seine Brust – sein Oberkörper war so breit, dass sich ihre Füße vorn nicht berührten – und ließ sich von ihm emporheben.

Einen Steinwurf entfernt wälzte sich das Ungeheuer herum, stieß einen zornigen Schrei aus und ließ mehrere Gebeine unter seiner Körpermasse bersten – es war das erste Mal, dass Nugua mit ansah, wie das Biest eines der

Skelette beschädigte. Sein Zorn nahm überhand, und es vergaß alle Vorsicht.

Li sprang von Rippe zu Rippe, jetzt wieder in die entgegengesetzte Richtung. Das Brüllen des Riesentausendfüßlers hallte von den Felswänden wider, als er die Verfolgung aufnahm. Aus dem Augenwinkel sah Nugua eine Explosion aus Knochenstaub, als das Biest Teile eines Skelettes niederwalzte, um sich einen direkten Weg zurück zum Xian zu bahnen.

Li schaute im Laufen nach oben. Der Kranich war über ihnen, sank jetzt tiefer. Sein eines Bein war noch immer angewinkelt, womöglich gebrochen. Er konnte sie unmöglich mit seinen Krallen packen und davontragen, auch wenn Nugua das einen Moment lang gehofft hatte. Um aber zu landen und sie aufsteigen zu lassen, blieb keine Zeit. Der Tausendfüßler war zu schnell.

Hinter ihnen ertönte ohrenbetäubendes Bersten und Brechen.

„Nicht umschauen!“, presste Li hervor.

Nugua sah trotzdem über ihre Schulter – und wünschte gleich, sie hätte es nicht getan. Das Ungeheuer bohrte sich abermals in den Tunnel aus Knochen, diesmal ohne jede Rücksicht auf das morsche Gebilde. Tatsächlich schien es die Rippen auf der einen Seite nun absichtlich zu streifen, sodass sie unter der Gewalt des Ansturms zerbrachen. Graue Fontänen aus Knochenstaub stiegen auf, folgten den beiden Flüchtenden, während hinter ihnen eine Rippe nach der anderen über der Bestie zerbarst, ohne sie merklich aufzuhalten. Das gesamte Skelett geriet ins

Wanken, während die Erschütterungen den Xian fast von den Beinen warfen.

Das Kopfsegment des Tausendfüßlers hatte aufgeholt, war jetzt nur noch zehn Meter hinter ihnen, drei oder vier Rippen entfernt. Jeder Knochen, den es passierte, wurde zu Staub und Bruchstücken zermalmt. Schon neigte sich das Gerippe zur Seite. Die Wirbelsäule löste sich hinter Li und Nugua in Einzelteile auf, fiel auseinander wie Perlen von einer zerrissenen Kette.

Li stieß sich ab, federte von den berstenden Rippen zur Seite. Nugua schrie, während sie durch die Luft rauschten, fort von dem Staubinferno in ihrem Rücken. Li wandte jetzt den Federflug an, die rätselhafte Kraft chinesischer Krieger, mit deren Hilfe sie von Dach zu Dach, über Gewässer und Astspitzen schweben konnten. Aber Li war erschöpft, womöglich verletzt, und seine Flugkraft reichte nicht aus, sie beide in Sicherheit zu tragen. Er wollte die Felswand erreichen, die Nordseite der Schlucht, aber schon nach einem Augenblick wurde klar, dass sie es nicht schaffen würden. Sie sanken tiefer und gerieten ins Trudeln. Nugua drohte abzurutschen, doch da polterten sie schon gemeinsam zu Boden. Sie fiel auf den Xian, wurde weich aufgefangen und hatte trotzdem das Gefühl, sich alle Knochen zu brechen. Aber, nein, nur der Schmerz des Aufpralls. Erleichtert begriff sie, dass sie keine schweren Verletzungen davongetragen hatte.

Über ihnen kreischte der Kranich eine Warnung, wollte herabstoßen und neben ihnen landen, aber Li scheuchte ihn mit einem Wink davon.

„Warum?“, rief sie nur, als der Vogel abdrehte und wieder an Höhe gewann.

„Ihm darf nichts geschehen. Du wirst ihn noch brauchen.“

„Ich? Aber wir – “

Er packte sie an der Schulter, als sie beide wieder auf den Füßen standen, dick gepudert mit Knochenstaub. „Du hast keine Ahnung, was das für ein Wesen ist, nicht wahr?“

Sie sah ihn an, blickte dann zurück in die Richtung, aus der sie gekommen waren. Der Federflug hatte sie ein gutes Stück weit davongetragen, aber der Riesentausendfüßler war schon auf dem Weg hierher. Hinter den Gerippen konnten sie ihn nicht sehen, aber sein Lärmen war unüberhörbar. Jenseits der Gebeine stiegen Staubwolken auf, rasten in gerader Linie auf sie zu. Das Biest wusste genau, wo es sie finden konnte.

Sie blickte zurück zu Li. „Das ist ... kein Tier?“

Der Xian packte sie am Arm. „Nein.“

Nugua wurde mitgerissen, wollte selbst laufen, war aber zu schwach, nicht allein von der Anstrengung ihrer Flucht, sondern von dem, was über ihrem Herz prangte wie eine purpurne Spinne: Lotusklaues Handabdruck zog sich enger zusammen, und sekundenlang überkam sie wieder gefährliche Gleichgültigkeit.

Sie fühlte sich emporgerissen und herumgeschleudert, klammerte sich instinktiv fest und saß plötzlich wieder auf Lis Rücken, während der Xian rannte und nach einem Ausweg aus der Schlucht Ausschau hielt.

Aber dann, von einem Schritt zum nächsten, hatte ihre Flucht ein Ende.

Unmittelbar vor ihnen barst ein Berg aus Drachengebeinen in einer grauen Explosion auseinander. Knochensplitter wurden bis zur Nebeldecke hinaufgeschleudert. Gleich darauf prasselten sie als Hagel wieder herab, spitze, scharfkantige Geschosse, die sich rund um Li und Nugua in den Boden bohrten.

Das Kopfsegment des Ungeheuers schob sich durch die Staubschwaden, war jetzt genau vor ihnen. Wie auch immer es ihnen den Weg abgeschnitten hatte – und vermutlich war das in diesem Irrgarten nicht allzu schwer gewesen –, es war schneller, größer und stärker als sie. Nugua wusste ebenso gut wie Li, dass es keinen Zweck mehr hatte davonzulaufen.

Die blanke Schädelfläche der Bestie wirkte aus der Nähe noch deutlicher wie eine Halbkugel aus Sand, die beliebige Formen bilden konnte. Nugua hatte sie bereits zu Tentakeln werden sehen, dann zu einem tiefen Strudelmaul, mal mit, mal ohne Zähne.

Jetzt aber, da sich der Kopf unmittelbar vor ihnen befand, mehr als viermal so hoch wie Nugua selbst, zeigte er sich wieder vollkommen glatt. Lediglich unter der Oberfläche schien es zu rumoren, eine sanfte Bewegung, die allmählich zu bebenden Wellen wurde.

Noch griff das Wesen sie nicht an. Dabei hätte es sie in diesem Augenblick ohne jede Mühe zerquetschen können. Als Li Nugua wieder am Boden absetzte und sich schützend mit der Lanze vor ihr aufbaute, trennten sie keine zehn Meter mehr vom Kopfsegment des Riesenbiests.

„Was, bei allen Drachenkönigen, *ist* das?“ Angsterfüllt und doch viel zu neugierig trat sie hinter Lis Rücken hervor.

„Das wird es uns gleich selbst sagen.“

„*Sagen*? Du meinst, wie ... *sprechen*? Dieses Ding?“

Die Schüttelbewegung der sandigen Kopffläche hielt inne, und gleich darauf wölbte sich eine neue Form daraus hervor.

Ein menschliches Gesicht.

Drei oder vier Meter hoch, mit geschlechtslosen Zügen, die sich nicht zwischen Mann und Frau entscheiden konnten, mit großen, pupillenlosen Augen. Es war nur die grobe Imitation eines Menschen, aber für einen Tausendfüßler zweifellos passabel.

„Ihr könnt mir nicht entkommen“, sprach das Gesicht mit rasselnder Stimme. Die Bewegung der Kiefer war schlecht aufeinander abgestimmt und wirkte kantig wie bei einer Handpuppe.

Lis große Füße standen fest auf dem Boden wie Steinsockel. Nugua sah ihm an, dass er keinen Schritt mehr zurückweichen würde.

„Du bist ein Xian“, stellte der Tausendfüßler fest. Seine vorderen Beine wuchsen unmittelbar hinter dem Kopfsegment aus den Chitinpanzern; sie vibrierten vor Erregung. „Ich kann wittern, dass du ein Xian bist.“

„Dann weißt du, dass du die Götter selbst angreifst, wenn du dich gegen mich stellst.“

Ein unangenehmes Schnarren drang über die farblosen Lippen. Falls das die Imitation eines menschlichen Lachens sein sollte, war es übel missglückt. „Ich bin der Seelenschlund. Ich habe viele Götter verschlungen, als sie noch in Fleisch und Blut über die Welt wandelten."

„Das ist lange her."

Seelenschlund. Nugua versuchte sich zu erinnern, ob die Drachen je von einer Kreatur dieses Namens gesprochen hatten. Aber ihre Angst schien jeden Winkel ihres Bewusstseins auszufüllen. Sie hätte nicht mehr fortlaufen können, selbst wenn das Wesen ihr eine Chance dazu gegeben hätte.

„Was tust du an diesem Ort, Seelenschlund?", fragte Li.

„Ich fresse. So wie es meine Art ist."

„Bis wir hier eingetroffen sind, kann es nicht viel gegeben haben, das sich zu fressen gelohnt hat."

„Umso ungeduldiger bin ich, Xian."

„Ein Drache hat in dieser Schlucht gelebt. Ein Wächter über die Toten."

„Jetzt lebt er in mir." Eine tiefe Zufriedenheit lag im Tonfall der Kreatur, die erste menschliche Regung, die sie glaubhaft zustande brachte.

„Du hast ihn verschlungen?"

„So ist es."

Nugua hätte bei diesen Worten verzweifeln müssen, doch nicht einmal das vermochte sie. Ihre Todesangst war wie ein Schwamm, der jede andere Empfindung aufsaugte.

„Das Wissen dieses Drachen lebt in dir weiter?", fragte Li.

„Natürlich. So wie das Wissen eines jeden Wesens, dessen Seele ich fresse."

Der Seelenschlund!, durchfuhr es Nugua. Etwas schälte sich aus ihrer Erinnerung. Natürlich! Ein Wesen, das seit Äonen existierte, getrieben von dem einzigen Bestreben, ein Exemplar jeder lebenden Art, jeder Gattung, jeder Rasse aufzufressen. Nicht weil es hungrig war oder gierig, sondern weil es das Wissen seiner Opfer in sich vereinte. Es trug die Seelen all jener, die es verschlungen hatte, weiterhin in seinem Inneren, ein Kaleidoskop aus Millionen Geistern, Erinnerungen und Wesenszügen. Die Drachen hatten davon wie von einer Legende gesprochen, und die Tatsache, dass Nugua ihm gegenüberstand, ausgerechnet in dieser Schlucht am Ende der Welt, erschien ihr abstruser als ein Albtraum.

Genauso wie die Tatsache, dass eine mythische Kreatur wie der Seelenschlund – bei aller Größe – den Körper eines *Tausendfüßlers* hatte.

Sie machte einen Schritt nach vorne. Das gewaltige Gesicht betrachtete sie mit seinen leeren, sandgeformten Augen.

„Du bist kein Xian", sagte es ohne jedes Interesse.

„Nein. Nur ein Mensch."

„Ich habe so viele Menschen gefressen, dass mir euer Geschmack zuwider geworden ist. Von dir will ich nichts."

Li straffte sich kaum merklich. „Aber du hast noch nie einen Xian gekostet, nicht wahr?"

„In der Tat." Der Seelenschlund lachte wieder, jetzt

schon sehr viel menschlicher. Offenbar brauchte er eine Weile, bis er aus der Vielzahl der ihm zur Verfügung stehenden Antlitze und Seelen die passenden Regungen zusammengeklaubt hatte.

„Nugua“, flüsterte Li. „Der Kranich wird dich von hier fortbringen. Er wird dir gehorchen.“

„Was?“ Sie starrte ihn an, fassungslos angesichts dessen, was in diesen Worten mitschwang. „Dieses Ding wird dich *nicht* fressen! Und du wirst nicht sterben oder hierbleiben oder – “

Er wollte sie mit einer Geste besänftigen, aber ihre Stimme überschlug sich nur noch mehr.

„Wir gehen zusammen von hier fort!“, brachte sie mühsam hervor. „Ohne dich bewege ich mich nicht von der Stelle! Hörst du? Du kannst nicht – “

Der Seelenschlund übertönte sie. „Dein unsterblicher Freund weiß, dass er keine andere Wahl hat.“

„*Natürlich* hat er die!“, schrie sie das Ding wutentbrannt an, stemmte die Hände in die Hüften und stampfte mit dem Fuß auf. „Wie kannst du es wagen? Du ... du bist nur ein ... *Insekt*!“

Das Menschengesicht des Seelenschlunds stülpte sich nach innen und zerstrudelte wieder zu einem bodenlosen Trichtermaul. Die elastischen Zahnzotten fächerten nach außen, so als wollten sie nach Nugua greifen. Sogleich aber schloss sich der schreckliche Rachen wieder, und erneut erschien das Sandgesicht.

Nugua spuckte auf den Boden. „Du machst mir keine Angst!“ Das war der Drache in ihr, der endlich wieder zum Vorschein kam; sie hatte diesen Teil von sich bereits vermisst.

Das Wesen hob eine haarlose Augenbraue und legte die Stirn in Falten. Dann blies es die Backen auf und stieß ein tiefes Seufzen aus. „Ach, es ist ein Elend“, stöhnte die trockene Rasselstimme aus dem Inneren des Tausendfüßlers. Die Mundwinkel des Riesengesichts bogen sich nach unten. Plötzlich sah es niedergeschlagen aus, bedrohlich nur durch seine Größe. „Ich bin es so leid! Ich besitze mehr Wissen als jede andere Kreatur auf Erden, aber ich bin in einem Körper gefangen, der jedem anderen Ekel einflößt. Schaut mich nur an! Keiner kennt so viele Geheimnisse wie ich, und doch bin ich dazu verdammt, mich an Orten wie diesem herumzuwälzen, allerhand Zeug kaputt zu machen und mir von *Kindern* sagen zu lassen, dass sie mich nicht fürchten.“

Nugua warf Li einen zweifelnden Seitenblick zu. Sein Gesicht blieb ein Rätsel; vielleicht ahnte er, dass die Stimmungen des Seelenschlundes unberechenbar waren, so vielfältig wie die Charaktere der Seelen, die in ihm weiterlebten.

Die Kreatur bildete ein Tentakel aus, mitten auf ihrer Menschenstirn, und kratzte sich damit unterm Auge. Erst als der Fangarm wieder verschwunden war, begriff Nugua, dass der Seelenschlund sich eine unsichtbare Träne fortgewischt haben musste. Das Gesicht, das sich aus der sandigen Oberfläche wölbte, war nicht fähig zu weinen, doch die Seelen dahinter konnten sich sehr wohl *fühlen*, als ob sie weinten. Vermutlich war das noch einer der kleinen Widersprüche, die entstanden, wenn Tausende und Abertausende Wesenheiten in einem einzigen, fremden Leib zusammenkamen.

„Nur Pein, nur Elend, wohin man auch sieht“, wehklagte der Seelenschlund.

„Wir möchten dem Wächterdrachen in dir eine Frage stellen“, sagte Nugua.

Die Kreatur schien sie nicht zu hören. Sie war versunken in ihren Weltschmerz. „Nur Schlechtigkeit, nur Übel allüberall. Ach, was gäbe ich dafür, nicht der Seelenschlund zu sein, sondern eine Blume! Ein Tautropfen! Ach, wär ich doch nicht der Seelenschlund!“

„Eine Frage“, wiederholte Nugua beharrlich.

Die Augenbrauen schoben sich zusammen, der pupillenlose Blick verengte sich. „Warum sollte ich euch eine Bitte gewähren?“

Li kam Nugua zuvor. „Das ist mein Preis.“

„*Was?*“ Sie zerrte an seinem Wams. „Bist du verrückt geworden?“

Li nickte dem Seelenschlund zu. „Entschuldige uns einen Augenblick!“

Das Riesengesicht setzte eine gleichgültige Miene auf. „Bitte.“

Der Xian zog Nugua herum, sodass beide dem Ungeheuer den Rücken zuwandten. „Er kann uns wahrscheinlich sagen, wohin die Drachen verschwunden sind! Er ist unsere letzte Hoffnung, verstehst du? Lass mich mit ihm verhandeln, und halt dich da raus.“

„Aber – “

„Nein!“, fuhr er sie an. „Kein Aber!“

„Du kannst dich doch nicht von ihm *fressen* lassen, nur damit die Drachen mir das Leben retten!“ Sie sagte das wie betäubt; sie konnte noch immer nicht ganz fassen, worüber sie hier sprachen. „Es sind nur noch drei Xian übrig! Wenn ihr sterbt, das hast du selbst gesagt, dann kann keiner den Aether mehr aufhalten.“ Das waren große Worte, und sie entsprachen der Wahrheit – doch eigentlich ging es ihr um etwas anderes: Sie wollte nicht, dass Li starb. Sie wollte, dass sie aufwachte und dies alles nur ein böser Traum war; wollte, dass sie aufwachte und hinter dem Xian auf dem Kranich saß, mit schmerzendem Hinterteil und weit weg von schwermütigen Ungeheuern mit mehr Seelen als Beinen. Vor allem aber wollte sie nicht noch einmal allein zurückgelassen werden. Der Drachenkönig war für sie wie ein Vater gewesen, und sie hatte ihn verloren. Der Gedanke, dass es ihr mit Li genauso ergehen könnte, war zu schmerzhaft, um ihn in Worte zu fassen.

„Vielleicht kann Yaozi oder einer der anderen Drachen dich wirklich retten“, sagte Li. „Aber das ist nicht der Grund, weshalb ich dies tun muss. Du wirst zu den Drachen gehen, wohin auch immer sie verschwunden sind, und du wirst ihnen klarmachen, dass es ihre Aufgabe ist, den Aether zu bekämpfen. Sag ihnen, dass nur noch wenige ... nur noch zwei Xian übrig sind und dass der Aether die Verbindung zwischen Himmel und Erde endgültig zerschlagen wird, wenn wir alle fort sind. *Sag* es ihnen – und das, was ich tue, wird das Richtige sein!“

„Ich will das nicht! Ich – “

„Still!“ Er ließ sie stehen und wandte sich wieder an den Seelenschlund. „Du hast noch nie die Seele eines Xian verschlungen, nicht wahr? Und du bist ganz versessen darauf. Ist es nicht so?“

Das gewaltige Gesicht gab sich gelassen. „Nun, vielleicht.“

„Ich könnte mich wehren. Ich könnte kämpfen und dir allerlei Verletzungen zufügen. Am Ende würdest du mich auffressen, so oder so, aber ich würde dir vorher Schmerzen bereiten. Und ich kann mir nicht vorstellen, dass dir daran gelegen ist.“ Er schenkte dem Gesicht, das ihn um das Dreifache überragte, einen lauernden Blick. „Es geht dir nicht gut, das sagst du selbst. Und nach einem Kampf würde es dir noch viel schlechter gehen. Aber wenn du mich ohne Widerstand verschlingen könntest, das wäre ein Triumph für dich, nicht wahr? Ich denke, das würde dir gefallen.“

Der Seelenschlund seufzte. „So stellt schon eure jämmerliche Frage, und die Seele des Drachen wird sie euch beantworten.“ Er klang jetzt quengelig vor lauter Selbstmitleid. „Ich will nicht mehr reden. Jedes weitere Wort erinnert mich nur daran, wie dumm und undankbar die Welt ist.“

„Ich möchte wissen, wohin die Drachen verschwunden sind“, rief Li dem Seelenschlund zu.

Das Gesicht verzerrte sich zu einer Grimasse, zerfloss zu einer glatten Fläche und wölbte sich dann mehrfach nach innen und außen, so als könnte sich das Wesen nicht entscheiden, welches Antlitz es als Nächstes annehmen wollte.

Zuletzt bildete sich das Gesicht eines uralten Drachen. Nuguas Herz machte einen Sprung, in ihr stieg eine verzweifelte Freude auf. Es war so lange her, seit sie einem Drachen zuletzt von Angesicht zu Angesicht gegenübergestanden hatte. Obwohl auch seine Augen keine Pupillen besaßen, strahlte seine ehrwürdige Miene Weisheit und Freundlichkeit aus. Aus den Seiten seines Drachenmauls wuchsen zwei gewaltige Fühler, schlängelten sich durch die Luft auf Nugua zu und berührten sie sanft.

„Etwas an dir ist ... vertraut", sprach der Drache. „Irgendetwas in dir erkenne ich."

„Ich bin die Tochter Yaozis", sagte sie stolz. „Der Drachenkönig des Südens hat mich in seine Obhut genommen, als ich ein Neugeborenes war. Ich bin als eine von seinem Clan aufgewachsen."

„Wie ungewöhnlich", sagte der Drache und lachte leise. „Aber es passt zum alten Yaozi, dass er sich eines Menschenkindes annimmt und versucht, einen Drachen daraus zu machen."

Plötzlich zuckte er, seine Miene drohte zu zerfließen, formte sich dann neu. „Wir haben wenig Zeit", sagte er und zog die Fühler zurück. Die leeren Augen suchten Li. „Stell mir deine Frage, Xian."

„Verrate uns, wohin all die Drachen gegangen sind. Yaozi und die anderen ... Es scheint, als hätten sie sich aus der Welt zurückgezogen. Nicht einmal die Xian wissen, wohin sie verschwunden sind."

„Nicht fort aus der Welt“, widersprach der Drache. „Nur dorthin, wo sie eine Weile lang sicher sind – wenn auch nicht für immer.“

„Was für ein Ort ist das?“

„Die *Dongtian* der Himmelsberge.“

Li holte tief Luft. „Sie verbergen sich in den Heiligen Grotten?“

Die Drachenfühler wippten auf und ab, was einem Nicken gleichkam. „In den Heiligen Grotten tief unter den Himmelsbergen, nahe den Gebeinen der Erde. In den *Dongtian* kann der Aether sie nicht – “

Das Gesicht des Drachen verzog sich, schrumpfte zurück, wurde eine glatte Fläche. Bald darauf erschienen wieder die Menschenzüge des Seelenschlunds. „Genug!“, rief er. „Du hast deine Antwort bekommen, Xian.“

Li wandte sich an Nugua und legte ihr eine schwere Pranke auf die Schulter. „Hast du je von den Himmelsbergen gehört?“

Sie schluckte, als ihr bewusst wurde, dass der Xian es ernst meinte. „Li, ich – “

Seine Miene verdüsterte sich. „Kennst du die Himmelsberge?“

„Ich hab von ihnen gehört, ja.“ Sie unterdrückte ein Schluchzen. „Sie liegen im Norden, jenseits der Großen Wüste Taklamakan. Und ich weiß, was *Dongtian* sind. Ich war schon mit Yaozi in Heiligen Grotten im Osten. Einmal sind wir tief unter der Erde von einer *Dongtian* zur anderen gezogen, tagelang, auf Wegen, die nur die Drachen kennen.“

„*Dongtian* gibt es in vielen Gebirgen und Heiligen Bergen Chinas. Aber nirgends sind sie größer und tiefer als in den Himmelsbergen. Zu tief sogar für die Drachen, hätte ich angenommen. Es gibt Geheimnisse in den Himmelsbergen, denen kein Sterblicher nahekommen will. Und auch kein Unsterblicher, was das angeht. Die Drachen gehen ein großes Risiko ein, ganz ohne Zweifel." Er atmete tief durch. „Ich frage mich, was sie planen."

Der Seelenschlund grollte. „Du wirst es nicht mehr erfahren, Xian. Es wird Zeit, deinen Teil unseres Handels einzulösen."

Li beachtete ihn nicht. Sein Blick versenkte sich tief in Nuguas Augen. „In den Himmelsbergen wirst du die Drachen finden. Yaozi wird dich heilen. Erzähle ihnen alles, was hier geschehen ist. Alles, hörst du? Der Kranich wird dich zu ihnen tragen."

Über ihnen ertönte ein Krächzen, als der Riesenvogel aus dem Nebel stieß und in eine Kreisbahn schwenkte. Er hatte nach der Begegnung mit der Zunge des Seelenschlunds merklichen Respekt vor dem Tausendfüßler und schrie ihm aus der Luft schrille Laute entgegen.

Li gab dem Tier einen Wink. Widerwillig senkte es sich herab und landete in einiger Entfernung. Sein linkes Bein schien nicht gebrochen zu sein, hatte jedoch beim Aufkommen am Boden Schwierigkeiten, festen Halt zu finden. Erst auf ein zweites Signal hin stakste der Kranich heran, blieb ein paar Meter hinter Nugua und Li stehen und schien nicht bereit, noch näher an den Seelenschlund heranzukommen.

„Gut“, sagte Li zu Nugua. „Geh jetzt.“

„Nein.“

„Nugua, bitte.“ Diesmal herrschte er sie nicht an wie zuvor, sondern ging in die Hocke und zog sie nach kurzem Zögern an sich. Früher hatte sie es verabscheut, wenn Menschen sie berührten; jetzt aber dauerte es nur einen Herzschlag, ehe sie ihren Widerstand aufgab. Lis Umarmung erinnerte sie an die Geborgenheit, die ihr die Nähe Yaozis eingeflößt hatte. Das aber machte die Vorstellung, Li zu verlieren, noch unerträglicher.

Der Xian sprach ruhig, aber mit Nachdruck. „Du musst gehen, solange der Seelenschlund mit mir beschäftigt ist und er es sich nicht anders überlegen kann. Sonst, wer weiß – vielleicht mache ich ihm Appetit auf einen zweiten Happen.“ Er lachte leise, aber es klang nicht besonders fröhlich.

Nuguas Augen brannten. Sie spürte, wie Tränen heiße Spuren durch den Knochenstaub auf ihren Wangen zogen und sich unterm Kinn sammelten. Wütend wischte sie sie fort.

„Deine Reise hat gerade erst begonnen“, sagte Li, „und, glaub mir, ich wäre gern dabei, um zu sehen, wie du es dem Aether zeigst. Im Herzen bist du ein Drache – das hast du selbst immer gesagt.“

Verzweifelt schüttelte sie den Kopf. „Kannst du dieses Ding nicht umbringen? Die Drachen hätten ihn in Stücke gerissen!“

„Niemand besiegt den Seelenschlund. Er weiß alles, kennt alles. Er ist älter als ich, älter noch als manche unter den Göttern. Er hat Millionen von Seelen verschlungen, und er verfügt über all ihr Wissen, all ihre Persönlichkeiten." Er drückte Nugua ein letztes Mal an seine breite Brust, dann stand er auf und streichelte ihr übers Haar. „Steig jetzt auf den Kranich."

Der Seelenschlund stöhnte. „Wie das *dauert*!"

Li schenkte ihm einen finsteren Blick. „Du hast Äonen darauf gewartet, einen wie mich zu verschlingen. Ein paar Minuten mehr oder weniger werden dich nicht umbringen."

„Jajaja!", seufzte das Riesengesicht.

Li schob Nugua sanft zum Kranich hinüber. Als sie gerade widerwillig gehen wollte, nahm er seine Schaufellanze und drückte sie ihr in die Hände. „Nimm die mit."

„Die ist zu groß für mich", brachte sie stockend hervor. „Damit kann ich nichts anfangen."

„Wer weiß."

Sie nahm die Waffe entgegen, doppelt so groß wie sie selbst. Als sie den Schaft berührte, spürte sie, wie eine warme Woge durch ihre Hände und an den Armen hinauffloss. Die Lavaschmiede hatten diese Lanze für die Götter erschaffen. Ein fremdes Säuseln und Flüstern wehte durch Nuguas Gedanken, aber sie hörte nicht zu, sperrte sich dagegen mit der Sturheit eines Drachen.

Langsam ging sie zum Kranich und schob die Waffe in die Lederscheide am Zaumzeug. Der Vogel legte sich ab und ließ sie auf seinen Rücken steigen. Ein leises, niedergeschlagenes Gurren drang aus seinem Schnabel, so als wüsste er genau, was seinem Herrn bevorstand.

Als sie wieder zu Li und dem Seelenschlund blickte, war das riesenhafte Menschengesicht vom Sandstrudel des Kopfsegments verschlungen worden. Das Trichtermaul erschien, diesmal ohne die bebenden Zahnzapfen. Es sah aus wie ein schwarzer Tunnel, wahrscheinlich kaum anders als die dunklen Felsschächte, denen sie in die *Dongtian* der Himmelsberge folgen sollte. Hinab in die Heiligen Grotten.

Aber sie konnte jetzt nicht an Yaozi und die anderen denken. Sie spürte weder Hoffnung für sich selbst, noch Erleichterung darüber, dass sie endlich das Versteck der Drachen kannte. Alles, woran sie denken konnte, kreiste um Li, der ihr noch einmal zunickte, die Hand zu einem letzten Gruß hob und sich schließlich zum Seelenschlund umwandte.

Die Ränder des Trichtermauls pulsierten vor Aufregung, als der Xian auf das schwarze Rund zuging, die Schultern aufrecht, die Schritte ruhig und würdevoll.

Der Kranich krächzte und stieß sich vom Boden ab. Nugua klammerte sich an die Zügel, rutschte wie von selbst an die beste Stelle auf dem gefiederten Rücken und konnte doch nicht den Blick von Li nehmen. Ihre Tränen flossen jetzt in feurigen Rinnsalen über ihr Gesicht. Die Schreie des Vogels hielten an, bis er die Nebeldecke erreichte, danach wurden sie vom Dunst zu einem stumpfen Krähen gedämpft.

Das Letzte, was Nugua sah, bevor die grauen Schwaden sie verschluckten, war Li, der mit erhobenem Haupt das Maul des Ungeheuers betrat und eins wurde mit der Schwärze im Inneren des Seelenschlunds.

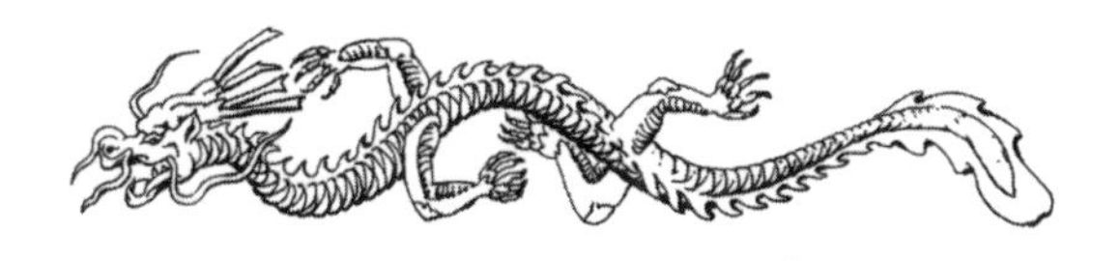

Im Unwetter

Es hatte zu regnen begonnen, nachdem Wisperwind und Feiqing ihr Nachtquartier im Bambuswald verlassen hatten. Ein paar Stunden später, gegen Mittag, hatte sich das Kostüm des falschen Drachen derart mit Nässe vollgesogen, dass er sich auf sein breites Hinterteil fallen ließ, die Arme über dem Bauch verschränkte und beleidigt die dicke Nase in die Höhe reckte.

„Keinen Schritt“, schnaubte er. „Ich mache keinen Schritt mehr, bevor du nicht ein wenig Respekt für meine außergewöhnlich anfällige und insgesamt überaus delikate Verfassung zeigst.“ Er redete oft so geschraubt, vor allem dann, wenn er sich über andere ärgerte.

Die Schwertmeisterin blieb stehen, drehte sich langsam zu ihm um und betrachtete ihn düster aus dem Schatten ihres pilzförmigen Strohhuts. Sie trug einen waldfarbenen Mantel; grün und braun war auch der Rest ihrer Kleidung. Um ihre schmale Taille lag ein Gürtel, an dem fingerlange Wurfnadeln aus Stahl funkelten. „Ein Gewitter zieht auf. Wenn wir nicht bald aus diesem Wald herauskommen, ist dein Kostüm vielleicht schneller trocken, als du es dir wünschst.“ Sie deutete auf den hohen Baum, an dessen Fuß der Rattendrache saß. Aus den Kronen drang das Geschrei wilder Affen. „Das ist wirklich kein guter

Platz für eine Pause, Feiqing. Schon gar nicht, wenn es blitzt.“

Verunsichert, aber viel zu trotzig, um ihr recht zu geben, blickte Feiqing am Stamm hinauf. Das groteske Drachenkostüm, das mit seinem Menschenkörper verwachsen war, hatte längst seine leuchtend rote Farbe eingebüßt und ein schlammiges Braunschwarz angenommen. Nur sein mächtiger Bauch aus wulstigen Querstreifen, ähnlich dem eines aufgeblähten Krokodils, ließ in den Ritzen noch ein wenig von dem einstigen Rot erkennen. Seine spitze Schnauze mit der faustgroßen Nase hatte weit mehr Ähnlichkeit mit der Karikatur einer Ratte als mit einem Drachen, aber wer immer das Kostüm einst geschneidert hatte, schien es nicht auf ein ernsthaftes Abbild angelegt zu haben. Vielmehr hatte er alles daran gesetzt, Hohn und Spott auf den Träger zu ziehen; umso schmerzlicher für Feiqing, dass er in dem klobigen Ding gefangen war.

Dabei kannte er nicht einmal den Grund für sein Elend. Das Letzte, woran er sich erinnern konnte, war der Wächter des Drachenfriedhofs, der ihn mithilfe einer magischen Teufelei zu einem Dasein in dieser lächerlichen Gestalt verflucht hatte. Das war zwei, drei Jahre her, und nun war Feiqing auf dem Weg zum Friedhof, um den Wächterdrachen zur Rede zu stellen. Seine alte Gestalt wollte er wiederhaben und, mindestens ebenso dringend, alle Erinnerungen an sein Leben vor dem Drachenfluch. Er hatte nicht die geringste Ahnung, wer er einmal gewesen war, woher er kam und wie es ihn überhaupt in diesem Kostüm auf den Drachenfriedhof verschlagen hatte.

Unvermittelt fragte er sich, ob Li und das Mädchen den Friedhof wohl schon erreicht hatten. Auf dem Kranich waren sie um ein Vielfaches schneller; Wisperwind und er hingegen mussten den Weg zu Fuß bewältigen. Ihm blieb nichts, als zu hoffen, dass Nugua rechtzeitig dort ankam und Hilfe fand, bevor der Fluch der Purpurnen Hand sie töten konnte.

Um sich von seiner Sorge abzulenken, beschloss er, mit Wisperwind zu streiten. Manchmal half das. „Wenn es blitzt“, sagte er störrisch, „dann ist dieser Baum so gut oder schlecht wie jeder andere.“

Sie verzog einen Mundwinkel. „Du hast dir den weit und breit *höchsten* ausgesucht, Feiqing.“

Noch einmal sah er am Stamm hinauf, erkannte widerstrebend, dass sie recht hatte, und mühte sich zurück auf die Füße. Dass seine Wulstfinger und schlabberigen Zehen zu wenig nutze waren, machte das Aufstehen nicht gerade leichter.

„Komm jetzt“, verlangte Wisperwind und eilte weiter. „Vom letzten Hügel aus habe ich Felsen gesehen, nicht weit von hier. Vielleicht finden wir dort Schutz, bevor das Unwetter losbricht.“

Feiqing patschte wütend auf seinem durchnässten Rattendrachenleib herum. Das Material fühlte sich an wie eine Mischung aus Wolle und Leder, war aber weder das eine noch das andere. Manche Teile waren überaus empfindlich – so spürte er sehr deutlich, wenn jemand auf seinen Drachenschwanz trat –, andere Stellen blieben vollkommen taub. Aber *alle* Regionen des Kostüms hatten die überaus unerfreuliche Eigenschaft, sich bei Regen voll Wasser zu saugen. Feiqing hatte dann das Gefühl, als schleppte er sein Gewicht gleich zweimal durch diesen vermaledeiten Wald. Obwohl er Wisperwind mehrfach – und überaus höflich, wie er fand – auf diesen Umstand hingewiesen hatte, zeigte sie keine Spur von Rücksicht. Seit Tagen schon stürmte sie durch die Lande, als wären ihnen noch immer die Mandschu auf den Fersen.

„Ich – kann – nicht – mehr!“, jammerte er und betonte dabei jedes Wort einzeln, für den Fall, dass sie vom Kampf mit Lotusklaues Männern einen Gehörschaden davongetragen hatte. „Ha - llo! Ich – ster - be – gleich!“

„Du stirbst nicht, keine Sorge.“ Sie drehte sich nicht mal zu ihm um. „Jedenfalls nicht, solange dich kein Blitz trifft.“

„Blitze sind meine verdammte hinterletzte Sorge!“, fluchte er.

„Ziemlich dumm, wenn du mich fragst.“

Feiqing blieb wie angewurzelt stehen, diesmal nicht wegen des nassen Kostüms. „Du hast *Angst*! Das ist es, nicht wahr? Wisperwind, die große Schwertkämpferin, die berüchtigte Anführerin des Clans der Stillen Wipfel, fürchtet sich vor Blitz und Donner!“ Vergnügt schlug er die Hände ineinander. „Die mächtige Wisperwind macht sich vor Angst gleich in die Hosen!“

Sie blieb stehen, wandte ihm aber noch immer den Rücken zu. Ihre Hände fuhren blitzschnell zu den Schultern, aber nur eine fand den Griff eines Schwertes, Jadestachel, das sie schräg auf dem Rücken trug. Bis vor Kurzem war da noch ein zweites gewesen, Silberdorn, aber das hatte sie Niccolo mitgegeben, als sie sich am Lavastrom getrennt hatten.

Jadestachels Klinge fuhr blitzend aus der Scheide, als Wisperwind herumwirbelte.

Feiqing schlug erschrocken die Hände vor die Augen und lugte erst nach einem Moment scheu zwischen den breiten Fingern hindurch. „Willst du mich jetzt umbringen, weil ich dein Geheimnis kenne?“

„Still!“

„Ich *muss* ja niemandem verraten, dass du Angst vor Gewittern hast. Auch wenn das natürlich ein großer Spaß wäre. Ich könnte – “

„Sei still!“

Im Schatten ihres Strohhutes konnte er nur die Mundpartie sehen – ihre Mandelaugen lagen im Dunkeln –, aber das reichte aus, um ihre Verbissenheit zu erkennen. Es war wohl an der Zeit, einen kleinen Schritt zurückzumachen.

„Nicht bewegen!“

„Was – “, begann er.

Sie hielt das Schwert in beiden Händen und federte leicht in den Knien, als erwartete sie einen Angriff. Da verstand er, dass die Klinge gar nicht ihm galt. Und dass es vielleicht wirklich keine schlechte Idee wäre, mucksmäuschenstill und reglos dazustehen.

Trotzdem, ein kurzer Blick über die Schulter –

Hinter ihm bewegte sich der Wald. Nicht die Stämme. Aber hoch oben im Geäst rauschte das Laub, während eine Vielzahl knorriger Schemen vorüberhuschte. Affen waren das nicht. Überhaupt – das Geschrei, das den Wald unablässig erfüllt hatte, war in weite Ferne gerückt. Rund um Feiqing und Wisperwind ertönte kein einziger Tierlaut, vielleicht schon seit Minuten, ohne dass es einem von ihnen aufgefallen war.

Ohne dass es *mir* aufgefallen ist, korrigierte sich Feiqing reumütig. Wisperwind hatte es ganz sicher bemerkt. Sie war eine Schwertmeisterin vom Clan der Stillen Wipfel, sie hörte bei Nacht die Sterne flüstern und am Tag die Berge wachsen.

Nur der Regen prasselte jetzt auf die Blätter. Und etwas bewegte sich noch immer dort oben durch die Baumkronen.

Wisperwind gab ihm mit einem Nicken zu verstehen, langsam zu ihr herüberzukommen. Er aber dachte gar nicht daran. Jede Bewegung würde womöglich seine letzte sein. Er war kein Kämpfer. Schon gar kein Drache. Herrje, er *wusste* nicht einmal, was er wirklich war.

Ruckartig schüttelte er den Kopf.

Ihre Lippen formten ein stummes „Komm her".

Noch ein Kopfschütteln – und dann der Gedanke, sich vorsichtshalber doch noch einmal umzudrehen und zurückzublicken.

Klüger wäre es gewesen, nach *oben* zu schauen.

Das fiel ihm ein, als es fast zu spät war. In derselben Sekunde löste sich Wisperwind mit einem blitzschnellen Sprung vom Boden, ließ im Federflug das Schwert herumwirbeln und traf irgendetwas, das sich unmittelbar über

Feiqings Kopf befand. Einen Augenblick später rieselte eine Wolke aus Herbstlaub auf seinen Drachenkamm herab, puderte seine Knollennase und die Rattenschnauze mit braunen Blattfetzen.

Der Schrei des Rauns, der sich gerade auf Feiqing hatte herabhangeln wollen, erstarb, noch bevor er den holzigen Schlund hatte verlassen können. Das Fauchen, das stattdessen daraus wurde, ging im Rauschen des Herbstlaubs unter, in das sich der Baumdämon nach seinem Tod verwandelte.

Feiqing hatte Raunen nie mit eigenen Augen gesehen, aber er wusste, dass sie in vielen Wäldern Chinas lauerten. Auch Niccolo war den Baumgeistern beinahe zum Opfer gefallen, hätte Wisperwind ihn nicht gerettet. Immerhin – davon verstand sie etwas.

Die Schwertmeisterin packte Feiqing am Arm und zerrte ihn mit sich. „Lauf!“, flüsterte sie, und dann rannte er auch schon, diesmal ohne jedes Widerwort, und selbst das durchnässte Kostüm fühlte sich nur noch halb so schwer an.

Irgendwann, Minuten später, blieben sie stehen: Feiqing völlig erschöpft, Wisperwind so ruhig und wachsam wie eh und je.

„Folgen ... sie ... uns?“, keuchte er, fast blind vor Erschöpfung, in seinen Ohren nur das Rasseln seines eigenen Atems.

„Vielleicht haben wir Glück“, gab sie zurück und schaute angespannt in die Richtung, aus der sie gekommen waren. „Der Raun, der dich angreifen wollte, war vielleicht nur ein Nachzügler.“

„Sie müssten sonst schon hier sein, oder?“

Wisperwind zuckte die Achseln. „Sie sind nicht besonders mutig. Der Tod ihres Bruders könnte sie vorsichtig machen. Gut möglich, dass sie uns belauern und später im Dunkeln zuschlagen.“

„Prächtig“, stöhnte er, aber es klang eher wie ein schlaffes Ausatmen. „Und nun?“

Sie deutete auf eine Formation haushoher Felsen, die sich vor ihnen aus dem Wald erhob. Der Regen war stärker geworden, der Himmel tintig schwarz, obwohl es noch früh am Nachmittag sein musste. Donner rollte aus der Ferne heran und klang wie eine Armee, die sich vom Horizont her auf sie zuwälzte.

„Wir verkriechen uns zwischen den Felsen, bis das Unwetter vorbei ist“, entschied sie.

„Und die Raunen?“

Ein grimmiges Lächeln erschien auf Wisperwinds Zügen. Die winzigen Narben, die ihre Wangen bedeckten, glänzten silbrig im Gewitterzwielicht. „Wenn wir Glück haben, pflücken die Blitze sie aus den Bäumen.“

„Und wenn nicht?“

Aber da hatte sie sich schon umgedreht und rannte zu den Felsen hinüber.

° ° °

„Warum bist du eigentlich hier?“, fragte Feiqing eine halbe Stunde später. „Ich meine, weshalb begleitest du mich?“

Sie hatten eine ganze Weile schweigend dagesessen, gedankenverloren im Schatten eines grauen Granitvorsprungs. Keinen Schritt weit vor ihnen prasselte ein Vorhang aus Wasser herab, so dicht, dass es unmöglich war, weiter als wenige Meter ins Freie zu blicken. Selbst die vorderen Bäume versanken in verwaschenen Schlieren aus Schatten und Nässe.

Das Gewitter hing seit einer Ewigkeit genau über ihnen. Donner ließ die Luft erzittern, und fast im selben Augenblick fauchten Blitze herab und erhellten die Umgebung mit weißem Schlaglicht. Bei jedem neuen Aufleuchten erwartete Feiqing, dass Raunenhorden vor ihrem Versteck aufmarschiert waren und sich für einen Herzschlag aus der Schwärze schälten.

„Warum ich hier bin?“ Das Schwert hatte während der ganzen Zeit auf ihren Knien gelegen, aber jetzt nahm sie es herunter und stieß es mit der Spitze in den Felsboden. Jede andere Klinge wäre zerbrochen, doch Jadestachel glitt ins Gestein wie in Torf. „Aus Interesse“, sagte sie nach kurzem Zögern. „Und weil es das Richtige ist. Du brauchst meine Hilfe.“

„Ich habe viel von euch umherziehenden Schwertmeistern gehört. So ist es eure Art, nicht wahr? Von Ort zu Ort zu wandern und zu tun, was ihr für das Richtige haltet.“

Ihr Blick suchte seine tief liegenden Augen inmitten des Rattendrachengesichts, wohl um herauszufinden, ob da ein Vorwurf mitschwang in dem, was er sagte. Aber Feiqings Interesse war aufrichtig. Im Augenblick war ihm nicht einmal nach Jammern und Wehklagen zumute.

„Wir stehen denen bei, die Hilfe brauchen", entgegnete sie. „Und meistens helfen wir uns dabei selbst. Sei es, weil wir für unsere Dienste bezahlt werden, oder aber weil der Ausgang der Sache uns zugutekommt."

„Wenn der Aether siegt, wird auch dein Clan untergehen."

Die Kriegerin seufzte leise. „Er ist nicht mehr *mein* Clan. Jedenfalls nicht so, wie er es einmal war."

„Du hast die Stillen Wipfel verlassen?"

„Wir können einem Schwerterclan angehören, ohne unter seinem Dach zu leben. Man könnte also sagen, dass ich noch dazugehöre. Aber ich habe den Stab des Anführers weitergegeben, und ich fühle mich den Stillen Wipfeln nicht mehr verpflichtet. Wäre das anders, dürfte ich nicht einmal hier sein. Nachdem ich Mondkind die beiden Götterschwerter abgenommen habe, hätte ich sie sofort zum Clan bringen und dort in Verwahrung geben müssen, statt auf eigene Faust ihrem Ursprung nachzuforschen und mich mit euch abzugeben." Mit dem Zeigefinger fuhr sie den Umriss der kurzen Kreuzstange des Schwertes nach. „Ganz zu schweigen von der Tatsache, dass ich die Nachricht von den Plänen des Aethers den Ältesten hätte melden müssen."

Feiqing knetete nachdenklich die Spitze seines Drachenschwanzes zwischen den Fingern. „Ich wüsste gern, ob ich auch mal zu irgendeiner Gemeinschaft gehört habe."

„Tun wir das nicht alle, auf die eine oder andere Weise?"

„Irgendwie wäre das ein gutes Gefühl."

Zum ersten Mal, seit sie zu zweit unterwegs waren, meinte Feiqing, eine Spur von Mitgefühl in Wisperwinds Tonfall zu erkennen. Sie hatte ihn weder während des Laufs durch die Wälder bedauert noch als sein Kostüm vor Nässe immer schwerer wurde. Aber jetzt sah sie ihn mit einem Mal an, als verstünde sie genau, was in ihm vorging. „Wir werden jemanden finden, der dir deine alte Gestalt zurückgibt. Wenn nicht der Wächterdrache, dann ein anderer."

Er nickte langsam.

Ein Donnerschlag ließ sie beide zusammenfahren. Im Blitzlicht sah Feiqing den Schrecken in Wisperwinds Augen.

„Darf ich dich noch etwas fragen?"

„Warum ich mich vor einem Gewitter fürchte?"

„Ja ... ich meine, du bist eine Schwertmeisterin. Eine der besten. Dein Name ist so bekannt wie der des Kaisers. Du hast Hunderte erschlagen, Mandschu und Han und" – er dachte an den toten Raun im Wald – „und andere Wesen. Und doch hast du Angst, wenn es donnert und blitzt. Das ist doch ... hmm, jedenfalls ungewöhnlich."

„Menschen muss man nicht fürchten. Nicht einmal Baumgeister wie die Raunen. Meine Klinge wird mit ihnen fertig, oder ich kann dem Kampf mit ihnen ausweichen. Und wenn ich ihnen unterliege, dann ist es allein meine Schuld. Aber der Zorn des Himmels ist etwas anderes."

„Du glaubst, dass der Himmel uns durch dieses Gewitter seinen Zorn zeigen will?"

„Was sonst?"

Feiqings erster Impuls war, ihre Behauptung abzustreiten. Aber dann dachte er an das, was ihm widerfahren war – und auch dagegen war mit Vernunft nicht anzukommen. Zudem hatte der Himmel wahrhaftig allen Grund zur Wut. Wie alle Chinesen verehrte auch Feiqing den Himmel als höchsten aller Götter, nicht als deren Wohnsitz, sondern als obersten Gott persönlich, als Tiandi, den Göttervater. Und Tiandi, der Himmel, war dem Angriff des Aethers hilflos ausgeliefert, falls es seiner Attentäterin Mondkind gelang, auch die drei verbliebenen Unsterblichen zu töten. Wenn Li, Tieguai und Guo Lao starben, dann war die Verbindung zwischen Himmel und Erde, zwischen Göttern und Menschen ein für allemal zerschlagen – und dem Aether würde es ein Leichtes sein, beide zu vernichten, denn er umgab sie wie eine Schale das Obst. So lange Kern und Fruchtfleisch aneinanderhafteten, war das Gleichgewicht stabil; doch wenn beides auseinandergerissen wurde, geriet das Gefüge selbst ins Wanken, Fäulnis setzte ein, und zurück blieb am Ende die leere Schale, der Aether allein. Das war sein Plan – und, ja, deshalb war der Himmel zu Recht zornig.

Wisperwinds Gesicht war dem Regen zugewandt, immer wieder angestrahlt vom weißen Schein der Blitze. Ihre Augen blickten ins Leere. „Manchmal beneide ich dich."

„Ach ja?" Einen Moment lang überlegte er, ob sie sich über ihn lustig machte. Aber dann sah er, dass sie vollkommen ernst war und so melancholisch, wie er sie noch nie erlebt hatte. „Was gibt es an mir schon zu beneiden? Schau mich an! Ich bin ein Witz!“

„Es muss alles so viel einfacher machen, wenn man sich an nichts mehr erinnern kann. Daran, wer man selbst einmal war und was man getan hat.“

„Da gibt es nichts – “, begann er, brach aber ab, als ihm klar wurde, dass er dessen nicht sicher sein konnte. Tatsache war nun einmal, dass er nichts über sich selbst wusste, das länger als drei Jahre zurücklag. Er konnte sich nicht vorstellen, zuvor ein schlechter Mensch gewesen zu sein, gewiss kein Schwertkämpfer, der zahllose Gegner getötet hatte. Aber *sicher* sein konnte er nicht. Und da verstand er, was Wisperwind meinte: Er hätte die schlimmsten Schandtaten begangen haben können, und doch konnte er weiterleben, als sei nichts geschehen. Weil ihm die Erinnerung daran fehlte. Weil er sich für gut und edel halten konnte, ohne dass ihm sein Gewissen widersprach.

Vielleicht also hatte sie recht. Wären da nur nicht die Zweifel gewesen. Die ewige Suche nach etwas, das immer noch irgendwo in ihm stecken musste. Die Vergangenheit ließ sich nicht auslöschen, nur übertünchen. Sie war noch da, ganz bestimmt, und alles, was ihm fehlte, war der Schlüssel dazu. Sein früheres Leben war wie ein Wort, das ihm auf der Zunge lag, an das er sich aber nicht erinnern konnte. Fast greifbar und doch immer einen Schritt zu weit entfernt.

Trotzdem verstand er, was sie meinte. Das verfluchte Kostüm, seine Unbeweglichkeit, sein lächerliches Aussehen – all das mochte lästig, gar quälend sein. Doch im Gegensatz zu Wisperwind und zu so vielen anderen stand er sich zumindest nicht selbst im Weg.

„Ich würde viel dafür geben, vergessen zu können", sagte sie.

Er wandte den klobigen Kopf und sah sie durchdringend an. „Bist du deshalb hier? Willst du den Wächterdrachen um Vergessen bitten? Um das, was ich schon habe?"

Sie gab keine Antwort – und riss einen Augenblick später das Schwert aus dem Boden. Zugleich federte sie auf die Beine.

„Was ist?", stöhnte Feiqing.

„Bleib hier!", befahl Wisperwind. „Beweg dich nicht von der Stelle!"

„Was hast du vor?" Aber noch während er die Frage stellte, zerriss ein weiterer Blitz die Finsternis, und was er vorhin befürchtet hatte, wurde jetzt Wirklichkeit.

Auf den ersten Blick hätte man meinen können, die Bäume am Waldrand seien zum Leben erwacht. Doch schon beim nächsten Blitz, der nur wenige Sekunden später die Regenfäden in weißer Glut entflammte, erkannte Feiqing, dass es Raunen waren. Vierarmige Monstrositäten aus Holz. Schwarzbraune Borkenhaut über Muskeln aus Wurzelsträngen. Klaffende Mäuler mit Zähnen aus zerbrochenen Ästen und Dornen. Und winzige schwarze Augen, die wie Käfer in den Spalten der Rindengesichter saßen.

Mindestens sechs oder sieben Raunen starrten herüber

zu dem Felsvorsprung, unter dem die beiden Zuflucht gesucht hatten.

Auf den Zügen der Kriegerin erschien eine Regung, die grimmiger Freude gefährlich nahe kam.

„Du willst doch nicht da rausgehen!“, entfuhr es Feiqing.

„Bleib so lange wie möglich unter den Felsen. Vielleicht wagen sie sich nicht bis hierher. Sie verlassen ihre Wälder nur, wenn sie keine andere Wahl haben.“

„Aber diese Felsen liegen *mitten* im Wald!“

„Der offene Streifen davor könnte breit genug sein. Mit ein wenig Glück jedenfalls.“

Panisch sah Feiqing hinaus ins Gewitterdunkel. Solange kein Blitz über den Himmel jagte, war es zu finster, um irgendetwas zu erkennen. Er wusste nicht, ob die Raunen nur dastanden und herüberstarrten oder ob sie näher kamen. Das eine machte ihm fast so viel Angst wie das andere.

„Vielleicht haben sie uns nicht gesehen“, sagte er kläglich.

„Vielleicht.“ Es war offensichtlich, dass sich Wisperwind dadurch nicht von ihrem Vorhaben abbringen ließ. Sie brauchte Ablenkung von ihren düsteren Gedanken. Ein Kampf mit den Raunen war die beste Gelegenheit. Dass sie dabei ihr Leben aufs Spiel setzte, machte die Aussicht auf das Gefecht für eine Schwertmeisterin wie sie nur noch reizvoller.

„Wenn ich nicht zurückkomme, warte hier, bis es hell wird“, sagte sie. „Dann schlag dich nach Norden durch.

Du wirst dort auf eine Bergkette stoßen. Von dort ist es nicht mehr weit bis zum Drachenfriedhof."

„Mich durchschlagen?", lamentierte er. „Vielleicht mit meinem Drachenschwanz?"

Aber da durchstieß sie schon den Regenvorhang und war fort.

„Was ist mit dem Gewitter?", rief er hinter ihr her. „Blitz und Donner ... schon vergessen?"

Draußen wurde das Unwetter vom Geschrei der Raunen übertönt.

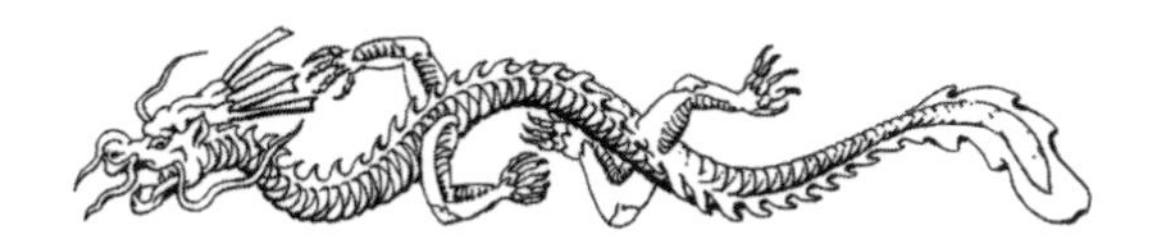

Stille Wipfel

Wisperwind fegte hinaus ins Gewitter. Ihre Füße berührten kaum den Boden, während sie den Streifen aus Gras und Moos überquerte und sich den Raunen entgegenwarf. Der Regen schlug ihr ins Gesicht, aber sie spürte ihn kaum. Ihr Blick war ganz auf ihre Gegner konzentriert, alle fast unsichtbar in der Dunkelheit. Es tat gut, nicht denken zu müssen. Nur reagieren. Das war es, was sie seit jeher am besten konnte. Die Erinnerungen, die das Gespräch mit Feiqing emporgespült hatte, verblassten bereits.

Der erste Raun stürzte ihr mit ausgebreiteten Armen entgegen. Jadestachel hieb ihn mit einem z-förmigen Hieb in Stücke. Die Wolke aus Herbstlaub, zu der er zerplatzte, wurde augenblicklich vom Regen zu Boden gedrückt. Wisperwind war das nur recht. Sie hatte oft genug gegen Raunen gekämpft, um zu wissen, wie gründlich die aufstiebenden Laubsplitter einem die Sicht rauben konnten.

Zwei weitere Kreaturen griffen sie an. Sie wich der einen aus – zu schnell, um selbst einen Schlag zu platzieren – und sprang über das untere Armpaar der zweiten hinweg. Dass sie für einen Sekundenbruchteil die beiden oberen Arme des Wesens vergaß, war ein sicheres Anzeichen für die Verwirrung, die ihr insgeheim noch immer zu schaffen machte. Sie wollte jetzt nicht mehr an all die Toten denken, für die sie die Verantwortung trug, und sie lenkte sich ab durch – noch mehr Töten. Das war ihr Fluch, und in gewisser Weise wog er ebenso schwer wie der, unter dem Feiqing zu leiden hatte.

Schwertmeister waren keine Mörder. Das lernten sie sofort nach ihrer Aufnahme in einen der Clans. Zweifel wurden nicht zugelassen und von den Lehrmeistern durch harte Strafen zerschlagen. Wer fragte, was aus den Familien jener wurde, die ein Schwertmeister tötete, handelte sich Stockhiebe und Schlimmeres ein. Nicht alle Narben an Wisperwinds Körper stammten von den Klingen ihrer Gegner.

Das obere Armpaar des Rauns hätte sie fast zu packen bekommen. Im Federflug schoss sie steil nach oben. Jeder Mensch kennt das Gefühl, gegen fallenden Regen anzukämpfen; aber es ist ein Unterschied, am Boden durch ein Unwetter zu laufen oder aber ihm geradewegs *entgegenzufliegen*. Sekundenlange Blindheit. Vernebelung fast aller Sinne. Und, wenn es ganz schlimm kommt, momentane Orientierungslosigkeit.

Als Wisperwind den höchsten Punkt ihres Aufstiegs erreichte, hatte sie keine Ahnung mehr, wie weit sie vom Boden entfernt war. Oberhalb der höchsten Bäume, das stand fest.

Donner grollte.

Eine Sekunde später verästelte sich eine Kralle aus Blitzen über den dunkelgrauen Himmel. Nicht weit von ihr schlug ein weißer Glutfinger in eine Baumkrone ein. Ein gellender Raunenschrei ertönte aus dem Geäst, während mehrere Zweige in Flammen aufgingen und vom Regen wieder gelöscht wurden.

Da wusste sie, was sie zu tun hatte.

Noch während sie zurück zu Boden sank, ließ sie ihren Körper mit ausgestrecktem Arm rotieren. Das war die beste Taktik, wenn man den Gegner nicht deutlich ausmachen konnte. Hölzerne Arme und Dornenklauen streckten sich ihr entgegen, aber schon einen Herzschlag später flogen die Raunenglieder abgetrennt davon und lösten sich noch in der Luft in Herbstlaub auf.

Nach wenigen Augenblicken war die erste Angriffswelle der Raunen zerschlagen. Wisperwind war wieder auf dem Boden gelandet und hörte Feiqing etwas rufen. Warum konnte er nicht still sein? Er würde die anderen auf sich aufmerksam machen. Und *dass* da noch andere waren, daran hatte sie keinen Zweifel. Sie lauerten oben in den Bäumen, huschten von Ast zu Ast. Die Baumkronen waren ihr Reich, und dort bewegten sie sich am geschicktesten vorwärts. Sie mochte sich täuschen, aber ihr war, als sähe sie Raunen in nahezu allen Bäumen rund um die Felsen, in Buchen und Eichen ebenso wie an den dünnen Stämmen der Bambuspflanzen.

Statt zu Feiqing zurückzukehren, setzte sie ihren Plan – oder eher ihre vage Hoffnung, wenn sie ganz ehrlich zu sich war – in die Tat um.

Es donnerte und blitzte ohne Unterlass. Nirgends über dem Wald zeigte sich Helligkeit, die auf ein rasches Ende des Gewitters hoffen ließ. Wisperwind kam das im Augenblick sehr entgegen. Obwohl jeder Donnerschlag sie innerlich erzittern ließ.

„Versteck dich!“, rief sie Feiqing noch einmal zu, nicht sicher, ob er sie durch all das Getöse um sie herum hören konnte. Das Unwetter tobte und die Raunen in den Bäumen nicht minder; ihre Schreie zeugten von einer barbarischen, grausamen Wut.

Wisperwind stieß sich erneut vom Boden ab und raste im Federflug zu den Baumkronen hinauf. Statt sich jedoch ins Geäst zu stürzen, wo die Raunen ihr überlegen waren, setzte sie sanft auf den Spitzen der allerhöchsten Äste auf. Dort blieb sie einen Moment lang auf einem Bein stehen wie eine Tänzerin. Nur ihr rechter Fuß berührte einen sanft vibrierenden Zweig. Das linke Bein hatte sie angewinkelt, den einen Arm zur Seite hin ausgestreckt, den anderen mit dem Schwert steil nach oben gereckt.

Der Federflug war kein einfaches Fliegen, eher ein Tanz auf den Lüften, ein Springen von einem festen Punkt zum nächsten. Dabei konnte sie dürre Zweige ebenso nutzen wie solides Gestein. Beim Federflug spielte ihr Gewicht keine Rolle, sie hob die Anziehung des Bodens auf, wog selbst nicht mehr als eine Schwalbe.

In der Baumkrone unter ihr entstand wildes Geraschel, als sich mehrere Raunen durchs Geäst zu ihr emporkämpften. Sie war nicht sicher, ob die Kreaturen sie hier oben erreichen konnten – wahrscheinlich boten die dünnen Zweige ihnen zu wenig Halt –, aber darauf kam es gar nicht an.

Im finsteren Wolkenmeer am Himmel brodelte es. Es

folgte ein knisterndes Netzwerk aus Blitzen, verästelt wie dürre Vogelknochen. Gleich darauf rollte ein Donner heran, explodierte mit ohrenbetäubender Macht über Wisperwinds Kopf.

Wisperwinds Konzentration hätte Fels spalten können, war so rasiermesserscharf auf ihr Ziel gerichtet wie die edelste Klinge.

Der Blitz zuckte herab. Suchte sich mit fauchender Wucht den höchsten Punkt des Waldlands. Fand ihn an der Spitze eines Schwertes, aufgereckt über den Baumkronen.

Wisperwind war schneller. Sie dachte nicht mehr, folgte nur ihren Instinkten.

Im Bruchteil eines Herzschlags trug der Federflug sie davon.

Hinter ihr fauchte der Blitz in die Baumkrone, genau dort, wo sie gerade noch gestanden hatte. Sie hatte gelernt, flinker zu sein als jede Naturgewalt, schneller als die Sturzfluten der großen Wasserfälle, schneller noch als der Blitz. Sie sah den Glutfinger aus sicherer Entfernung einschlagen, beobachtete voller Genugtuung, wie er den Baum spaltete, das Geäst in Flammen setzte und eine Horde kreischender Raunen zu Laub und Asche zerfetzte.

Sie landete auf einem anderen Baum, noch weiter entfernt von den Felsen und Feiqing. Abermals stand sie auf Zehenspitzen auf dem höchsten Ast, der normalerweise kaum das Gewicht eines Spatzen getragen hätte, geschweige denn das einer Frau.

Unter ihr rumorte es. Sie ahnte, dass in weitem Umkreis

alle Gegner in ihre Richtung kletterten. Raunen waren groß, gewalttätig und ungeheuer gefährlich, aber sie waren auch dumm. Wisperwinds Plan ging auf. Statt den Rattendrachen in seinem Versteck anzugreifen, verfolgten sie die Kriegerin, die jetzt bereits über ein Dutzend ihrer Brüder und Schwestern auf dem Gewissen hatte.

Sie hätte gern länger gewartet, bis die ersten unmittelbar unter ihr waren. Sie konnte sie schon sehen, tief drunten im Laubschatten, wo sie sich gegenseitig beim Klettern behinderten, auf den ersten Blick selbst Teil der Bäume, erst auf den zweiten etwas Lebendiges, Tödliches.

Es donnerte. Der Blitz schoss herab, diesmal fast schnurgerade, so als hätte er aus dem Fehlschlag von vorhin gelernt.

Wisperwind stieß sich ab und spürte die ungeheure Hitze der Entladung im Rücken, ein Knistern, das alle Härchen auf ihrem Körper aufstellte. Aber auch diesmal war sie schneller.

Der Blitz fuhr mit Getöse in den Baum. Krachend gingen die Äste in Flammen auf. Zahllose Raunen zerplatzten von der Wucht des Einschlags, weitere explodierten zu lebenden Fackeln, ehe der Tod sie zu Asche zerstäubte.

Und Wisperwind lief weiter, von einem Baum zum nächsten, tanzte über das Dach des Waldes wie eine Fee in stiller Nacht auf einem einsamen See. Um sie herum brüllte der Himmel, schrie der Donner, kreischten die Blitze. Weitere Bäume wurden zu Flammenbällen. Dutzende Raunen kletterten stumpfsinnig in ihr Verderben. Ehe der Sturzregen die Feuer löschen konnte, hatte Wisperwind eine Spur aus brennenden Bäumen durch den Wald gezogen, kreuz und quer, fort von den Felsen, und doch nicht zu weit, um später rasch dorthin zurückkehren zu können.

Das Geschrei der Raunen wurde leiser, ihre wütenden Rufe verzweifelter. Manche mochten aufgeben und fliehen – vor den Blitzen, nicht vor Wisperwind, aber das konnte ihr nur recht sein –, andere verfolgten sie weiter. Doch mit jedem Blitzschlag, den sie mit ausgestrecktem Schwert herbeilockte, wurden ihre Gegner weniger. Viel schneller, als sie das mit der Klinge hätte erledigen können, löschte das Gewitter ganze Pulks ihrer Feinde aus, verwandelte Raunenhorden in glühenden Ascheregen, zerstäubte sie zu lodernden Funken. Und während der ganzen Zeit fegte Wisperwind im Federflug über die höchsten Kronen des Waldes hinweg, balancierte auf Zweigen und Blättern, lachte dem prasselnden Regen entgegen und vollführte blitzende Schwertschläge ins Leere.

Das Gewitter tobte mit unverminderter Wut, während sie im Zickzack über den schwarzgrünen Ozean aus Baumkronen jagte, den brennenden Eichen, Buchen und Ginkgos auswich, rauchende Löcher umging, wo eben noch mächtige Bäume gestanden hatten, und so lange vor weiteren Blitzen floh, bis sie ganz sicher sein konnte, dass in weitem Umkreis kein Raun mehr am Leben war.

Zuletzt kehrte sie zurück zu den Felsen, kroch zu Feiqing unter den Vorsprung und rollte sich zusammen wie ein Kind, schluchzend und zitternd aus Angst vor dem Gewitter.

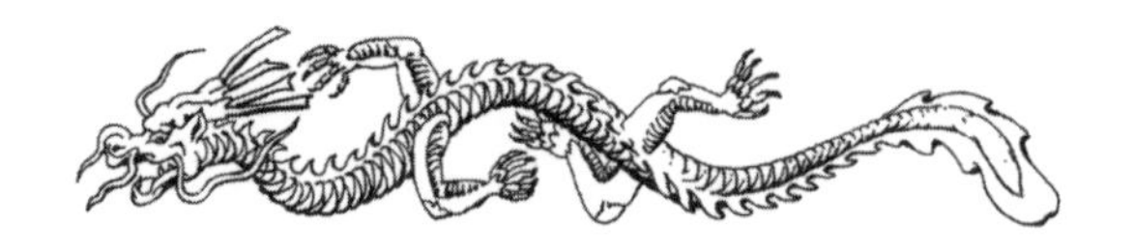

Tieguai

Niccolo hätte sich keine bessere Umgebung für einen Unsterblichen vorstellen können. Das Gebirge war Stein gewordene Ewigkeit, ein überwältigendes Panorama aus Felsgiganten und tiefem Blau. Wenn es irgendwo eine Verbindung zwischen Menschen und Göttern geben konnte, dann hier, wo die Gipfel der Welt die Unendlichkeit berührten.

Tieguai landete seinen Riesenkranich auf einem ovalen Findling, der scheinbar schwerelos auf dem einsamen Bergkamm balancierte. Ohne ein Wort stieg der Unsterbliche ab. Der Vogel war so unvermittelt aus dem Himmel herabgeschwebt, dass Niccolos Atem noch immer von der anstrengenden Wanderung raste. Das Auftauchen des Xian tat ein Übriges.

Niccolo wusste nicht recht, wie er sich im Angesicht des Unsterblichen verhalten sollte, darum beugte er ein Knie und senkte den Kopf. „Meister Tieguai“, sagte er nach tiefem Luftholen. „Ich bin Niccolo Spini. Euer Bruder Li schickt mich zu Euch.“ Das war nur die halbe Wahrheit; tatsächlich hatte Niccolo Li gebeten, Tieguai aufsuchen zu dürfen, weil er hoffte, Mondkind hier wiederzusehen.

Der Xian ließ sich wortlos im Schneidersitz nieder. Schweigend sah er ins Sonnenlicht hinauf, schloss nach einem Moment die Augen und schien die erhabene Ruhe des Gebirges zu genießen.

Niccolo musterte den Unsterblichen neugierig. Das mochte unhöflich sein, aber stumm zu Boden zu starren erschien ihm albern und irgendwie unpassend.

Tieguai war älter als Li – oder war es zumindest damals gewesen, als Tiandi, der Himmel und höchste aller Götter, ihm die Unsterblichkeit geschenkt hatte. Nach menschlichem Ermessen schätzte Niccolo ihn auf fünfzig oder fünfundfünfzig, auch wenn ihm klar war, dass Tieguai vermutlich eher fünfhundert oder tausend Jahre alt war. Er hatte langes, verfilztes graues Haar und trug ein Lederstirnband, auf dem rundum menschliche Zähne befestigt waren. Seine Haut war gebräunt und grobporig, an beiden Ohren hingen lange Anhänger aus Federn und Fischgräten; wenn der Wind sie bewegte und über seinen faltigen Hals streichen ließ, klang es, als riebe grobes Papier über Stein.

Seine Kleidung war weit und schlicht, kein Gewand wie Li es trug, sondern leinenfarbene Hosen und ein Wams, das er mit einem Stück Hanfschnur über den Hüften zusammengezurrt hatte. Tieguai war ungemein hager – Niccolo fand, dass er verhungert aussah. Die Zehennägel, die vorn aus seinen ausgetretenen Sandalen ragten, waren gelb und rissig, und um die Fingernägel an seinen knochigen Händen stand es kaum besser. Um seinen Hals hing eine Kette aus frischen Blüten, die so hoch oben im Gebirge wie Fremdkörper wirkten.

Als Tieguai den Mund öffnete, begriff Niccolo, dass die Zähne am Stirnband seine eigenen waren.

„Li schickt dich also", stellte der Xian fest. Seine Augen öffneten sich sehr langsam, sahen aber noch immer geradewegs in die Sonne. Die Helligkeit schien ihm nichts auszumachen, so als wäre er es gewohnt, in überirdisches Licht zu blicken. „Ich nehme an, er hat dir etwas für mich mitgegeben."

Niccolo nickte hastig und zog die schwarze Blüte hervor, die Li ihm beim Abschied am Lavasee überreicht hatte. Der Xian hatte leise hineingeflüstert, so als vertraute er dem kleinen Blumenkelch ein Geheimnis an.

Tieguai nahm die Blüte entgegen, betrachtete sie einen Moment lang und schüttelte lächelnd den Kopf. Niccolo fürchtete schon, der Xian könne seine Aufrichtigkeit anzweifeln, als Tieguai unverhofft den zahnlosen Mund öffnete und die Blüte hineinschob. Er kaute sie langsam – offenbar nur mit dem Zahnfleisch –, und nach endlosen Augenblicken seufzte er leise, das Lächeln verschwand, und Sorge breitete sich über seine gegerbten Züge.

„Niccolo", sagte er leise. „Spini." Und nach einer Pause: „Niccolo Spini vom Volk der Hohen Lüfte."

„Ja, Meister Tieguai." Niccolo fiel beim besten Willen nichts Klügeres ein. „Das bin ich." Es verunsicherte ihn, dass Li seinem Xian-Bruder mithilfe der Blüte auch seine Herkunft verraten hatte.

Jetzt endlich richtete der Unsterbliche den Blick auf sein Gegenüber. Sekundenlang schien es, als sei ein Abglanz der Sonnenglut in seinen Augen gefangen und lodere flammend weiß darin weiter. Niccolo lief es frostig den Rücken hinunter.

„Du bist also hier, um mich zu warnen“, sagte Tieguai.

„So ist es.“

„Das ist sehr freundlich von dir.“

„Es sind nur noch drei Xian übrig. Ihr selbst, Meister Li und Guo Lao, der Mondkind schon einmal unterlegen ist, damals aber vor ihr fliehen konnte. Li sagt, wenn die letzten Xian getötet werden, dann reißt die Verbindung zwischen der Welt und den Göttern. Dann gibt es nichts mehr, das den Aether aufhalten könnte.“

„Hmm“, machte Tieguai, ohne sich festzulegen, ob er diese Meinung teilte. „Es ist lange her, dass Li und ich uns gesehen haben. Es ist lange her, seit ich überhaupt einem der anderen begegnet bin. Aber die Sonne und die Berge haben mir manches zugeraunt über das, was dort draußen geschieht, und der Himmel klagt so hoch oben im Gebirge manchmal den Winden sein Leid. Lis Botschaft macht vieles davon klarer. Ich verstehe jetzt, was geschieht.“

„Mondkind ist auf dem Weg hierher. Sie kann jeden Tag eintreffen.“

„Erst muss sie mich finden.“

„Das wird sie“, sagte Niccolo überzeugt.

„Du kennst sie recht gut, wie mir scheint.“

„Ich ... ja, ich kenne sie. Sie hat mir verraten, dass Ihr ihr nächstes Opfer sein sollt.“ Es fiel ihm schwer, das auszusprechen. Die Mondkind, die er liebte, schien eine ganz andere zu sein als jene, die den Unsterblichen nach dem Leben trachtete.

„So. Ihr nächstes Opfer.“ Er hob die Hand an die Stirn

und drehte so lange mit Daumen und Zeigefinger einen der Zähne, bis der sich von dem Band löste. Dann hielt er ihn gegen die Sonne, betrachtete ihn mit einem zufriedenen Lächeln und legte ihn vor sich auf den Felsboden. „Was siehst du hier?“, fragte er Niccolo.

„Einen Zahn.“

„Irgendeinen?“

„Euren Zahn?“

Der Xian lachte leise. „Komm näher. Setz dich hier vor mich.“

Niccolo sträubte sich innerlich, ließ sich dann aber ihm gegenüber im Schneidersitz nieder. Er musste das Schwert auf seinem Rücken ein wenig zur Seite drehen, damit die Spitze der Scheide nicht auf den Boden stieß.

Tieguai reichte ihm einen faustgroßen Stein. „Hier.“

„Was soll ich damit?“ Niccolo wog ihn in der Hand. Es war ein Stück Granit, grau und massiv wie der Berg, auf dem sie saßen.

„Schlag damit auf den Zahn. Zermahle ihn.“

„Warum soll ich das tun?“

„Fragen, Fragen, Fragen. Tu, was ich dir sage.“

Niccolo zauderte einen Moment, dann holte er mit einem Schulterzucken aus und ließ den Stein auf Tieguais Zahn krachen. Ein scharfer Schmerz fuhr durch seine Hand hinauf zum Ellbogen, der Granitkeil zerbarst – und der Zahn darunter lag so unversehrt da wie zuvor.

Es überraschte ihn nicht wirklich; er hatte so etwas kommen sehen.

Tieguai lächelte ihn schweigend an.

„Wenn Ihr damit sagen wollt, dass Mondkind Euch nichts anhaben kann, so täuscht Ihr Euch", sagte Niccolo.

Der Xian deutete auf das Schwert Silberdorn, das hinter Niccolos Rücken hervorragte. „Damit könnte sie mich töten. Warum hast du es hergebracht?"

Für einen Moment verschlug es Niccolo die Sprache. Daran hatte er in der Tat während seines ganzen Fußmarsches hinauf ins Gebirge keinen Gedanken verschwendet. Wisperwind hatte ihm eine der beiden Götterklingen überlassen, die den Xian gefährlich werden konnten. Aber sie hatte das getan, damit er Mondkind, eine Xian-Schülerin, tötete – obwohl dies das Letzte war, was er wollte. Was Tieguai da sagte, war natürlich richtig: Er selbst hatte eine Waffe, mit der ein Xian erschlagen werden konnte, in diesen abgelegenen Winkel der Welt gebracht. Silberdorn hatte einst Mondkind gehört, bis Wisperwind es ihr gestohlen hatte. Wenn das Schwert zu ihr zurückkehrte, würde Tieguai sterben wie die fünf anderen ermordeten Xian.

Aber sie liebt mich, dachte er verzweifelt. Und ich liebe sie. Sie wird mir die Waffe nicht stehlen.

Du Narr!, hielt seine innere Stimme dagegen. Natürlich wird sie das! Der Aether zwingt sie dazu!

„Du bist mehr als ein einfacher Bote", stellte Tieguai fest. Unter seinem Gürtel zog er einen langen, stabartigen Gegenstand hervor, den Niccolo im ersten Moment für einen Dolch hielt. Als Tieguai damit in seine offene Handfläche schlug, öffnete er sich zu einem breiten Fächer. Die

Lamellen waren kunstvoll mit einer majestätischen Gebirgslandschaft bemalt, nicht unähnlich jener, die sich nach Westen hin im dunstigen Blau verlor.

Tieguai begann, sich Luft zuzufächeln, obwohl es hier oben auf dem Bergkamm ziemlich zugig und keineswegs zu warm war.

„Ich möchte mit ihr sprechen", sagte Niccolo. „Mit Mondkind."

„Du glaubst, du kannst sie davon abhalten, mich zu töten?"

„Ja."

„Warum sollte sie auf dich hören?"

„Weil ..." Er presste die Lippen aufeinander und schüttelte den Kopf. Wenn er es aussprach, klang es zu abwegig, zu naiv. Und doch war er sicher, dass er Einfluss auf sie nehmen konnte. „Weil wir uns lieben."

Tieguai lachte ihn nicht aus, schmunzelte nicht einmal. Er nickte nur wissend und sagte: „Sie hat von deinem *Chi* gekostet."

„Als sie mit Guo Lao gekämpft hat. Er hätte sie beinahe besiegt, glaube ich. Aber dann hat sie ... sie hat in mich hineingegriffen. Mein *Chi* hat ihr geholfen, ihre Kräfte zurückzugewinnen. Zuletzt musste Guo Lao fliehen."

„Ich denke, ich weiß, wohin er sich zurückgezogen hat", sagte Tieguai. „Mein Bruder ist nie sehr einfallsreich gewesen."

„Es ist besser, wenn Ihr mir nicht verratet, wo er sich versteckt."

„Das hatte ich nicht vor." Tieguai zog den geöffneten

Fächer vors Gesicht und sah Niccolo über den Rand hinweg an. Seine Mandelaugen waren grau wie Asche. „Was soll ich nun mit dir tun?"

„Lasst mich bei Euch bleiben, bis Mondkind Euch findet. Ich werde Euch nicht zur Last fallen."

„Ich sollte dir befehlen, dein Schwert in die tiefste Kluft zu werfen. Aber auch dort würde Mondkind es finden. Vielleicht ist es besser, wenn du es bei dir behältst. Und ich dich bei mir."

„Ihr könnt es haben", sagte Niccolo. „Ich bin kein Kämpfer."

„Du wirst schon bald einer sein."

„Wie meint Ihr das?"

Tieguai schlug mit einem Klatschen den Fächer zusammen. „Silberdorn hat bereits deine Wunden geheilt und dir neue Kraft gegeben. Es wird dir auch zeigen, wie du es zu benutzen hast."

„Aber es ist nicht mal *mein* Schwert", widersprach Niccolo. Zugleich erinnerte er sich, wie er die Klinge zum ersten Mal in der Hand gehalten hatte, damals am Ufer des Flusses, nachdem Wisperwind und er die Brücke der Riesen überquert hatten. Er hatte ein paar spielerische Schläge ins Leere vollführt, einfach nur zum Spaß – und selbst dabei hatte er gespürt, wie das Schwert seine Hand führte, so als hätte er jahrelang nichts anderes getan, als damit zu üben.

Seltsam, dass er daran nicht vorher gedacht hatte. Er war so versunken in Selbstmitleid gewesen, so gebannt vom Gedanken an Mondkind und die Ausweglosigkeit ihrer Lage, dass er nicht einmal ernsthaft über die geheimnisvolle Waffe auf seinem Rücken nachgedacht hatte. Die Schmiede in den Lavatürmen hatten sie für die Götter erschaffen. Und nun trug er sie, ein gewöhnlicher Junge vom Volk der Hohen Lüfte.

„Folge mir, Niccolo Spini." Tieguai stand auf und gab seinem Kranich ein Zeichen, sich niederzulegen. „Es ist an der Zeit, dass du einiges lernst."

Er schob den Fächer zurück unter seinen Hanfgürtel, bückte sich noch einmal und hob den Zahn vom Boden auf. Er wollte ihn wieder an seinem Stirnband befestigen, als ihm ein anderer Gedanke kam. Mit großzügiger Geste reichte er ihn Niccolo.

Der zierte sich, die Hand danach auszustrecken.

„Nimm ihn", befahl Tieguai mit sanfter, aber unmissverständlicher Autorität.

Niccolo pickte ihn mit spitzen Fingern von Tieguais zerfurchter Handfläche. Der Zahn war gelb und hatte zwei faule Stellen. Unsterblichkeit galt augenscheinlich nicht für jeden Teil des Körpers.

„Was soll ich damit?"

Der Xian gab keine Antwort und stakste auf dürren Beinen hinüber zu seinem Kranich.

° ° °

Die Hütte des Unsterblichen lag am Ufer eines spiegelglatten, nahezu kreisrunden Bergsees. Das Gewässer nahm die Hälfte eines flachen Gipfelplateaus ein, umrahmt von einem natürlichen Wall aus Granit. Kletterte man auf diesen gewachsenen Zinnenkranz hinauf, bot sich einem eine spektakuläre Aussicht über die östlichen Ausläufer des Gebirges, hinab in die Weiten Sichuans. Die Wälder dort unten verschwammen in grüngrauem Dunst, und das lag nicht allein am heraufziehenden Abend. Der Kranich hatte sie noch einmal ein beträchtliches Stück höhergetragen, und Niccolo kam es fast vor, als stünde er wieder am Rand der Wolkeninsel und blickte hinunter auf eine Welt, die so unerreichbar war wie der Mond und die Sterne.

Doch von der Sehnsucht nach dem Erdboden, die ihn früher gequält hatte, war nicht viel geblieben. Das einzige Verlangen, das ihn jetzt noch beschäftigte, galt Mondkind. Jeder Gedanke an sie war wie ein feiner Schmerz. Obwohl es so viel anderes gab, das ihm Sorgen bereitete – Nuguas Schicksal, die Gefahr durch den Aether, der drohende Untergang der Wolkeninsel –, konnte er sich nicht gegen das wehren, was die Erinnerung an Mondkind in ihm anrichtete. Er begann sich damit abzufinden, dass er seinen Gefühlen hilflos ausgeliefert war, und niemals zweifelte er daran, dass es *aufrichtige* Empfindungen waren, weit mehr als nur ein Bann, den er seinem *Chi* in Mondkinds Körper zu verdanken hatte.

Der Kranich setzte sie vor Tieguais Hütte ab. Sie war aus soliden Holzbalken errichtet, die der Xian mithilfe seines Vogels in die baumlosen Gipfelregionen gebracht haben musste. Auch das Dach war holzgedeckt und mit Pech abgedichtet. Ein Schornstein aus unregelmäßigen Steinbrocken erhob sich an der Rückseite, dort, wo sich die Hütte gegen eine höhere Gesteinsformation lehnte. Auf den Felsen thronte eine Krone aus Zweigen und Mooslappen – das Nest des Kranichs.

Die Behausung des Unsterblichen besaß nur ein einziges Fenster, das auf den See hinausblickte. Der Zugang hatte keinen hölzernen Türflügel, sondern war durch mehrere Lagen aus Fellen und Häuten verschlossen, die rundum mit Lederbändern an eisernen Ösen festgezurrt wurden.

Am Ufer des stillen Sees lag ein kleines Ruderboot, darin eine Angelrute.

„Hier oben gibt es Fische?“, fragte Niccolo erstaunt, als Tieguai ihn ans Wasser führte.

Der Xian nickte. „Aber ich fange sie nur selten. Die Angel hilft mir beim Meditieren. Die meisten Tage verbringe ich draußen auf dem See und erforsche das Wesen der Berge.“

„Oh ... ja, natürlich.“

Tieguai lachte. „Das wird dich kaum wundern, wenn es von jemandem kommt, der seine Zähne auf der Stirn trägt, oder?“

Niccolo nickte mit einem verlegenen Lächeln. Der Xian verwirrte ihn, aber wenn er ganz ehrlich war, beschäftigten Tieguai und seine Seltsamkeiten ihn nur am Rande. Immer wieder ertappte er sich dabei, dass er die anbrechende Dämmerung nach einem zweiten Kranich absuchte. Mondkind würde nicht lange auf sich warten lassen, da war er ganz sicher.

Vielleicht war sie ihm gefolgt. Gut möglich, dass sie vorausgesehen hatte, wohin er gehen würde. Damit aber hätte er sie geradewegs zum Versteck des Unsterblichen geführt. Mit einem Mal schien ihm das ein so nahe liegender Gedanke, dass er Tieguais Blicken auswich, so sehr schämte er sich dafür.

„Wie macht man das – das Wesen der Berge erforschen?", fragte er, um sich abzulenken.

„Man betrachtet sie, aber eigentlich betrachtet man sich selbst."

„Aber vom See aus könnt Ihr die Berge kaum sehen. Der Wall rund um das Plateau ist zu hoch."

„So wenig wie ich die Berge sehen muss, um sie zu betrachten, muss ich mich selbst ansehen, um in mein Innerstes zu schauen." Tieguai lächelte. „Du kannst die Berge *atmen*, wenn du nur willst. Du spürst, wie ihre Größe, ihre Bedeutung, ihre Nähe zum Himmel durch deine Fersen aufsteigen und dich vollkommen ausfüllen."

Bei all dem anderen, das ihm durch den Kopf ging, hätte Niccolo fast vergessen, dass die acht unsterblichen Xian keine allmächtigen Halbgötter waren, sondern vor allem Schüler des Tao, jenes geistigen Weges, den der Weise Laotse ihnen vorgegeben hatte.

Tieguai wandte sich vom Wasser ab und legte Niccolo eine knorrige Hand auf die Schulter. „Manches davon wirst du vielleicht noch verstehen. Aber komm erst mal herein. Du bist sicher hungrig."

Das Innere der Hütte bot sich dar als Mischung aus kargem Wohnraum und Andachtsort. Neben einem Lager aus Fellen und dem offenen Kamin mit eingehängtem Kochkessel fiel vor allem ein Schrein ins Auge, in dem Tieguai die Statuen der Drei Reinen aufbewahrte. Räucherschalen waren davor verteilt, außerdem Opfergaben wie getrocknete Früchte und einfache Schnitzereien. In der Mitte des Altars stand eine Figur des Jadekaisers, dem Meister des Uranfangs und Herrscher der überirdischen Sphären; er trug eine Haube mit Flügeln und ein Jadezepter. Links neben dem Jadekaiser befand sich der Gott des langen Lebens, der in einer Hand einen Pfirsich trug, in der anderen einen knorrigen Stab; er wurde von einem Hirsch begleitet. Die dritte Figur, auf der rechten Seite des Altars, hielt ein Füllhorn im Arm. Das musste Laotse sein, der Gründervater des Tao.

Tieguai bedeutete Niccolo, sich vor einen niedrigen Tisch zu knien. Bevor er ihm etwas zu essen reichte, entzündete er das Räucherwerk in den Schalen. Bald erfüllten betäubende Düfte die Hütte. In Niccolo breitete sich eine angenehme Gelassenheit aus.

Während er aß, hockte Tieguai ihm gegenüber und beobachtete ihn. Niccolo war jetzt so entspannt, dass es ihm nichts ausmachte. Er nahm dankbar von den Trockenfrüchten und dem Fladenbrot, die der Xian ihm reichte, und bald war auch die Brühe im Kessel heiß genug. Nach dem langen Gebirgsmarsch kam er allmählich wieder zu Kräften.

„Wenn sie dir gefolgt wäre", sagte Tieguai so unvermittelt, dass Niccolo sich fast verschluckte, „dann hättest du sie bemerkt. Sie mag bei einer Xian in die Lehre gegangen sein, aber sie ist nicht unsichtbar. Und der Kranich, auf dem sie reitet, erst recht nicht. Sie sind elegante, kluge Tiere, aber sie sind nicht gerade unauffällig. Erst recht nicht in den Bergen, wo der Himmel bis zum Horizont reicht."

„Es tut mir leid", sagte Niccolo und ließ das Brotstück sinken, von dem er gerade hatte abbeißen wollen.

„Was tut dir leid?"

„Dass ich das Schwert hergebracht habe. Und das Risiko eingegangen bin, Mondkind geradewegs hierherzuführen. Das war dumm."

Der Xian schüttelte den Kopf. „Du hattest nie eine andere Wahl."

„Doch, hatte ich."

„Was mit dir und mit ihr geschehen ist, der Austausch des *Chi*, die Liebe, die ihr füreinander empfindet ... dagegen gibt es kein Mittel."

„Sie will Euch töten! Und Ihr redet, als hättet Ihr Verständnis für sie."

„Der Aether zwingt sie zu dem, was sie tut."

„Li wollte sie trotzdem umbringen."

„Ich bin nicht mein Bruder Li. Wusstest du, dass er ein großer Feldherr war, bevor er sich dem Tao zugewandt und Tiandi ihm die Unsterblichkeit geschenkt hat?"

Niccolo nickte.

„Dann wirst du verstehen", fuhr Tieguai fort, „dass seine Mittel nicht zwangsläufig die meinen sind."

„Ihr könnt Mondkind nicht allein durch Räucherwerk und Meditation besiegen", erwiderte Niccolo vorschnell und schämte sich sofort dafür. „Tut mir leid."

„Nicht durch Räucherwerk", stimmte der Xian ihm zu. „Aber Meditation versetzt Berge. Buchstäblich."

Niccolo schaute in seine Brühe, weil er nicht wusste, was er darauf erwidern sollte. Tieguai hatte wahrscheinlich Jahrhunderte mutterseelenallein hier oben verbracht.

„Du bist kein Chinese", sagte Tieguai. „Weißt du überhaupt, was Tao bedeutet? Anders als deine Schrift bezeichnet unsere keine Töne, sondern Gegenstände und Bilder. Chinesische Zeichen sind keine Laute, sondern Symbole. Das Zeichen des Tao setzt sich aus zwei anderen zusammen, aus den Symbolen für Kopf und für Gehen. Geist und Bewegung verschmelzen im Tao zu einer Einheit. Der Weg, den Laotse beschritten hat und auf dem wir ihm folgen, ist keiner, den man nur mit den Füßen geht." Tieguai berührte sein Herz und seine Stirn. „Wir müssen ihn auch hiermit gehen. Und zwar in jede Richtung, in die er uns führt. Wenn es die Richtung des Kampfes ist, dann dürfen wir ihn nicht allein mit dem Körper führen, sondern auch mit unserem Geist."

Niccolo drehte die Suppenschale gedankenverloren zwischen den Fingern. „Li hat ihn vor allem mit seiner Lanze geführt."

Der Xian lachte. „O ja, das ist der Pfad, den Li für sich gewählt hat. Meiner ist ein anderer. Laotses Lehre ist voller Möglichkeiten. Kein starres Gebilde aus Gesetzen und Regeln, sondern ein Gewebe von unendlicher Vielfalt."

„Aber Ihr und die anderen Xian, ihr sprecht mit den Göttern. Geben sie euch keine Befehle?"

„Wir Xian sind ihre Botschafter, das ist wahr. Wir sind die Säulen, auf denen das Gewölbe des Himmels ruht.

Aber sag mir, würdest du einer Säule einen Befehl erteilen? Muss man einer Säule erklären, dass sie ein Dach auf diese oder jene Weise zu tragen hat? Nein, Niccolo. Sie *trägt*. Das ist alles. Nichts anderes tun wir."

Niccolo war nicht sicher, ob er von all dem irgendetwas verstand, und doch drangen ein paar Gedankensplitter bis zu ihm durch. Vielleicht lag das an den Schwaden, die das Innere der Hütte vernebelten. Vieles schien mit einem Mal einen Sinn zu ergeben, das zuvor noch schwer zu durchschauen gewesen war.

„Tao ist ein Auge, das sieht", sagte Tieguai. „Jeder Mensch und jedes Ding trägt es in sich. Doch es rührt sich nicht, solange man nicht in sich danach sucht."

Niccolo hatte Silberdorn neben dem Tisch abgelegt. Nun griff der Xian danach und zog die Klinge langsam aus der Scheide. Er setzte sie mit der Spitze auf den Boden und hielt den Knauf mit einem Finger der linken Hand; mit dem rechten Zeigefinger berührte er die Schneide so sanft wie eine Gitarrensaite. Ein heller, melodischer Ton erklang und vibrierte sekundenlang nach.

„Nimm zum Beispiel dieses Schwert", sagte der Unsterbliche. „Sein Stahl trägt die Macht des Lautes in sich, aber er würde ihn niemals allein von sich geben. Er muss erst angeschlagen werden wie ein Instrument. So ist es mit allen Dingen. Tao ist in diesem Tisch, in deiner Suppenschale, dort drüben im Feuer." Er beugte sich vor. „Und Tao ist auch in dir, Niccolo."

° ° °

Im Gebirge schienen die Tage länger zu dauern, und sie waren erfüllt von so viel Neuem, dass Niccolo jegliches Gefühl für die Zeit verlor.

Frühmorgens im Dunkeln ruderte Tieguai mit ihm hinaus auf den See, und dort sprachen sie miteinander, Stunde um Stunde. Manches, das der Xian sagte, erinnerte Niccolo an seinen Vater. Seit Cesare Spinis Tod war Niccolos Erinnerung an ihn immer blasser geworden, ob er wollte oder nicht; doch etwas in dem, was der Unsterbliche sagte, mehr noch: *wie* er es sagte, brachte bestimmte Eindrücke und Gefühle zurück, die Niccolo längst verloren geglaubt hatte.

Der Xian zeigte ihm, wie man auf einem Kranich ritt, erst hinter ihm, dann allein. Das Tier kreiste niedrig über dem Wasser, für den Fall, dass Niccolo abrutschte, aber er stellte sich zu seinem eigenen Erstaunen recht geschickt an und stürzte kein einziges Mal.

An den Nachmittagen widmete er sich seinen Übungen mit Silberdorn. Das Schwert schien mit seiner Hand zu verschmelzen, sobald er es aus der Scheide zog. Es führte seine Hiebe und Stiche, lenkte seine Ausfallschritte und Riposten. Er fühlte sich seltsam dabei, so als gäbe er die Kontrolle über seinen Körper auf, und doch verlieh es ihm ein Gefühl von Macht, das ihm, sobald er die Waffe wegsteckte, erschreckend fremd war.

Er würde niemals ein perfekter Schwertkämpfer sein – erst recht nicht nach so kurzer Zeit –, weil ihm dazu das Gefühl für den Stahl fehlte und er keinen Schimmer hatte von Taktik und Strategie eines Zweikampfes. Doch das, was allein sein Arm leisten konnte – simple Attacken, solide Paraden –, lehrte ihn das Schwert. Gelegentlich machte auch Tieguai eine seiner schwer zu durchschauenden Bemerkungen, die nie ganz Befehl, niemals ganz Ratschlag waren, und meist wurde Niccolo erst später bewusst, dass auch davon etwas hängen blieb und ihm immer dann, wenn er nicht damit rechnete, hilfreich war.

Am Abend des dritten Tages saßen sie beisammen in der Hütte. Tieguai hatte seine Rituale vor dem Opferschrein beendet, während Niccolo aus dem, was er an Vorräten vorgefunden hatte, einen Eintopf kochte. Er war ein passabler Koch, weil er schon früher für seinen Vater und sich selbst die Mahlzeiten zubereitet hatte.

Plötzlich, von einem Moment zum nächsten, spürte er, dass ihm schwindelig wurde. Seine Beine drohten nachzugeben, und er ließ den Löffel scheppernd auf den Kesselrand fallen. Mit einem Stöhnen sank er vor dem Feuer auf die Knie.

Der Xian sah ihn nur aufmerksam an, so als wüsste er genau, was in seinem Besucher vorging.

Um Niccolo drehte sich alles. „Ich verschwende hier meine Zeit."

„Ist das der Eindruck, den du gewonnen hast?"

„Das hat nichts mit dir oder dem Tao zu tun."

„Womit dann?"

„Ich bin aufgebrochen, um einen Drachen zu finden und Aether zurück zur Wolkeninsel zu bringen. Ohne mich wird sie untergehen." Er ballte die Fäuste und stemmte sie fest in das Fell vor der Feuerstelle. „Und Nugua stirbt vielleicht, wenn der Fluch der Purpurnen Hand nicht von ihr genommen wird. Während all das geschieht, koche ich *Eintopf.*"

„Du kochst nicht *nur* Eintopf. Wir reden. Du übst den Umgang mit Silberdorn."

Niccolo wirbelte herum. „Aber ich sollte mich wieder auf die Suche nach den Drachen machen! Und wenn ich dabei schon versage, dann sollte ich wenigstens zurückkehren und bei meinem Volk sein, wenn es stirbt."

„Was würde das ändern?"

„*Du* bist derjenige, der Menschlichkeit und Mitgefühl predigt."

Tieguai lächelte. „Und doch lebe ich seit einer Ewigkeit allein hier oben und meide die Menschen. Manchmal muss man Dinge aus der Entfernung betrachten, um sie zu verstehen."

Niccolo schüttelte energisch den Kopf. „Ich habe das Volk der Hohen Lüfte im Stich gelassen. Und wofür?"

„Für deine Liebe zu Mondkind?"

„Für einen Traum!" Er schnaubte abfällig und hatte mit einem Mal Tränen in den Augen. „Oder Albtraum."

„Selbst wenn du jetzt aufbrechen würdest, wie wolltest du dann die Drachen finden?"

„Ich könnte Nugua und Li zum Drachenfriedhof folgen. Das hätte ich von Anfang an tun sollen. Du brauchst meine Hilfe doch gar nicht! Und Mondkind ..." Er ließ die Schultern hängen. „Sie braucht mich ganz sicher auch nicht."

„Der Einzige, der Hilfe braucht, bist du, soweit ich das

sehe. Aber die Hilfe, nach der du suchst, kann dir niemand geben. Der Bann, der dich an Mondkind kettet, kann von niemandem gebrochen werden. Und der Aether, den du zum Wolkenvolk bringen willst ... nun, du weißt, wie es um den Aether steht. Er will uns alle vernichten. Warum sollte da ein Teil von ihm dein Volk vor dem Untergang bewahren?"

Das alles wusste Niccolo. Er hatte viel über diese Dinge nachgedacht, sogar draußen auf dem See, wenn er und Tieguai über ganz anderes gesprochen hatten. Jetzt aber fragte er sich, ob all diese Gespräche nicht doch immer nur um dasselbe gekreist waren, ohne dass er es bemerkt hatte. Die Enttäuschung in Tieguais Augen bestätigte seine Ahnung.

„Hast du denn wirklich nichts verstanden?", fragte der Xian leise.

„Ich bin kein Gelehrter, Tieguai. Du magst über das wahre Wesen der Berge sprechen, aber für mich sind das nur ... Berge. Und so ist es mit allem."

„Du machst dir selbst etwas vor. Du hast mehr begriffen, als du wahrhaben willst. Was dir fehlt, ist Geduld. Den Pfad des Tao findet man nicht in drei Tagen."

„Ich bin nicht hergekommen, um dein Schüler zu sein." Noch während er es aussprach, dachte er: Schüler eines Xian. Genau wie Mondkind! Es war das erste Mal, dass ihm die Parallele bewusst wurde. Der Gedanke ließ seinen Herzschlag stolpern.

„Jene, um deretwillen du hier bist, wird kommen", sagte Tieguai. „Schon bald."

Erneut spürte Niccolo, wie der Gedanke an Mondkind alle anderen Ängste, Vorbehalte und Selbstvorwürfe davonspülte. Großer Leonardo, dachte er und hasste sich dafür, ich *will* das nicht!

„Dein Weg ist dein Weg ist dein Weg", murmelte der Xian. Das klang wie eine leere Litanei, aber etwas sagte Niccolo, dass er es ernst meinte.

Überstürzt sprang er auf und stürmte ins Freie. Tieguai folgte ihm nicht. Die kühle Gebirgsluft schlug Niccolo entgegen, aber nicht einmal sie vermochte das verzweifelte Feuer in seinem Inneren zu löschen.

Auf dem Felsen hinter der Hütte krächzte der Kranich in seinem Nest.

„Ich sollte auf dir zum Drachenfriedhof fliegen", flüsterte Niccolo und dachte schon darüber nach, wie er dort hinaufklettern und das Tier dazu bringen konnte, ihm zu gehorchen.

Tieguai schlug die Felle vor dem Eingang beiseite, trat aber nicht hinaus in die Nacht. Der Feuerschein im Inneren umrahmte seine dürre Gestalt. Es sah aus, als stünde sein langes Haar in Flammen.

Mit einer schnellen Bewegung schleuderte er Niccolo etwas entgegen.

Silberdorn.

Schwert und Scheide fielen vor Niccolos Füßen ins Gras.

Er zögerte, sich danach zu bücken. Er hatte keine Ahnung mehr, was er eigentlich wollte. Die Einflüsterungen des Götterschwertes waren jedenfalls das Letzte, wonach ihm zumute war.

„Du solltest das an dich nehmen“, riet ihm Tieguai.

Wieder kreischte der Kranich, jetzt sehr viel aufgeregter. Er richtete sich im Nest auf und öffnete seine Schwingen.

Für den Bruchteil eines Augenblicks glaubte Niccolo, die Drohgebärde des Riesenvogels gälte ihm.

Dann verstand er.

Als er herumwirbelte, schoss etwas über den schwarzen Bergsee auf sie zu. Ein Kranich, so groß wie der auf den Felsen. Und darauf eine Gestalt, gehüllt in weiße Seidengewänder, die ungeachtet des Gegenwinds in alle Richtungen wogten wie Arme einer Unterwasserpflanze.

„Das Schwert“, sagte Tieguai sehr ruhig.

Niccolo zerrte Silberdorn aus der Scheide und stellte sich Mondkind entgegen.

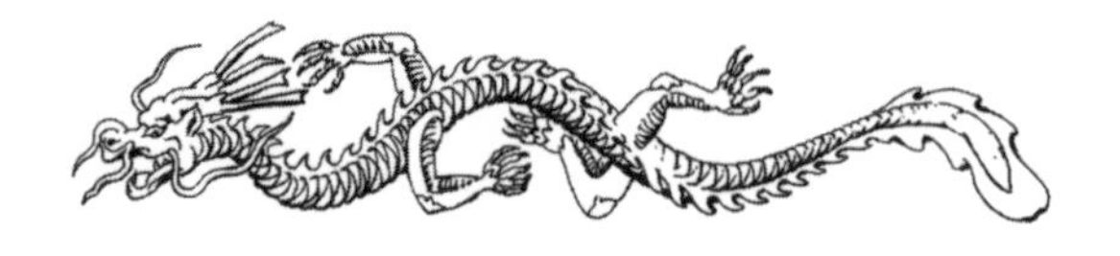

Seidenlanzen

Mondkind raste über den Bergsee heran, flackernd wie eine Flamme aus weißem Feuer. Ihr Kranich flog mehrere Meter über dem Wasser, aber der Sog seiner Geschwindigkeit schnitt eine mannstiefe Furche durch die Oberfläche. Tropfenfontänen sprühten glitzernd im silbrigen Mondlicht.

Sie war in schneeweiße Seidengewänder gehüllt wie bei Niccolos ersten Begegnungen mit ihr. Das Kleid hatte sie in der Mitte gerafft, um auf dem Vogelrücken sitzen zu können, und trotzdem bedeckte der Saum ihre langen Beine, verbarg ihre Füße und wehte unterm Bauch des Kranichs wie eine Nebelspur hinter ihr her. Sie ritt freihändig und vollführte mit den Armen Abfolgen komplizierter Gesten; ihre flatternden Ärmel zogen Muster durch die Dunkelheit, verschmolzen zu einem Wirbel aus Seide. Noch mehr weiße Bänder wehten überall um sie herum, tasteten wie Tentakel in diese und jene Richtung, bildeten sterngleiche Formationen um Reiterin und Vogel, krallten sich wieder nach innen, um sich dann abermals wie eine Orchideenblüte am Himmel zu öffnen.

Niccolo blickte ihr entgegen, den linken Fuß einen halben Schritt nach vorn gesetzt, das Schwert kampfbereit in beiden Händen. Er hatte diese Stellung angenommen, weil er es so gelernt hatte und die Klinge Silberdorn es ihm eingab – ein Instinkt, der aus dem magischen Götterstahl in seine Hände floss und einen Herzschlag später sein Gehirn erreichte. Er hatte das Gefühl, genau zu wissen, was er tat, so als hätte er sein Leben lang ein Schwert wie dieses in den Händen gehalten – doch in Wahrheit wusste er überhaupt nichts.

Am wenigsten, warum er Mondkind wie ein Krieger entgegentrat, obwohl er doch nichts anderes wollte, als sie in die Arme zu nehmen.

Sie hatte den See jetzt zur Hälfte überquert. In wenigen Augenblicken würde sie das Ufer erreichen, dann die Hütte und den Unsterblichen.

Niccolo blickte sich zu Tieguai um, aber der Xian war verschwunden. Bevor er einen klaren Gedanken fassen konnte, hörte er ihn im Inneren der Behausung hantieren. Dann kam Tieguai auch schon wieder mit wehendem Haar ins Freie gerannt, in einer Hand eine Schriftrolle. Niccolo hatte eher mit einem Schwert gerechnet, irgendeiner Waffe.

Tieguai lief hinüber und stopfte Niccolo die Schriftrolle unter das Wams in den Gürtel. „Bring das zu Guo Lao!"

Verstört starrte Niccolo ihn an. „Das kannst du selbst tun! Sie wird dich nicht töten!"

„Egal, was geschieht – bring diese Schriftrolle zu meinem Bruder."

„Was steht darin?"

Tieguai brachte es fertig, selbst jetzt noch zu lächeln. „Meine Einsichten in das Wesen der Berge."

„Einsichten in – “

„Guo Lao“, wiederholte der Xian eindringlich. „Suche ihn in der Taklamakan. Er hält sich in einer Karawanserei draußen in der Wüste versteckt. Gib ihm die Rolle.“

„Ich werde verhindern, dass sie – “

Mondkinds Kranich stieß einen hellen Schrei aus, als die Wasseroberfläche hinter ihm zurückblieb.

Niccolo wirbelte herum. Silberdorn fühlte sich schwer an, viel schwerer als sonst, aber es zog seine Arme nicht nach unten. Vielmehr war es, als wollte es *verhindern*, dass er die Klinge sinken ließ.

Ich kämpfe nicht mit ihr, dachte er verbittert. Ich bin kein Sklave eines verdammten *Schwertes*!

Ein Flattern ertönte, und dann schossen auch schon mehrere Bahnen aus Seide schnurgerade auf Tieguai zu. Der Xian gab Niccolo einen Stoß, der ihn aus seiner Nähe beförderte. Wie ein Schwarm weißer Lanzen rasten die Seidenbahnen in Tieguais Richtung, losgelöst von Mondkinds Kleid, so als hätte es sie wie Sporen von sich geschleudert. Niccolo hatte sie so etwas schon einmal tun sehen, beim Duell mit Guo Lao.

„Nein!“, schrie er aufgebracht.

Tieguai riss seinen Fächer aus dem Gürtel, öffnete ihn noch in der Bewegung – und wehrte die Seidenlanzen damit ab wie mit einem Schild. Die Seide war im Flug erstarrt wie mannslange Eiszapfen, aber wo der Fächer sie berührte, erschlaffte sie und fiel als zerknüllter Stoff zu Boden. Tieguai bewegte sich dabei so schnell, dass Niccolos Blicke ihm kaum folgen konnten. Alles was er sah, war ein Chaos aus Bewegungen, so als wollte der Xian mit dem Fächer ein hochkompliziertes Schriftzeichen in die Luft weben – und vielleicht war es das tatsächlich, eine Art magisches Symbol, das Mondkinds Seidenlanzen abwehrte.

Der Kranich schrie erneut und setzte auf. Seine Krallen frästen Spuren in den Boden, ehe er zum Stehen kam. Mondkind sprang nicht herunter, sondern stieg mit einem hellen Ausruf schnurgerade nach oben auf, wie von einem Katapult geschossen. Am höchsten Punkt, gute zehn Meter über dem Boden, schlug sie einen Salto und fegte im Federflug auf Tieguai zu.

„Mondkind!", brüllte Niccolo, als die beiden aufeinandertrafen. Er rannte los, doch als er die Stelle fast erreicht hatte, an der die beiden mit Fächer und Seidenzauber fochten, stießen sie sich ab und federten davon, hoch hinaus über die Hütte, empor zum Nest von Tieguais Kranich. Der Vogel flatterte kreischend in Sicherheit und setzte neben Mondkinds Kranich am Ufer auf. Niccolo sah die Tiere nur aus dem Augenwinkel und nahm an, die Kraniche würden sich bekämpfen wie ihre Meister; stattdessen aber saßen sie sich friedlich gegenüber und rieben die Schnäbel aneinander.

Niccolo konzentrierte sich wieder auf die Felsen oberhalb der Hütte. Die beiden Kontrahenten waren in ein Durcheinander aus Hieben und Tritten verstrickt, chinesische Kampfkunst, die Niccolo so rätselhaft erschien wie die Magie, mit der Mondkinds Seidengewänder durchwoben waren. Die Stoffbahnen umgaben die Kämpfer dabei wie ein loser Kokon, eine Kugel aus wirbelnder Seide, mehrere Meter im Durchmesser und im Mondlicht so weiß wie frischer Schnee.

„Mondkind!“, brüllte er abermals. „Tieguai! Hört auf!“

Vom Schwert in seinen Händen ging ein eigenartiges Ziehen aus, so als wollte es ihn dazu bringen, die Felsen hinaufzuklettern und sich mit ins Getümmel zu stürzen. Aber er war noch weit genug Herr seiner Sinne, um zu wissen, wie dumm das gewesen wäre. Die beiden dort oben waren viel zu schnell, viel zu erfahren in dem, was sie taten, als dass er – mit oder ohne Schwert – in ihren bizarren Kampftanz hätte einbrechen können.

Er konnte nur dastehen und zusehen, während das verfluchte Schwert in seinen Händen zuckte und zerrte wie ein Bluthund, der Witterung aufgenommen hat.

Zeit verging, viel zu viel Zeit, die Niccolo dennoch vorkam wie wenige Sekunden. Das Duell dort oben – geführt mit bloßen Händen, messerscharfen Seidenklingen und einem Fächer, aus dessen Streben jetzt silberne Stahldornen ragten – veränderte sich von der anfänglichen Folge brutaler Attacken und Paraden zu einem eleganten Gleiten. Fast war es, als übernehme immer einer der beiden die Führung, während der andere seinen Bewegungen folgte. Das machte das Duell noch tänzerischer – und grotesker.

Niccolo brüllte, um den beiden Einhalt zu gebieten, aber weder Mondkind noch Tieguai achteten auf ihn. Panisch blickte er sich um, sah wieder die Kraniche am Ufer und fragte sich einmal mehr, ob das alles Wirklichkeit sein konnte. Tieguais Räucherwerk hatte ihn in den vergangenen Tagen allerlei Dinge sehen lassen, die nicht real gewesen waren; dies alles hier als Trugbild abzutun war verlockend.

Mondkind schrie auf, als Tieguais Fächerkrallen ihre Taille streiften und eine blutrote Furche in die Seide rissen. Sie stieß sich nach hinten ab und flatterte im Federflug die Felsen hinunter, kam mit einem Stolpern am Boden auf und presste eine Hand auf die Wunde.

Niccolo rannte auf sie zu. „Mondkind! Hört endlich auf damit!"

Zum allerersten Mal, seit sie über dem Bergsee aufgetaucht war, sah sie ihn direkt an. Ihr Blick brannte sich in seinen, und im selben Moment waren all seine Gefühle für sie neu und frisch. Sie taten weh wie am ersten Tag.

„Du darfst ihn nicht töten!", flehte er sie im Laufen an. Das Schwert übte einen beängstigenden Sog in ihre Richtung aus, *zog* ihn beinahe, auch wenn er sich das vielleicht – oder hoffentlich? – nur einbildete. Beim Großen Leonardo, es konnte gar nicht anders sein! Götterschwert hin oder her: *Er* führte diese Waffe, nicht die Waffe ihn.

Während er näherkam, schienen sich ihre Züge mit Frost zu überziehen. Ihr Blick wurde kühl und abweisend. Es kam ihm vor, als streifte sie sich eine Maske über, eine Glasur aus frostweißem Mondlicht, hinter der sie ihre wahren Empfindungen verbarg. Sie liebte ihn, das redete er sich nicht einfach nur ein. Der Bann des geteilten *Chi* wirkte in beide Richtungen, auch in ihre. Sie waren dazu verdammt, sich zu lieben, ganz gleich, wie viel Unglück das mit sich brachte. Unglück für sie selbst – und für andere.

„Geh!“, sagte sie. „Misch dich hier nicht ein!“

Einige ihrer Seidenbahnen fauchten in seine Richtung und brachten ihn dazu, atemlos stehen zu bleiben. Sie berührten ihn nicht, aber ihre Spitzen schwebten vibrierend vor seinem Gesicht und Oberkörper wie hungrige Raubfische.

„Du hast mich um Hilfe gebeten“, keuchte er, so erschöpft, als hätte er selbst dort oben auf dem Felsen gekämpft.

„Das habe ich ganz sicher *nicht*“, entgegnete sie scharf.

„Natürlich hast du das!“ Seine Hand suchte das Seidenband, das er noch immer an seinem Gürtel verknotet trug. Nachdem sie ihn auf den Lavatürmen zurückgelassen hatte, waren auf dem feinen Gewebe wie von Geisterhand Schriftzeichen erschienen: *Hilf mir!*

Jetzt aber waren sie nicht mehr zu sehen, verblasst, als wären sie nie da gewesen.

„Mondkind!“ Tieguais Stimme schnitt durch das, was gerade noch zwischen ihr und Niccolo gewesen war, dieses verwirrende Geflecht aus leidenschaftlicher Anziehung und Ablehnung, aus Offenheit und Lüge und Verneinung all dessen, was sie beide doch insgeheim besser wussten.

Sie löste ihren Blick von Niccolo, und einen Herzschlag lang glaubte er etwas wie Bedauern in ihren Augen zu sehen. Aber dann kehrte die eisige Kälte zurück, die versteinerten Züge, das Antlitz der Attentäterin.

„Wir müssen nicht miteinander kämpfen!“, rief der Xian vom Felsen zu ihr herunter. Er stand noch immer dort oben im Nest des Kranichs wie hinter einem Zinnenkranz aus Astwerk und vertrocknetem Laub. „Ich will dich nicht töten!“

„Du weißt, was ich getan habe“, erwiderte sie, während die Seidenbänder einen spiralförmigen Tanz um ihren Körper vollführten, so als wollten sie ihre Herrin in einen Zopf aus Sternenglanz flechten. „Und du weißt auch, dass ich gar nicht anders kann, als diese Sache zu Ende zu bringen.“

„Natürlich kannst du das!“, rief Niccolo.

„Er hat recht“, sagte Tieguai sehr ruhig, drohte aber vom Flattern der Seide übertönt zu werden. Der geöffnete Fächer in seiner Hand blitzte jetzt wie blanker Stahl. Niccolo zweifelte nicht länger daran, dass auch dies eine Waffe aus den Schmiedefeuern der Lavatürme war. So wie Lis Lanze, so wie Silberdorn in seiner Hand.

Mondkind stieß sich abermals vom Boden ab, flog aber nicht in die Richtung des Xian, sondern verharrte fünfzehn Meter über dem Boden. Über ihr leuchtete die Mondsichel am Nachthimmel, übergoss ihre Schultern mit weißem Feuer. Die Seidenbänder vollführten einen schwebenden Tanz wie das Wirrwarr am Grunde eines Schlangennests; Mondkind wurde gänzlich darin eingewoben. Ihre Stimme hob zu einem melodiösen Gesang an, ganz ähnlich jenem, den Niccolo schon einmal gehört hatte, vor Wochen auf einer Lichtung im Waldland von Sichuan.

Tieguai hielt den Fächer jetzt waagerecht, holte damit aus und schleuderte ihn mit aller Kraft zu ihr herüber. Mehrere Seidenbahnen lösten sich aus dem Tumult und versuchten, die Waffe aus der Luft zu greifen. Doch der messerscharfe Stahl schnitt sie alle in Stücke und grub sich tief in den flirrenden Seidenkokon.

Mondkinds Gesang brach ab. Die Seidenbahnen zerfielen, pellten sich auseinander wie vertrocknete Blütenblätter. In ihrer Mitte kam das Mädchen zum Vorschein, unversehrt und überirdisch schön. Schmerz sprach aus ihrem Blick, doch ihr herzförmiges Gesicht war ebenmäßig und scheinbar entspannt. Ihr langes schwarzes Haar, das eben noch im Einklang mit der Seide um ihren Kopf gewirbelt war, senkte sich schwebend herab auf ihre Schultern, floss glatt über Rücken und Brüste.

In ihrer rechten Hand hielt sie den Fächer.

Seidenfäden hatten sich zwischen den Streben verfangen, aber als Mondkind die Waffe schüttelte, fielen sie ab und folgten den zerfetzten Bändern zum Boden. Die unversehrten Bahnen zogen sich unter den wallenden Saum ihres Kleides zurück, in ihre langen Ärmel, sogar in ihren Ausschnitt. Plötzlich schwebte sie ganz ruhig dort oben, kein Gewirbel mehr, kein Chaos aus Seidententakeln. Nur Mondkind in ihrem langen weißen Kleid aus zahllosen Lagen weißen Schleierstoffs.

Niccolo rief noch einmal ihren Namen, aber er hatte das Gefühl, ins Leere zu sprechen. So als befände er sich mit einem Mal unter Wasser und brüllte vergeblich gegen die Fluten an, die über seine Lippen strömten.

Tieguai blickte von seiner leeren Hand hinüber zu dem Fächer in Mondkinds Fingern. Ein Ausdruck von Fassungslosigkeit legte sich auf seine Stirn.

Mondkind öffnete den Mund und beendete ihren Gesang mit einem letzten Vers in einer Sprache, die Niccolo nicht verstand. Dann holte sie blitzschnell aus und schleuderte den Fächer zu Tieguai hinüber.

Noch während das wirbelnde Klingending durch die Nachtluft schnitt, sank Mondkind zurück auf den Boden, landete federleicht und aufrecht auf einem Polster aus zerfetzter Seide.

Niccolos Mund klappte auf, aber kein Ton drang hervor.

Der Stahlfächer drehte sich im Flug um sich selbst wie ein übergroßer Wurfstern, raste in der Horizontalen auf den Xian zu, als wollte er zu ihm zurückkehren wie ein treues Tier.

Tieguai stieß sich vom Felsen ab. Der Fächer verfehlte ihn um eine Handbreit, zuckte unter ihm hinweg und setzte seine Flugbahn fort, bis er aus Niccolos Blickfeld verschwand.

Der Xian schlug einen Salto und kehrte zum Erdboden zurück. Keine zwanzig Meter von Mondkind entfernt kam er auf, federte leicht in den Knien und verzog schmerzerfüllt das Gesicht, als seine Füße festen Untergrund berührten.

Mondkind stieß einen hohen, auf- und abschwellenden Laut aus, der auf beunruhigende Weise ein Bruchstück ihres vorherigen Gesangs aufnahm.

Es war ein Ruf.

Das Schwert in Niccolos Hand zuckte wieder, und diesmal konnte er nicht anders, als es anzuheben und damit in Mondkinds Richtung zu weisen.

„Das hier endet jetzt“, sagte er leise. „Ich will nicht mit dir kämpfen, aber ich werde es tun, wenn du mir keine Wahl lässt.“

Der Ton aus ihrem Mund brach ab. Sie schenkte Niccolo ein trauriges, wissendes Lächeln.

Im nächsten Augenblick zeigte ihr Zauberlied seine Wirkung. Während Tieguai sich in Bewegung setzte, schoss der fliegende Fächer aus der Ferne heran, kehrte zurück aus der Finsternis, schnell und funkelnd wie eine Sternschnuppe.

„Nein!“, schrie Niccolo.

„Es tut mir leid“, sagte Mondkind und senkte den Blick.

Der Fächer schnitt durch Tieguais Hals und enthauptete ihn.

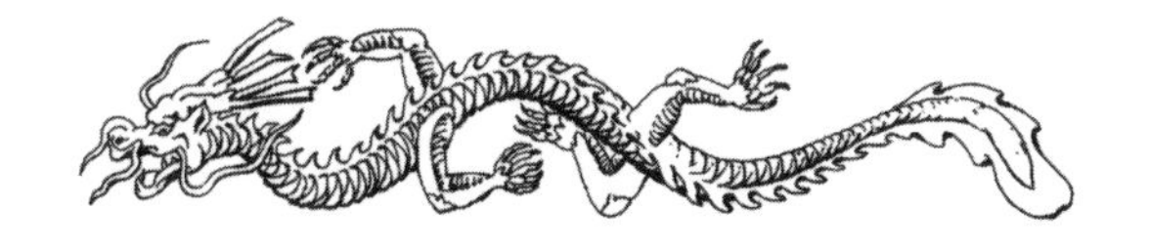

Jagd im Gebirge

Niccolo wurde von dem Schwert nach vorn gerissen, noch bevor er gänzlich verstand, was gerade geschehen war. Er fühlte sich, als hätte ihm jemand einen furchtbaren Schlag versetzt, vollkommen unerwartet. Eine betäubende Mischung aus Schock und Schmerz erfüllte ihn, und eine ganze Weile lang brachte er keinen Laut heraus, nicht einmal einen Aufschrei.

Er stolperte auf Tieguai zu und fiel neben ihm auf die Knie. Am Rande seines Blickfelds zog etwas Weißes vorüber wie ein Schwan im Nebel. Die Klinge wollte, dass er dem Schemen folgte, aber Niccolo rammte sie mit aller Willensanstrengung ins Erdreich, wo sie vibrierend stecken blieb. Ein leiser, beinahe empörter Ton ging davon aus, wie von einer hauchzart angeschlagenen Harfensaite.

Niccolo brachte es nicht über sich, die Schultern des Unsterblichen anzusehen. Vielmehr tastete er nach Tieguais Hand, senkte den Blick und weinte. Er tat das für sich selbst, für den toten Xian und – vielleicht nur halb bewusst – auch für Mondkind. Einen Moment lang gelang es ihm, dem Bann zu entkommen, der sie aneinanderkettete; er wünschte sich nichts mehr, als dass sie fort wäre, wenn er wieder aufschaute.

Aber als er die Augen hob, war sie noch da. Natürlich.

Sie stand nicht weit von ihm, in der Nähe der beiden Kraniche. Sie schien gegen den Drang anzukämpfen, zu Niccolo herüberzukommen, so als wollte etwas in ihr ihn trösten, während ein anderer Teil sie zurückhielt, vielleicht um diese ganze Katastrophe nicht auf einen weiteren, noch grausameren Höhepunkt zu treiben.

Tränenströme liefen über ihr Gesicht, glitzerten in ihren Mundwinkeln und an ihrem Kinn.

„Ich habe ihm versprochen, dass ich dich davon abbringen kann", brachte Niccolo mühsam hervor, noch immer auf Knien, zu schwach, um aufzustehen und sich auf sie zu werfen oder irgendeine andere Dummheit zu begehen.

„Und?", fragte sie leise. „Hat er dir geglaubt?"

„Er hat – " Niccolo schüttelte den Kopf. „Nein."

„Er wusste, dass es so kommen würde."

Endlich stieg ein verzweifelter Schrei in ihm auf, warf seinen Kopf zurück in den Nacken und kam laut und gequält über seine Lippen. Selbst als er abbrach, hallte der Schrei noch lange im Gebirge nach und wehte um die Gipfel.

Mondkinds Gewänder bewegten sich nicht mehr. Der Saum ihres Kleides lag reglos am Boden, die Seidenschleier wirkten mit einem Mal grau und schmutzig. Die Bänder waren zurück unter ihr Gewand gekrochen. Durch Tränen sah Niccolo, dass auch die Seidenfetzen am Boden sich aschgrau kräuselten wie verbranntes Papier. Ein Windstoß wirbelte sie davon, hinaus über das Wasser des Bergsees.

Tieguais Kranich legte sich ab und pickte zaghaft mit der Schnabelspitze im Gras.

Niccolo ließ wieder den Kopf hängen, unfähig zu entscheiden, was er denken, was er tun sollte. Seine rechte Hand wanderte an dem Schwert im Boden hinauf, klammerte sich wie ein ausgelaugter Kletterer an der Kreuzstange fest, kroch höher und umfasste den Griff.

„Bitte“, flüsterte Mondkind, „versuch das nicht.“

Niccolo hob das Gesicht und starrte sie an. Seine Unterlippe bebte, seine Wangen waren nass und eiskalt. Seine Linke umfasste noch immer die Hand des Toten, und ihm war, als wiche schon alle Wärme daraus. Sanft legte er sie im Gras ab.

Mondkind nickte langsam. „Ich muss jetzt gehen.“

„*Was?*“ Nun weinte und lachte er zugleich, verbittert, erschüttert und so unfassbar wütend auf die ganze Welt. „Du kannst nicht einfach verschwinden, als wäre nichts geschehen!“

„Meine Aufgabe ist noch nicht beendet.“

„Deine Aufgabe?“

„Hör auf, Niccolo. Quäl dich nicht weiter damit.“

„Verdammt noch mal, was *redest* du denn da?“ Er zog sich an dem Schwert in die Höhe, hielt sich daran fest, als müsste er sonst wieder zurück auf den Boden sinken. Noch blieb die Klinge im Boden stecken, aber er spürte die Waffe in seiner Hand vibrieren wie von einem wummernden Pulsschlag tief im Stahl. „Tieguai war mein Freund! Und du hast ihn umgebracht!“

Sie hob den Blick hinauf zum Himmel. Ihre Wangen bebten, und die Tränen flossen noch immer ungehemmt über ihre vollkommenen Züge.

„Leb wohl, Niccolo!“, sagte sie und drehte sich langsam zu ihrem Kranich um.

Sein Blick streifte die Wunde in ihrer Seite. Blut hatte die Seide dort rot gefärbt, aber ihm war, als wäre es weniger geworden, so als übertünche das Weiß die Farbe des Blutes wie eine Schneedecke ein Schlachtfeld. War nicht auch ihr ganzes Kleid schon wieder heller geworden, so als erneuerte es sich von innen heraus?

Der Kampf hatte sie kaum genug Kraft gekostet, um sie länger als ein paar Minuten aufzuhalten. Aber vielleicht war das nur äußerlich, denn er erinnerte sich, dass sie selbst auf den Lavatürmen noch geschwächt gewesen war vom ersten Kampf gegen Guo Lao im Wald.

„Bleib stehen!“, rief er ihr hinterher.

Sie zögerte, ging weiter. Ergriff die Zügel des Kranichs.

„Ich hab gesagt, du sollst *stehen bleiben*!“ Er riss Silberdorn aus dem Boden. Ein triumphierender Hitzestoß raste aus dem Schwert seinen Arm hinauf.

„Ich kämpfe nicht mir dir“, sagte sie, als sie sich auf den Rücken des Kranichs zog. Ja, sie war tatsächlich noch immer geschwächt, viel schlimmer, als er angenommen hatte. Auf dem Vogel sackte sie kurz vornüber, hatte sich aber sofort wieder unter Kontrolle.

Mit dem Schwert in der Hand ging er auf sie zu.

„Ich kann dich nicht gehen lassen“, sagte er verbissen.

„Dir bleibt gar nichts anderes übrig.“

„Was wirst du sonst tun? Mich auch umbringen?“

„Lass es nicht darauf ankommen.“

„Das kannst du nicht. Und das weißt du.“

Sie zog den Kranich herum, sodass sie und der Vogel Niccolo entgegenblickten. Obwohl er sie aufhalten wollte, aufhalten *musste*, war ihm klar, dass er sie viel zu sehr liebte, um ihr ein Leid zuzufügen.

Das Schwert war offenbar anderer Meinung.

Dieselbe Erkenntnis blitzte mit einem Mal in Mondkinds Augen. Sie blickte von Niccolo hinab auf die Klinge, und jetzt schien sie zu spüren, was vorging.

„O nein", flüsterte sie, und es klang zugleich verblüfft und unheilschwanger. Aber sie zögerte noch, den Kranich abheben zu lassen, fast so, als käme da mit einem Mal eine neue Möglichkeit ins Spiel, die sie erst abwägen musste.

„Du *kannst* mich töten", raunte sie überrascht.

„Ich – " Er verstummte, wusste nichts mehr zu sagen. Noch wenige Schritte, dann würde er bei ihr sein. Er schluckte Tränen hinunter und hatte das Gefühl, dass sich ihr sein Herz in der Brust entgegenwölbte.

Aber auch die Klinge zog in ihre Richtung. Die Klinge, die in diesem Augenblick etwas ganz anderes wollte als er.

„Das Schwert liest deine geheimsten Gedanken, Niccolo. Und ganz tief in dir hat es den Wunsch gefunden, das alles hier zu beenden und Tieguai zu rächen."

Er blieb stehen und sah auf Silberdorn hinab. Nur ein Schwert, redete er sich ein. Das ist nur ein Stück Stahl, nichts sonst.

Stahl, der für die Götter geschmiedet worden war.

Mondkind stieß einen summenden Ton aus. Etwas regte sich im Gras am Ufer, und plötzlich schoss etwas Silbernes auf sie zu. Sie fing Tieguais Fächer einhändig auf, faltete ihn mit einer eleganten Bewegung zusammen – und gab dem Kranich den Befehl aufzusteigen.

„Warte!“, brüllte Niccolo.

„Ich liebe dich“, sagte sie. Dann machte der Kranich einen Satz und raste mit gespreizten Schwingen über Niccolo hinweg. Der Luftzug warf ihn beinahe zu Boden. Er taumelte und verlor das Schwert aus der Hand. Die Klinge heulte vor Empörung auf, als sie ins Gras fiel.

Niccolo fuhr herum und starrte Mondkind nach. Auch sie sah über die Schulter zurück. Der Vogel erreichte den Felswall rund um das Gipfelplateau und sackte dahinter abwärts, schoss im Sturzflug in die Tiefe und war fort.

Niccolo stieß einen gequälten Schrei aus, ballte die Fäuste und lief auf Tieguais Kranich zu. Der Riesenvogel erhob sich mit einer Selbstverständlichkeit, als hätte er nur auf seinen neuen Meister gewartet.

Wie in Trance wirbelte Niccolo noch einmal herum, sprang zurück und sammelte Schwert und Scheide ein. Taumelnd stieg er auf den Rücken des Kranichs und befahl ihm, Mondkind zu folgen.

° ° °

Er hatte keine Angst vor der Höhe, natürlich nicht – er war auf einer Wolke geboren. Unter ihm fühlte sich der Federleib des Vogels vertrauter an, als er erwartet hatte. Er hatte gerade einmal drei Tage lang geübt, neben all den anderen Dingen, die er an Tieguais Seite gelernt hatte. Im Nachhinein kam es ihm vor, als wären Wochen vergangen, seit der Xian ihn bei sich aufgenommen hatte.

Gerade einmal drei Tage. Und er fragte sich, ob Mondkind recht gehabt hatte. Hatte Tieguai gewusst, dass sein Ende unausweichlich war?

Niccolo hielt die Zügel des Kranichs in der Linken. Rechts trug er das Schwert. Der Xian hatte ihn gelehrt, dass er sich allein mit den Beinen festhalten musste. Die Zügel waren nur dazu da, dem Vogel zu zeigen, wohin er fliegen sollte; Halt aber gaben sie kaum.

Das bekam er zum ersten Mal zu spüren, als der Kranich jenseits des Walls in einen Sturzflug überging. Mit einem wilden Schrei rutschte Niccolo auf dem Federrücken nach vorn und wäre beinahe auf dem dünnen langen Hals gelandet. Er hatte einen ganz ähnlichen Flug schon einmal erlebt, als er auf einem Luftschlitten des Herzogs die Wolkeninsel verlassen hatte. Immerhin würde der Kranich nicht einfach vom Himmel fallen.

Sie jagten die Bergflanke hinab in eine enge Schlucht, die sich in scharfen Kurven nach Norden wand. Am Grund floss ein schmales Rinnsal um mächtige Gesteinsbrocken. Sie waren noch immer weit oberhalb der Baumgrenze, in der Schlucht wuchs nichts als Gestrüpp und braunes Gebirgsgras. Kahle Felsen ragten rechts und links auf, hier und da sprühte Wasser aus Öffnungen im Gestein und verschwand in der Tiefe.

Mondkind blieb bis zur ersten Kehre der Schlucht sichtbar, dann war sie fort. Niccolo trieb den Kranich zur

Eile. Er durfte sie jetzt nicht verlieren, sonst würde er sie nie wiederfinden.

Das Schwert lag ganz ruhig in seiner Hand. Vielleicht überdeckte auch nur sein hämmernder Herzschlag das Pulsieren, das von der Klinge ausging. Oder sie gab sich vorerst zufrieden mit seinem Versuch, Mondkind einzuholen.

Ich kann sie nicht aufhalten, dachte er wieder und wieder. Nicht mit einer Waffe.

Er hatte geglaubt, mit ihr reden zu können. Sie überzeugen zu können, sich vom Aether abzuwenden, seine Befehle zu ignorieren und Tieguai am Leben zu lassen. Alle hatten ihn gewarnt, aber er hatte ihre Warnungen in den Wind geschlagen. Er war so sicher gewesen, dass er genug Einfluss auf sie hatte, um sie auf seine Seite zu ziehen.

„Niccolo!“, hallte es mit einem Mal durch die Schlucht. „Er war kein Mensch mehr. Die Xian haben länger gelebt als irgendjemand sonst. Vielleicht ist es nur richtig, dass auch sie irgendwann einmal sterben.“

Er hielt im Flug nach ihr Ausschau, fand sie aber nirgends. Sein Kranich folgte weiter dem Verlauf der gewundenen Klamm, aber hinter jeder neuen Biegung war nur blanker Fels. Nirgends eine Spur von Mondkind. Und doch hörte er sie ganz deutlich, selbst über den tosenden Gegenwind.

„Niccolo, hör mir zu!“ Die Worte schienen von allen Seiten zu kommen, irgendein akustisches Verwirrspiel dieser Felsenenge. „Ich war die Schülerin einer Xian, ich weiß, was sie sind und wie sie den Tod betrogen haben. Sie waren längst keine Menschen mehr!“

„Und deshalb musstest *du* sie töten?“, brüllte er. „Deshalb darfst *du* entscheiden, dass ihre Zeit gekommen ist? ... Du hast sie umgebracht, weil der Aether es dir befohlen hat, nicht weil es irgendeine Rolle spielt, was die Xian sind oder waren!“

Sie gab keine Antwort. Angestrengt suchte er die Schlucht nach ihr ab, aber er entdeckte sie erst, als er nach oben blickte und das Weiß ihrer Gewänder über der rechten Felskante aufblitzen sah. Sie flog parallel zu ihm, wenn auch um einiges höher. Warum floh sie nicht?

Weil sie dich nicht fürchtet, flüsterte seine innere Stimme. Nicht vorhin auf dem Plateau und auch jetzt nicht. Sie hat keine Angst vor dir, weil sie weiß, dass du es nicht fertigbringen würdest, sie zu töten – selbst wenn du eine Chance hättest, sie zu besiegen. Nicht einmal dann, wenn das Schwert dich beeinflusst. Du bist stärker als dieses Stück Stahl, und das nutzt sie aus! Du wirst dich immer gegen den Willen dieser Waffe auflehnen!

Er riss an den Zügeln des Kranichs und ließ ihn abrupt nach oben steigen. Das Tier gehorchte und hätte ihn dabei fast nach hinten abgeworfen. Niccolo klammerte sich fest und verfluchte das Schwert gleich noch einmal, weil er die Scheide während des Fluges nicht auf dem Rücken befestigen konnte und die Waffe die ganze Zeit über in der Hand halten musste.

Der Kranich schoss nach oben, nahezu senkrecht – jedenfalls fühlte es sich so an –, und als er die Oberkante der Schlucht erreichte, war Mondkind nirgends mehr zu sehen. Niccolo blickte sich verzweifelt nach ihr um. Vergebens.

Dann aber legte sich der Kranich ganz von selbst in eine Kurve nach links, raste über die Kluft hinweg, rüber zur anderen Seite. Die Felsen bildeten dort ein zerklüftetes Plateau, ehe sie zu einem weiteren steilen Berghang anstiegen.

„Hast du sie gesehen?“, rief Niccolo dem Kranich zu und wusste sehr wohl, dass er keine Antwort bekommen würde. Aber er spürte eine seltsame Verbundenheit zu dem Vogel, fast so etwas wie Freundschaft, und wenn auch nur, weil er das Einzige war, das ihm von Tieguai geblieben war.

Plötzlich fiel ihm die Schriftrolle ein. Sie steckte noch immer sicher unter seinem Wams im Gürtel. Guo Lao. Eine Karawanserei in der Wüste Taklamakan. Tieguai hatte tatsächlich gewusst, dass er sterben würde. Er hatte Niccolo mit einer letzten Aufgabe betraut.

Darum also hatte er ihm beigebracht, auf dem Kranich zu reiten. Und deshalb gehorchte ihm der Vogel auch jetzt noch, selbst nach dem Tod des Xian.

Vor dem gigantischen Bergmassiv leuchtete mit einem Mal ein heller Punkt, tauchte aus dem Irrgarten der Felsen auf und jagte in gerader Linie auf den schrundigen Hang zu. Zahllose Schatten bedeckten den Berg, finstere Flecken unter scharfkantigen Überhängen und lichtlose Spalten, in die kaum jemals Helligkeit fiel. Erst jetzt wurde Niccolo bewusst, dass die Sonne aufgegangen war. Sie stand noch jenseits der vorderen Gebirgsgipfel im Osten, aber sie erhellte einen Teil des Himmels mit einem blauvioletten Schimmer. Ehe sie jedoch die Schattenlöcher in der Bergflanke erreichen würde, mochten noch Stunden vergehen.

Mondkinds Gewänder wehten als weiße Schleppe hinter ihr und dem Kranich her. Manche ihrer Schleier und Überwürfe hoben und senkten sich im Sog der Vogelschwingen; aus der Ferne sah es aus, als wären Mondkind eigene Flügel gewachsen, die in den Rhythmus des Kranichs mit einfielen.

„Wir holen sie ein“, rief Niccolo seinem Vogel zu.

Und dann?, flüsterte es in ihm.

Der Kranich schoss gut fünfzig Meter über den Felsen dahin. Mondkind war weit vor ihnen. Aber Niccolos Vogel holte tatsächlich auf. Er war ausgeruht, ganz im Gegensatz zu seinem Artgenossen dort vorn, der seine Reiterin bereits die weite Strecke bis ins Gebirge getragen hatte.

Sie raste noch immer genau auf die Bergflanke zu, sah über die Schulter und zerrte plötzlich an den Zügeln. Ihr Kranich legte sich in eine Kurve nach rechts, flog dann nach unten. Er tauchte wieder in das Felsenlabyrinth am Fuß des Berges ein. Niccolo musste seinem Vogel gar nicht erst befehlen, wohin er zu fliegen hatte – der Kranich folgte der Spur auch ohne sein Kommando.

Bald darauf fegten sie durch enge Spalten, viel schmaler als die Schlucht vorhin, und die meisten schienen bodenlos. Kein Lichtstrahl fiel auf ihren Grund; Niccolo kam es vor, als schwebte er über einem kalten, bedrohlichen Nichts. Irgendwann einmal war hier das Gebirge aufgebrochen wie getrockneter Schlamm. Die Spalten liefen gezackt wie ein Netz aus Blitzen. Immer wieder verstellten scharfe Kanten den Weg und zwangen den Kranich zu waghalsigen Manövern.

Auf einer langen Geraden sah Niccolo Mondkind vor sich leuchten, ein Stern aus wirbelnder Seide, der einsam in der Dunkelheit der Gebirgsabgründe strahlte. Sie rief jetzt nicht mehr nach ihm, versuchte nichts mehr zu erklären. Zum ersten Mal hatte er tatsächlich den Eindruck, dass sie ernsthaft vor ihm floh, und er fragte sich, weshalb. Mit ihrer Mondmagie, den lebenden Seidenbändern und ihrer Lehrzeit bei einer Xian war sie ihm hundertfach überlegen. Nicht einmal das Götterschwert machte ihn zu einem so geübten Kämpfer, dass er gegen sie hätte bestehen können.

Aber beide wussten, dass sie nicht kämpfen würden. Niemals.

Niccolo brüllte erschrocken auf, als der Kranich wieder aufstieg. Mondkinds Vogel hatte es ihm vorgemacht, ohne dass Niccolo es bemerkt hatte. Und so rasten sie bald wieder im Freien hintereinander her, während der Gegenwind Niccolos Kleidung aufblies und die letzten Tränenspuren auf seinen Wangen trocknete.

Keine zweihundert Meter war er jetzt hinter ihr. Er versuchte, nach ihr zu rufen, doch sie konnte ihn im Gebrause des wilden Fluges nicht hören und wollte das wohl auch gar nicht.

Sie umrundeten den Berg zur Hälfte, und schon sah Niccolo vor sich weitere Schluchten und fürchtete, dass sie einmal mehr versuchen würde, ihn in den engen Felsspalten abzuhängen. Stattdessen aber bog sie unverhofft nach links und raste auf eine der tiefschwarzen Schattenflächen in einem vorgelagerten Granitbuckel des Berges zu. Die Finsternis verschluckte sie.

„Wo ist sie hin?“ Niccolo sah auf den Hinterkopf seines Kranichs, als könnte der ihm eine Antwort geben. Irritiert stellte er fest, dass der Vogel ebenfalls auf den steinernen Koloss zuhielt, ohne im letzten Moment doch noch abzudrehen, wie Niccolo es erwartet hatte.

„Nicht da entlang!“ Sein Ruf wurde zu einem Aufschrei, als die Dunkelheit sie verschluckte. Es gab keinen Aufprall, kein haarscharfes Manöver.

Vor ihnen wurde die Schwärze zum Maul eines Felstunnels, zwanzig Meter breit und ebenso hoch, kantig zerklüftet an den Rändern. Am Ende leuchtete Tageslicht, vor dem Mondkind und ihr Kranich als Silhouette auf und nieder tanzten wie eine Mücke vor einem Lampion.

Täuschte er sich, oder wurde sie langsamer? War ihr Vogel so erschöpft, dass er dieser Hetzjagd müde wurde?

Bevor Niccolo eine Antwort darauf fand, erreichten sie schon das Ende des Tunnels und schossen hinaus in die rotblaue Morgendämmerung. Zu seiner Überraschung betrug der Abstand zwischen ihnen jetzt keine fünfzig Meter mehr.

„Mondkind!“

Sie blickte über die Schulter – und *lächelte*.

Vor ihnen kam ein weiterer Berghang in Sicht, schälte sich aus dem Dunst über den Schluchten und schien schon bald die ganze Welt auszufüllen.

Da war ebenfalls eine Öffnung, schmaler, aber viel höher als der Tunnel vorhin. Der Spalt führte direkt in den Berg hinein.

Mondkinds Kranich tauchte in die Dunkelheit.

Im Näherkommen sah Niccolo, dass es diesmal kein Licht am anderen Ende gab. Das dort vorn war kein Weg durch den Berg hindurch – es war eine Höhle.

Sein Kranich folgte Mondkind ins Innere und wurde schlagartig langsamer, als die Schatten über ihnen zusammenschlugen. Das Morgenlicht reichte nicht weit in den Fels hinein, aber Mondkinds Kranich flog noch weiter, wenn auch jetzt tief über dem Geröllboden und mit gemächlichem Schwingenschlag.

Am äußersten Rand des Lichtscheins landete sie.

Niccolos Kranich scharrte nur Sekunden später mit den Krallen über das lose Gestein, fand Halt und kam endlich zur Ruhe. Benommen blieb Niccolo auf dem Vogelrücken sitzen und spürte den Herzschlag des Tiers an seinen Schenkeln. Das Schwert in seiner Hand zitterte noch immer, aber ihm war viel zu schwindelig von dem rasenden Flug, als dass er dem Drängen der Klinge hätte nachgeben können.

Sie befanden sich im Inneren einer weitläufigen Grotte. Wie weit sie in den Berg hineinreichte, ließ sich im Dunkeln nicht erkennen. Mondkind und ihr Kranich waren nichts als vage Umrisse in der Finsternis, beide ebenso mitgenommen von der Hetzjagd wie er selbst.

„Mondkind, ich – “

Er verstummte, als sie mit brüchiger Stimme einen Gesang anstimmte. Ungläubig wappnete er sich für einen Angriff, doch es kam kein stählerner Fächer herangesurrt, nicht einmal ein Seidenband. Sie hatte die Arme gerade nach oben ausgestreckt und hielt die Hände geöffnet wie eine Schale.

Die Abstände zwischen ihren Fingern glühten weiß auf, dann wölbte sich die Helligkeit zu einer kopfgroßen Kugel. Sie lag in Mondkinds Händen wie etwas, das von oben herabgefallen war. Doch im Gegenteil – die Lichtkugel löste sich jetzt von ihr und stieg aufwärts, höher und höher, bis sie zwischen den Stalaktiten an der Decke zur Ruhe kam. Dort schwebte sie inmitten der Felsnadeln wie ein Vollmond.

Weißlicher Schein und schwarze Schlagschatten erfüllten die Grotte, legten sich als Zebraraster über die schrundigen Decken, über die beiden Kraniche und Niccolo. Allein Mondkind wurde in ebenmäßiges Licht getaucht.

Niccolo glitt vom Kranich, riss das zuckende Schwert aus der Scheide und rammte es in den Fels. Silberdorns Klinge schnitt Funken sprühend ins Gestein und blieb eine Handbreit tief stecken.

Mondkind wollte ebenfalls absteigen, doch obgleich ihr Kleid wieder vollkommen weiß und die Wunde in ihrer Seite verschwunden war, verlor sie plötzlich ihren Halt und rutschte zu Boden. Es war kein tiefer Sturz, aber der Schmerzenslaut, den sie ausstieß, ließ Niccolo aufstöhnen.

Einen Augenblick später war er bei ihr und half ihr auf. Sie hatte Mühe zu stehen, ihre Beine gaben nach, und so ließ er sie langsam wieder zu Boden, wo sie inmitten einer Flut aus Seide sitzen blieb. Er kniete sich vor sie, damit ihre Gesichter auf einer Höhe waren.

„Hier kann ich frei sprechen“, sagte sie leise.

„Wie meinst du das?“ Aber er ahnte die Antwort schon.

„Dies ist keine gewöhnliche Höhle. Es ist der Eingang zu einer der Heiligen Grotten, einer der *Dongtian*. Das hier ist nur eine von den kleinen, aber es gibt sie in ganz China. Viele sind unterirdisch miteinander verbunden. Der Blick des Aethers kann uns hier nicht sehen, in den *Dongtian* sind wir vor ihm geschützt. Aber wir haben nicht viel Zeit.“

„Aber wie – “

„Hör mir zu, Niccolo!“ Sie hob das Kinn. Ihre Augen glänzten wieder im magischen Mondschein von der Decke, aber er war nicht sicher, ob sie weinte. „Ich habe getan, was ich getan habe – dafür gibt es keine Entschuldigung. Ich bin ein Ungeheuer. Jetzt hast du es mit eigenen Augen gesehen.“

Er spürte den Wunsch, sie in Schutz zu nehmen, selbst nach allem, was geschehen war. „Der Aether zwingt dich dazu, hast du gesagt.“

„Aber das macht keinen Unterschied. Ich habe Tieguai und die anderen Xian getötet. Nur noch Guo Lao ist übrig, und ihn werde ich – “

„Und Li“, ging er dazwischen. „Er ist kein Einsiedler wie Tieguai. Er ist ein Krieger. Wahrscheinlich wird er dich töten, wenn du ihn angreifst.“ Und warum, fügte er in Gedanken hinzu, mache ich mir dabei mehr Sorgen um dich als um ihn?

Betrübt verzog sie die Mundwinkel. „Der Aether kann Li nicht mehr spüren. Irgendetwas ist geschehen."

„Vielleicht ist Li einfach nur schlauer als er."

Sie schüttelte schwach den Kopf. „Die Verbindung zwischen Erde und Himmel hängt nur noch an einem einzigen Faden. Nur einer der Acht ist noch übrig."

„Aber Li kann nicht tot sein!" Seine Augen weiteten sich. „Und Nugua? ... Sie ist bei ihm!"

„Was immer geschehen ist, ich habe nichts damit zu tun. Ich weiß nur, dass es vorbei sein wird, wenn ich Guo Lao getötet habe. Der Aether hat mir versprochen, dass ich dann frei bin."

Verzweifelt krallte er seine Hände in ihre Schultern. „Aber wie hat er dich zu seiner Sklavin gemacht? Warum gehorchst du ihm?"

Sie wich seinem Blick aus, schaute einen Moment zu Boden, dann steil nach oben in das Licht unter der Grottendecke. „Mondlicht", flüsterte sie blinzelnd.

Er sah sie verständnislos an.

„Ich bin süchtig nach Mondlicht", sagte sie.

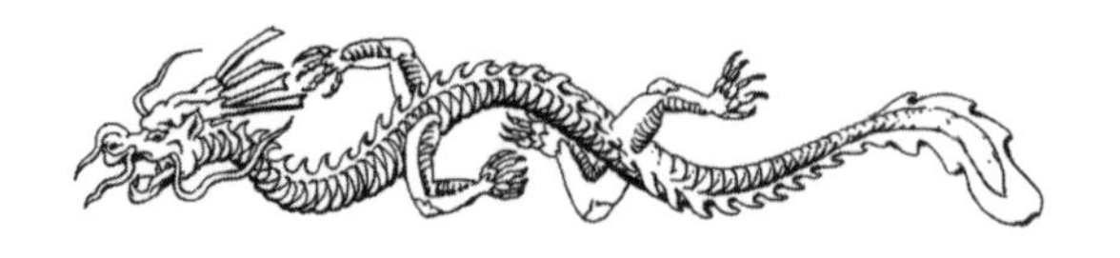

Sklavin des Mondes

Niccolo folgte Mondkinds Blick zu der gleißenden Kugel unter der Grottendecke. „Süchtig nach dem da?"

„Nein", erwiderte sie mit dünner Stimme. „Das ist nur ein Trick. Billige Taschenspielerei. Was ich meine, ist echtes, *reines* Mondlicht."

Er ließ sie los und vernahm ein leises Säuseln in seinem Rücken. Silberdorn wisperte ihm zu, sie endlich umzubringen: Es liegt in deiner Hand; du kannst die Welt retten, wenn du sie aufhältst; solange sie Guo Lao nicht tötet, kann der Aether nicht siegen.

Aber das war nichts als Augenwischerei. Der Aether würde andere Diener finden, vielleicht keinen, der so mächtig war wie die Schülerin einer Xian, aber doch stark genug, um es früher oder später mit dem einen verbliebenen Unsterblichen aufzunehmen.

Dem einen verbliebenen ... Niccolo konnte nicht glauben, dass Li etwas zugestoßen war. Seine Angst um Nugua kehrte zurück, lag wie ein Stein in seinem Magen.

„Ich verstehe das nicht", sagte er. „Wie kann man süchtig sein nach Mondlicht? Nachts ist es da draußen ... es ist überall."

Sie schüttelte zaghaft den Kopf. „Alles Licht da draußen wird durch den Aether gefiltert. Er liegt über dem

Himmel wie eine Glasglocke, und alles Licht, das zur Erde fällt, scheint durch ihn hindurch. Die Sonne, die Sterne ... und der Mond." Ihre Hand tastete nach seiner, lag ganz schmal und kühl darauf, und plötzlich hatte er entsetzliche Angst, dass er sie verlieren könnte. Er versuchte, sich Tieguais Tod vor Augen zu rufen, dieses letzte schreckliche Bild seiner Enthauptung. Doch nicht einmal das half.

„Reines Mondlicht", wiederholte er. „Du hast ja keine Ahnung, wie das klingt!"

„Etwa sonderbarer als ‚Ich wohne auf einer Wolke'?", entgegnete sie. „Der Aether hat es mir gezeigt. Er kann Öffnungen erschaffen – Öffnungen in sich selbst, durch die er pures Licht scheinen lässt. Es bereitet ihm Schmerzen, und es schwächt ihn, aber er kann es tun. Wenn du es einmal gekostet hast und spürst, wie es deine Haut berührt ... und mehr als das. Es strahlt hinab in deinen Verstand, erleuchtet deine Gedanken, alles, was du bist und denkst und fühlst. Nichts ist danach wie zuvor. Es sagt dir, dass alles, was du tust, richtig ist. Keine Zweifel mehr, keine Fragen. Nur Trost und Güte und die Überzeugung, dass du auf dem wahren, gerechten Pfad bist ... Aber dann plötzlich erlischt es, und alles erscheint dir wieder grau und falsch und künstlich – viel schrecklicher als vorher. Es ist, als hättest du dein Leben hinter geschlossenen Fensterläden verbracht, und mit einem Mal stößt sie jemand auf, die Sonne scheint herein, zum allerersten Mal – und dann fallen die Läden wieder zu. Die Dunkelheit ist für dich danach noch viel dunkler."

Sie sackte tiefer in sich zusammen, aber diesmal fing er sie auf und legte ihren Oberkörper sanft in seinen Schoß. Sie lehnte ihre Wange an seine Brust, so als wollte sie auf seinen Herzschlag lauschen. Jetzt sah er wieder die pochende Ader an ihrem Hals und hätte sie am liebsten geküsst.

„Glaub mir, auch du würdest alles tun, um noch einmal in diesem reinen Licht zu stehen." Sie blickte hinüber zum Höhlenausgang. Der helle Spalt legte sich als haarfeiner Reflex über ihre Pupillen. „Es fehlt dir schon im nächsten Augenblick, und du meinst, dir das Herz herausreißen zu müssen, so groß ist dein Gefühl von Verlust. Ich wünschte, ich könnte es dir beschreiben, so wie es *wirklich* ist, aber es gibt dafür keine Worte ... Und ich würde auch gern behaupten, dass ich es bereue und dass ich froh wäre, wenn ich das Licht niemals gesehen und gefühlt hätte. Aber, bei allen Göttern, Niccolo, das wäre eine Lüge. Ich bereue, was ich getan habe, all das Schreckliche ... all die Toten. Doch das Mondlicht – nein, ich bin froh, dass ich weiß, wie es sich anfühlt. Sogar jetzt noch. Einmal in jedem Monat lässt er mich im Licht baden, und dann wird alles gut ... Ich weiß nicht, was sonst aus mir würde." Die Spiegelung des Höhleneingangs in ihren Augen war zu einem eigenen Feuer geworden, das Niccolo erschreckte und zugleich auf rätselhafte Weise anzog.

Seine Stimme klang belegt. „Der Aether hat dich allen Ernstes süchtig gemacht nach *Licht*?"

Sie nickte langsam, die Augen noch immer nach draußen gerichtet. Dort stieg die Sonne höher und übergoss die Felsen mit rotem Feuer. Niccolo fragte sich unwillkürlich, wie dieser Morgen wohl ausgesehen hätte, wenn das dort draußen reines Sonnenlicht gewesen wäre, unberührt von der Allgegenwart des Aethers.

Nachdenklich strich er eine schwarze Strähne aus ihrem Gesicht und wünschte sich, er könnte es genauso mit dem Schatten machen, der über ihren Zügen lag. Sie ließ es geschehen, wie hypnotisiert von der Erinnerung an das Mondlicht. Er hatte das Gefühl, den Blick von ihrer zarten Schönheit abwenden zu müssen. Ihre Traurigkeit ließ sie noch verletzlicher erscheinen. Er meinte, sie beschützen zu müssen, und wusste es doch besser.

„Ich wünschte, ich könnte dir helfen", sagte er niedergeschlagen. „Irgendwie."

Sie presste eine Weile lang die Lippen aufeinander, ehe sie schließlich antwortete. „Das kannst du."

„Wie?"

Sie löste ihre Hand von seinem Arm und zeigte auf das Schwert, das ein paar Schritte entfernt im Felsboden steckte.

„Niemals!", entfuhr es ihm.

„Wenn du mich tötest, wird das alles hier ein Ende haben."

„Das wird es nicht!" Seine Stimme überschlug sich. „Der Aether würde andere Diener finden. Wahrscheinlich hat er das sogar schon. Warum sollte er sich damit zufriedengeben, nur dich –"

„Ich war schon fast eine Xian, Niccolo. Da draußen in der Welt gibt es niemanden wie mich."

Er nahm ihr Gesicht ganz sanft in beide Hände und

drehte es vorsichtig in seine Richtung. Dann küsste er sie, presste seine Lippen ganz fest auf ihre. Sie kam ihm entgegen, drückte sich noch enger an ihn, weinte und lächelte dabei und schien nun wahrhaftig in seinen Armen zu liegen wie ein Geist, wie etwas, das er sich immer ersehnt hatte, ein Traumgespinst, das zu einem lebenden, atmenden Mädchen geworden war.

° ° °

Niccolo erwachte, weil er Mondkind nicht mehr neben sich spürte. Er hatte sicher nicht lange geschlafen, war nur kurz eingenickt. Als er sie nicht sofort entdeckte, fiel sein Blick auf seine Kleidung, zerknüllt neben ihm am Boden. Tieguais Schriftrolle ragte unter seinen Sachen hervor.

Wo *war* Mondkind?

Nicht weit von ihm, nur ein paar Schritte entfernt. Sie war vollständig angezogen, wieder in all das Weiß gehüllt wie eine Fee, und sie stand neben dem Schwert, das noch immer bebend im Boden der Grotte steckte.

„Wie hast du das gemacht?“, fragte er leise, um sie nicht zu erschrecken.

Sie löste ihren Blick von Silberdorn und schaute zu ihm hinüber. „Was meinst du?“

„Dein Kleid. Wir haben darauf gelegen. Jetzt hast du es an, und ich bin nicht mal wach geworden.“

Sie schenkte ihm ein flatterndes Lächeln. „Ich habe es gerufen, und da ist es zu mir gekommen.“ Ein Schulterzucken. „Ganz einfach.“

Eine bessere Antwort würde er nicht bekommen. Und es gab so viel Wichtigeres.

„Du willst doch nicht noch immer, dass ich das tue, oder?“, fragte er mit einem Wink auf das Schwert und schlüpfte in seine Sachen. Er hatte gehofft, möglichst unbeschwert zu klingen, so als gäbe es nicht den geringsten Zweifel. Aber aus einem Grund, den er nicht gleich erfasste, lagen die Worte schwer wie Blei auf seiner Zunge, selbst nachdem er sie ausgesprochen hatte.

Mondkind blickte nur stumm auf das Schwert, das sich wie etwas Lebendiges gegen sein Gefängnis aus Fels stemmte.

Niccolo ging zu ihr und umarmte sie. Sie schmiegte sich federleicht an ihn, so als wäre sie wieder ein wenig mehr zu einem Traum geworden und ein bisschen weniger Mädchen aus Fleisch und Blut.

„Ich könnte dich niemals verletzen“, sagte er.

Sie löste sich von ihm, eine Spur zu schnell. Er runzelte die Stirn und wollte wieder einen Schritt auf sie zu machen. Sie aber stieß ein leises Seufzen aus, flüsterte: „Es tut mir leid“, und machte einen Wink in seine Richtung.

„Was – “

Ein Geschwader Seidenbänder sauste auf ihn zu, wickelte sich blitzschnell um seinen Körper und schnürte ihm Arme und Beine zusammen. Ehe er sich versah, fiel er schon, wurde aber weich von weiteren Bändern aufgefangen und sanft am Boden abgelegt.

„Bitte“, sagte sie, „mach es nicht schwerer, als es schon ist.“

Er sah sie an, nahezu unfähig, sich zu bewegen, aber erst recht nicht in der Lage zu begreifen, was sie da tat. Oder doch, er verstand es, aber er wollte es nicht wahrhaben.

„Tu das nicht“, flehte er sie an. Hilfe suchend sah er sich um, aber sein Blick kreuzte nur den des Kranichs. Das Tier versteifte sich.

Mondkind packte mit einem Seidenfangarm das Schwert und zog es in einer gleitenden Bewegung aus dem Boden. Einen Herzschlag lang zuckte es auf sie zu, dann akzeptierte es sie bereits als seine neue Herrin und machte von einer Sekunde zur nächsten keine weiteren Versuche mehr, sie anzugreifen. Die Waffen der Götterschmiede gehorchten stets dem, der sie trug, lasen nicht nur seine versteckten Empfindungen, sondern übernahmen auch seine Moral.

Mondkind schwenkte das Schwert an dem Seidenband langsam hin und her, um ein Gefühl für die Klinge zu bekommen. Die Bewegungen hatten etwas Verspieltes und zugleich ungemein Elegantes.

„Ich will dein Schwert nicht stehlen“, sagte sie zu Niccolo.

Er stemmte sich vergeblich gegen die Seidenfesseln, lag da wie eingesponnen.

Mondkind ließ Silberdorn einmal im Kreis wirbeln und zog es zuletzt, schneller als das Auge erfassen konnte, auf sich zu. Mit der Spitze voran.

„Nein!“, brüllte Niccolo – und schrie dem Kranich einen Befehl zu.

Der Vogel raste wie ein Geschoss auf Mondkind zu. Mit einem Kreischen prallte er gegen sie.

Zu spät.

Noch im Sturz bohrte sich die Klinge tief in ihre Seite, ganz nah bei der Stelle, wo Tieguai sie verletzt hatte. Aus der Wunde schoss ein heller Blutschwall, besudelte ihre Gewänder, Silberdorns Götterstahl und den Kranich, der sofort aufsprang, sein Gefieder sträubte und sich schüttelte.

Zitternd lag sie da, presste die Lippen fest aufeinander und unterdrückte einen Aufschrei. Nur ein Stöhnen war zu hören, als sie sich mühsam auf alle viere erhob. So kauerte sie da, mit rasselndem Atem, während Silberdorns Spitze aufwärts aus ihrer Seite ragte.

Niccolo tobte gegen seine Fesseln an, brüllte und flehte, aber es half alles nichts. Er konnte nur tatenlos zusehen, wie das Blut aus der Wunde am Schwert hinabrann, die Verzierungen in der Kreuzstange mit Rot ausmalte und vom Knauf auf den Höhlenboden tropfte.

Wieder und wieder rief er ihren Namen, halb wahnsinnig vor Angst um sie.

Als er schon glaubte, sie würde einfach so sitzen bleiben und sterben, hob sie mit einem Ruck den Kopf und warf den Oberkörper zurück. Ihr langes schwarzes Haar folgte ihrem blassen Gesicht als Schweif nach hinten. Eine der Seidenbahnen wickelte sich um den Schwertgriff und riss ihn zurück. Silberdorn glitt aus der Wunde und fiel scheppernd auf den Fels. Seide schob sich von allen Seiten über die verletzte Stelle, Lage über Lage. Rot erblühte auf Weiß wie ein Blumenmeer im Winter.

Zuletzt kämpfte sie sich auf die Beine. Es kostete sie all

ihre Kraft. Schwankend hielt sie sich aufrecht und schleppte sich zu ihrem Kranich.

„Mondkind, warte!"

Sie blickte über die Schulter zu ihm zurück und schenkte ihm ein verwirrendes Lächeln. „Vielleicht ... ist es ja richtig so", flüsterte sie.

Wortlos gab sie dem Kranich ein Zeichen. Das Tier spreizte die Schwingen und trug sie aus der Grotte ins Freie. Als sie durch die Höhlenöffnung flogen, wurden sie schlagartig vom Sonnenschein erfasst – für einen Augenblick sah es so aus, als gingen Vogel und Reiterin in Flammen auf.

Niccolo rief ihr verzweifelt hinterher, aber ihr Kranich schwenkte in eine weite Kurve und war Sekunden später aus seinem Blickfeld verschwunden.

° ° °

Die Seidenfesseln lockerten sich quälend langsam, während ihre Herrin sich entfernte und allmählich die Macht über sie verlor. Zugleich ließ auch die Leuchtkraft der Lichtkugel nach, bis Niccolo in grauem Halbdunkel lag.

Es musste eine halbe Stunde vergangen sein, ehe es ihm endlich gelang, sich zu befreien. Neben der Blutlache fiel er auf die Knie und senkte den Kopf, unfähig, klar zu denken, von Kummer und Hoffnungslosigkeit niedergedrückt wie von einer unsichtbaren Hand.

Es war Tieguais Kranich, der ihn schließlich aufrüttelte. Der Vogel stieß ihn mit dem Schnabel an, eine unmissverständliche Aufforderung, sich zusammenzureißen und aufzustehen. Niccolo folgte nur widerwillig. Am schwersten fiel es ihm, das Schwert aufzuheben. Er wollte Mondkinds Blut mit den Resten seiner Seidenfesseln abwischen, aber der Stoff zerfiel in seinen Fingern zu grauen Flocken. So nahm er die Klinge, blutig wie sie war, befestigte sie mit der Scheide auf seinem Rücken und ließ sich von dem Kranich zurück zu Tieguais Gipfel tragen.

Er bestattete den Unsterblichen am Ufer des Bergsees unter losen Steinen und kleinen Felsbrocken. Dann wusch er sich selbst und das Schwert, suchte seine Sachen zusammen und legte, einer Eingebung folgend, Feuer an die einsame Hütte.

Er würde Tieguais letzten Wunsch erfüllen und Guo Lao finden, irgendwo draußen in der Wüste Taklamakan. Es war das Mindeste, was er tun konnte.

Der Kranich trug ihn durch das Gebirge nach Norden, während hinter ihm eine schwarze Rauchfahne aufstieg und auf ihrem Weg in die Hohen Lüfte zerfaserte.

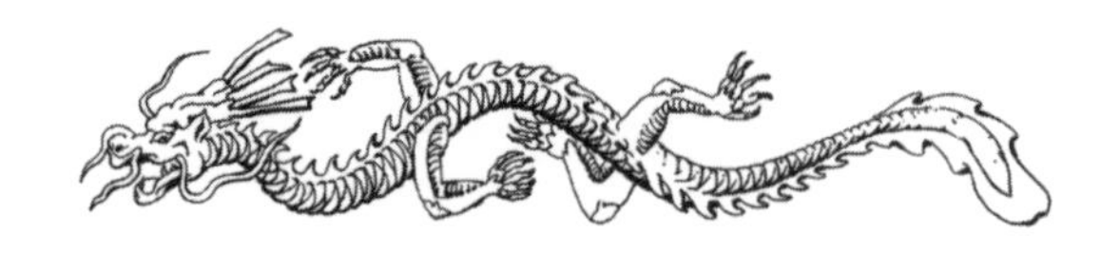

Alessias Abstieg

Viele Tagesreisen entfernt von Tieguais Berg, vom Drachenfriedhof und dem brennenden Wald, sackte die Wolkeninsel mit hypnotischer Unausweichlichkeit dem Talboden entgegen.

Nach wie vor hielten die drei Felsgipfel sie in der Schwebe, nahezu waagerecht, aber die Ränder der Wolke lösten sich weiter auf, das Eiland schrumpfte und rutschte allmählich zwischen den Bergen hinab. Bei ihrem Absturz aus den Hohen Lüften hatte sich die Insel tausend Meter über dem Boden verkeilt – nun waren es kaum mehr achthundert.

Die Unterseite hatte die Baumgrenze erreicht und zermalmte den Rand des Waldes, der seit Urzeiten das Tal und die steilen Hänge bedeckte. Tausende Raunen, die gierig auf den Absturz der Insel warteten, schrien im Unterholz. Heulen und Winseln erklang, als die Front der Baumgeister vor der Wolke talabwärts zurückwich, während andere von unten nachrückten. An manchen Orten kämpften Raunen gegen Raunen um einen Platz in den Baumkronen.

Eine durchdachte Belagerung mit Aussicht auf Erfolg war dies ganz sicher nicht. Jedenfalls nicht, solange keiner der Raunen den Mut fasste, den Wald zu verlassen und an der Wolke hinaufzuklettern.

Aber da waren noch andere Wesen. Sie hausten in den Spalten und Höhlen der Felsen, die weiter unten im Tal wie versteinerte Ellbogen aus dem Waldland ragten. Noch wagten sie nicht, sich unter die Raunen zu mischen und ihnen zu zeigen, wie einfach es war, die Ränder der Wolke zu erklimmen. Ein paar Mutige hatten es versucht, aber sie waren von den nachgiebigen Kanten abgerutscht und in einem Wirbel aus Wolkenflocken zurück in die Masse der Raunen gestürzt. Die neidvollen Baumgeister hatten sie zerrissen, ehe sie einen zweiten Versuch wagen konnten.

Doch falls die Wolke weiter sank, falls Raunen und Felswesen ihren Zwist beendeten und die Gier beider Heerscharen die Oberhand gewann, dann würde es nur noch eine Frage von Stunden sein, ehe der finale Angriff begann.

Die Geschichte des Wolkenvolks würde enden, nur zweihundertfünfzig Jahre nachdem sie fern von hier, auf der anderen Seite der Welt, ihren rätselhaften Anfang genommen hatte.

° ° °

Alessia de Medici, die fünfzehnjährige Tochter des Herzogs Jacopo, war seit fünf Tagen in der Aetherpumpe auf dem höchsten Gipfel der Wolkeninsel gefangen. Niemand kam, um nach ihr zu sehen. Der Plan des Schattendeuters, sie hier oben ein für alle Mal verschwinden zu lassen, schien aufzugehen.

Eigentlich wollte sie nicht an den Schattendeuter denken. Und doch schlich er sich immer wieder in ihre Überlegungen, Erinnerungen, in den Taumel aus Ängsten, Hoffnungen und Träumen, der sie hier oben Tag und Nacht umkreiste wie ein Wespenschwarm.

Der Schattendeuter, der behauptete, den Befehlen des Aethers zu gehorchen. Oddantonio Carpi, Verräter am Volk der Hohen Lüfte. Mörder des Pumpeninspekteurs, dessen Leiche weiter unten auf der Wendeltreppe lag, die aus dem schwarzen Eisenturm hinab ins Innere der Wolke führte.

Alessia hatte längst aufgehört, über Carpis verwirrende Worte nachzugrübeln. Der Aether war es, der die Wolkeninsel ein Vierteljahrtausend lang oben am Himmel gehalten und ihr Stabilität verliehen hatte. Doch wie eine Substanz, die nicht fester war als Luft, einem Mann *Befehle* erteilen konnte, überstieg Alessias Vorstellungsvermögen.

Vor zwei Tagen war es ihr gelungen, die schmale Balustrade zu betreten, die in großer Höhe um den Pumpenturm führte. Den Schlüssel für die Tür hatte sie beim Leichnam des ermordeten Pumpeninspekteurs gefunden. Nachdem sie zuvor drei Tage lang im Dunkeln gekauert hatte, eingesperrt, hungrig, vereinsamt, hatte sie der Schritt ins Freie endlich wieder frische Luft atmen, den Himmel sehen, warme Sonnenstrahlen auf ihrem Gesicht spüren lassen.

Die Aetherpumpe, Alessias Gefängnis, erhob sich auf dem höchsten Gipfel der fünf Wolkenberge. Von der Balustrade an der Spitze der Pumpe aus bot sich Alessia ein atemberaubender Rundblick über die gestrandete Insel und die drei grauen Felsgiganten, die die Heimat des Wolkenvolks während des Absturzes aufgefangen hatten.

Doch schon bald wünschte sie sich, dass sie den Schlüssel zur Balustrade niemals gefunden hätte. Was sie von dort oben aus sah, erschütterte sie bis ins Mark.

Die Ränder der Wolkeninsel lösten sich auf. Das Eiland selbst wurde dadurch ganz allmählich kleiner und rutschte zwischen den Bergen hinab Richtung Erdboden. Alessia wusste, was das Volk der Hohen Lüfte dort unten erwartete. Als Einzige hatte sie die Insel verlassen und mit eigenen Augen gesehen, welche Gefahr in den Wäldern am Boden auf sie lauerte.

Baumgeister. Tausende und Abertausende Kreaturen aus Holz und Harz und Borke. Mit gefletschten Dornenzähnen, vier verwinkelten Krallenarmen, Wurzelsträngen als Muskeln und winzigen bösen Augen. Sie warteten auf das Ende der Wolkeninsel. Warteten darauf, dass die tausend Bewohner des Eilands die Flucht zum Erdboden antraten oder durch die aufgelöste Wolke in die Tiefe stürzten.

Seit ihrer Entdeckung war Alessia dreimal dort oben auf der Balustrade gewesen. Schließlich war sie heiser geworden von den vergeblichen Hilferufen in die Tiefe – niemand kam auf den Berg, keiner suchte sie hier. Ihre Furcht beim Anblick der weißen Dunstflocken, die sich vom Rand der Wolke lösten und Spuren über die Felswände zogen, raubte ihr nicht nur den Atem, sondern allmählich auch die Stimme.

Daraufhin beschloss sie, dass der Weg nach oben nichts als eine leere Hoffnung gewesen war. Ein Fehler, der sie zwei ganze Tage gekostet hatte. Was ihr blieb, war der Abstieg nach unten.

Die Wendeltreppe hinab. Am Leichnam des Pumpeninspekteurs vorbei.

Tiefer und tiefer ins Innere der Wolke.

° ° °

Am schlimmsten war der Schwindel. Seit einer Ewigkeit stieg sie nun schon Stufen hinab; sie hatte längst aufgehört, sie zu zählen. Die Windungen der Wendeltreppe waren zu einer einzigen, endlosen Schleife geworden, es gab keine Orientierung außer oben und unten. Und oben rückte mit jedem Schritt in größere Ferne.

Nur einmal malte sie sich aus, wie es sein würde, die Treppe wieder hinaufzusteigen. Davon wurde ihr so schlecht, dass sie sich für einen Augenblick hinsetzen musste, das Gesicht in den Händen vergrub und zu weinen begann. Das Wasser in der Flasche, die sie bei dem Toten gefunden hatte, schmeckte längst schal, aber sie nahm trotzdem einen sparsamen Schluck, in der Hoffnung, dass es sie beruhigte. Stattdessen aber würgte sie es vollständig wieder hinaus und spuckte es im Sitzen über ihre Knie. Auch einen Rest von der Wurst und dem steinharten Brot hatte sie noch, aber daran durfte sie nicht einmal denken. Seltsamerweise hatte die Vorstellung von Nahrung mit den Tagen ihrer Gefangenschaft keineswegs an Reiz gewonnen; ganz im Gegenteil, allein der Gedanke an Essen bereitete ihr Magenschmerzen. Warum das so war? Sie wusste es nicht.

Alles, *was* sie wusste, war, dass sie weitergehen musste.

Dem Licht entgegen.

Denn das war das Erstaunliche. Irgendwann hatte sie begonnen, in der Tiefe des Schachtes eine verschwommene Helligkeit wahrzunehmen. Während es oben in der Pumpe stockfinster gewesen war – erst recht, nachdem ihre Öllampe ausgebrannt war –, waberte hier unten ein vages, verwirrendes Grau. Es wurde intensiver, je tiefer sie kam, und es machte die Vorstellung, wieder nach oben ins Dunkel zurückzukehren, nur noch beängstigender.

Längst bestanden die Wände des Schachts nicht mehr aus Eisen. Die eigentliche Pumpe war hoch über Alessia zurückgeblieben, eins geworden mit der Finsternis. Nur die Wendeltreppe führte weiter abwärts, in ihrer Mitte das stählerne Rohr, durch das bis vor wenigen Wochen der kostbare Aether in die Wolke geströmt war. Der Fühler, der von der Spitze der Pumpe in die Regionen jenseits des Himmels reichte, hatte den Aether zweihundertfünfzig Jahre lang von dort herabgesaugt und in die Wolkeninsel geleitet; dadurch hatten die Wolkenmassen an Festigkeit gewonnen, ganz so wie es einst der Große Leonardo geplant hatte.

So jedenfalls hatte man es Alessia und allen anderen Wolkenbewohnern beigebracht. Aber ob das die Wahrheit war? Die *ganze* Wahrheit? Das war eine der Fragen, die sich ihr während der vergangenen Tage gestellt hatten. Begonnen hatte es mit dem Verschwinden des Schattendeuters, bis dahin ein treuer Berater ihres Vaters, des Herzogs. In seinem Turm hatte sie Bauzeichnungen der Aetherpumpen entdeckt – Konstruktionspläne, die angeblich seit einem Vierteljahrtausend in Vergessenheit geraten waren. Warum hatte Carpi sie vor allen anderen geheim gehalten? Oder hatte ihr Vater davon gewusst? Und wie stand es um die Pumpeninspekteure, von denen es stets ein wenig herablassend geheißen hatte, dass sie kaum mehr über die mysteriösen schwarzen Türme auf den Wolkenbergen wussten als jeder andere? Zumindest einer von ihnen, Sandro Mirandola, hatte einen geheimen Einstieg ins Innere der Pumpe gekannt. Er hatte sich auf den Schattendeuter eingelassen – und dafür mit seinem Leben bezahlt. Carpi hatte ihn umgebracht, während Alessia zusah. Wenig später hatte der Schattendeuter sie in der Pumpe eingeschlossen, allein mit dem Toten, der weiter oben wie eine zerschlagene Lumpenpuppe auf den Stufen der Wendeltreppe lag.

Und nun – die Helligkeit in der Tiefe.

Ein Rätsel kam zum anderen, jede Antwort brachte neue Fragen.

Die Wände des Schachts bestanden aus erstarrter Wolkenmasse, und auch aus ihnen drang jetzt ein fahles Leuchten wie von Nebel, durch den schwacher Lichtschein fällt. Je tiefer Alessia kam, desto mehr verschob sich die Helligkeit von Grau zu Gelb. Sie erinnerte sich an die Geschichten, die sie in einigen der verbotenen Bücher gelesen hatte: die Abenteuer armer Schlucker, die auf

Höhlen voller Schätze stießen, auf Berge aus Gold und Edelsteinen. Und obwohl Alessia sicher war, dass sie am Fuß der Treppe von keinem sagenumwobenen Schatz erwartet wurde, nahm doch das Licht nach und nach eine immer goldenere Färbung an.

Ein Luftzug fauchte ihr von unten entgegen und wehte ihren eigenen Geruch an ihre Nase. Die Leinenhosen und das fellbesetzte Wams trug sie jetzt seit fast sechs Tagen. In den Hohen Lüften war es selbst im Sommer selten heiß, dafür sorgten die scharfen Höhenwinde. Auch hier im Inneren der Wolke, wo nie die Sonne schien, war es kühl, und nicht mal im Traum hätte sie daran gedacht, zum Schlafen die Sachen auszuziehen. Nun, falls sie je wieder hier herausfand, würde das ihre geringste Sorge sein.

Sie blieb kurz stehen, als das Ende der Treppe in Sicht kam. Vorsichtig beugte sie sich über den Rand und blinzelte angestrengt in die Tiefe. Kein Zweifel, das Rohr im Kern der Wendeltreppe bog ein Stück weiter unten zur Seite ab, fast im rechten Winkel. Die Treppenkurven hörten dort auf; stattdessen führten ein paar gerade Stufen schräg von der Rohrbiegung fort und endeten auf ebenem Wolkenboden.

Dort unten war tatsächlich so etwas wie eine Höhle. Ein Hohlraum im Inneren der Wolkeninsel. Und er war ganz und gar von goldgelbem Licht erfüllt, nicht flackernd wie von Flammen, sondern gleichmäßig. War es möglich, dass draußen gerade die Sonne auf- oder unterging? Und dass es da unten einen Ausgang gab, durch den das Tageslicht hereinschien?

Jetzt wurde Alessia doch noch schneller. Sie hatte längst die Orientierung verloren, konnte nicht abschätzen, ob sie sich noch im Berg befand, auf dem die Pumpe stand, oder bereits darunter in der kilometerbreiten Basis der Wolkeninsel.

Die Biegung des Aetherrohrs war jetzt direkt unter ihr. Noch eine Windung der Treppe, dann erreichte sie die Stufen, die vom Rohr abzweigten und hinab auf den Boden der Wolkengrotte führten. Sie nahm sich vor, das letzte Stück zu schleichen, aber ihre Aufregung gewann die Oberhand und ließ sie losrennen. Mit klopfendem Herzen kam sie auf dem federnden Wolkenuntergrund zum Stehen und schaute sich um, suchte hektisch die Quelle des goldenen Lichts.

Es war überall, drang aus dem Boden, aus der Decke. Alessia konnte nirgends Wände erkennen, so ungeheuer groß war die Höhle. Im Wolkenberg wäre dafür nicht genug Platz gewesen; mit ziemlicher Sicherheit befand sie sich also bereits weiter unten.

In einiger Entfernung sah sie noch mehr Rohre von oben herabstoßen; sie mussten zu den übrigen Pumpen oben auf dem Wolkengipfel gehören. Sie alle machten einen Knick und verliefen unter der Decke entlang in dieselbe Richtung, fast parallel zueinander, so als gäbe es irgendwo in der goldglühenden Ferne eine Art Herz der Wolkeninsel, in dem sich alle Aetherleitungen vereinigten.

Sie hatte diesen Gedanken kaum gefasst, da schien er ihr schon fast selbstverständlich. Irgendwohin mussten die Rohre ja laufen, irgendwo musste all der Aether hingeleitet werden. Sie hatte sich früher nie Gedanken darüber gemacht, war vielmehr davon ausgegangen, dass der Aether einfach in den Wolken versickerte wie Regen in der Erde.

Aber so war es nicht. Etwas war dort hinten, weit entfernt. Und ihr war, als brannte das Licht dort mit besonderer Intensität.

Ein Herz, hatte sie gerade eben gedacht. Was, wenn es das wirklich war? Ein goldglühender Knotenpunkt, ein gigantischer Lebensmuskel im Zentrum der Insel, in den der Aether floss wie Blut in das Herz eines Menschen.

Ihre Augen gewöhnten sich an den Goldschein, aber noch immer sah sie kein Ende der Höhle, ganz gleich, in welche Richtung sie auch blickte. Nichts bewegte sich, nichts gab Geräusche von sich. Nur ihr Atem rasselte viel zu laut, ihr Herzschlag trommelte.

Es gab keinen Grund, vor irgendetwas Angst zu haben. Das sagte sie sich wieder und wieder. Allerdings auch keinen Grund zur Hoffnung. Sie war jetzt ziemlich sicher, dass sie hier keinen Weg zur Außenwelt finden würde, nur weitere Treppen hinauf in verschlossene Pumpen. Und irgendeinen anderen Ausstieg? Unmöglich, dann wäre er längst von außen entdeckt worden.

Zögernd entfernte sie sich von der Treppe und folgte dem Verlauf des Rohrs unter der Decke. Bis dort oben mochten es etwa zehn Meter sein, vielleicht auch ein wenig mehr. Soweit sie das erkennen konnte, verliefen Boden und Decke vollkommen eben. Irgendjemand hatte diesen Hohlraum künstlich geschaffen, wahrscheinlich noch der Große Leonardo selbst, der Konstrukteur der Aetherpumpen und Schöpfer der Wolkeninsel.

Solange sie unter dem Rohr entlangging, konnte sie sich nicht verlaufen. Das gab ihr ein schwaches Gefühl von Sicherheit, bis ihr klar wurde, dass sie sich etwas vormachte.

Fünfzig Meter. Hundert. Und noch immer war kein Ende der Höhle in Sicht, nur der goldene Glanz, von dem sie jetzt sicher war, dass er im Zentrum des Hohlraums heller glühte als anderswo. Dort, wohin die Rohre führten. Selbst wenn sie gewollt hätte, sie konnte jetzt nicht mehr umkehren. Sie war dabei, das größte Geheimnis des Wolkenvolkes zu enthüllen. Ein Geheimnis, von dessen Existenz niemand etwas ahnte. Wahrscheinlich nicht einmal ihr Vater. Er hätte es ihr gesagt. Das *hätte* er doch, oder? Plötzlich war sie nicht mehr sicher.

Das Licht war jetzt so gleißend, dass sie die Augen ein wenig zusammenkniff. Es blieb gleichmäßig kühl im Inneren der Wolken und erst jetzt wurde ihr bewusst, dass sie fror. Sie schlug die Arme vor dem Oberkörper zusammen und rieb sich die Schultern.

Weit vor ihr verschwanden die Rohre im Licht. Erst hatte Alessia angenommen, dass das nur eine Täuschung war und dass sie sich wieder aus der Helligkeit schälen würden, je näher sie ihnen kam. Doch bald erkannte sie, dass der Schein dort vorn wie eine glühende Wand war, die alles andere verschluckte, die Aetherrohre ebenso wie die sanften Schattierungen der Decke und des Bodens.

Bevor sie selbst in das Gleißen treten konnte, zögerte sie.

Es war, als stünde sie unmittelbar vor der Sonne, als fehlten nur noch wenige Schritte, um sich mitten in eine verzehrende Glut zu stürzen.

Noch immer keine Wärme.

Sie streckte die Hand nach dem Licht aus und erwartete, dass sie bis zum Ellbogen darin verschwinden würde. Aber so scharf abgegrenzt war die Helligkeit nicht. Vielleicht war alles nur eine Täuschung. Etwas spielte ihren Augen einen Streich.

Eine Stimme ertönte.

Jemand sprach zu ihr.

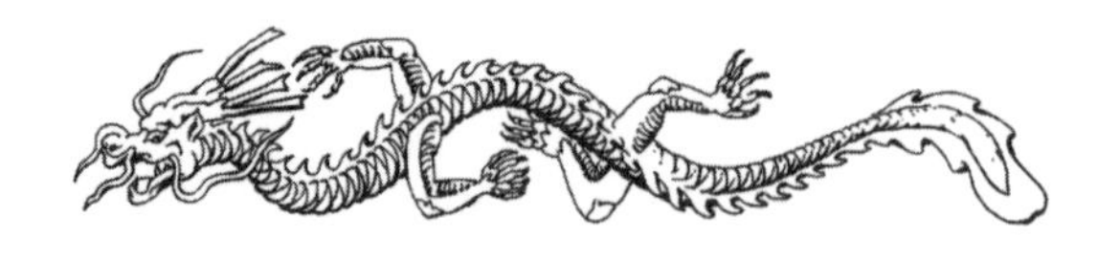

Die Stimme des Aethers

„Ich weiß, was du bist."

Alessia fuhr zusammen. Sie hatte sich schon halb herumgedreht, um davonzulaufen – ohne nachzudenken, erfüllt von nichts als schierer Panik –, als die Stimme sagte:

„Bleib."

Es war ein Befehl, aber er wurde sanft ausgesprochen. Die Worte klangen seltsam wabernd, so als hallten die Vokale leise nach, während die harten Laute abrupt endeten. Dadurch überlagerten sich die Silben, verzerrten sich gegenseitig. Und doch war es kein Echo wie jenes, das es zwischen den Wolkenbergen gab. Als Kinder waren Alessia und ein paar von den anderen öfter dort hinaufgeklettert, hatten hinaus in die Leere gerufen und sich gefreut, wenn die Worte zu ihnen zurückschallten.

Die Stimme im Licht war anders. Fremder und Furcht einflößender.

„Wer bist du?", fragte Alessia. Sie selbst klang wie immer, vielleicht ein wenig trocken und heiser vor Angst, aber ohne jeden Hall.

„Ins Licht", sagte die Stimme. *„Komm ins Licht."*

Alessia schüttelte den Kopf.

„Komm ins Licht!"

„Nein", sagte sie zögernd.

Einen Moment lang herrschte Stille.

„Hast du Angst vor mir?“

„Ja.“

„Ich kenne Angst.“

„So?“, presste Alessia hervor.

„Große Angst.“

„Dann weißt du, wie ich mich fühle.“

„Ich will dir kein Leid zufügen.“

Das mochte eine Lüge sein, doch Alessia erlaubte sich trotzdem ein vorsichtiges Aufatmen.

„Wer bist du?“

„Ich habe keinen Namen. Aber die anderen, die sind wie du, nennen mich den Aether.“

Sie schluckte. „*Du* bist der Aether?“

„Ich war es. Jetzt bin ich nur noch ein Teil davon.“

„Das verstehe ich nicht.“

„Komm ins Licht.“

„Warum?“

„Damit ich weiß, was du denkst.“

Sie rührte sich nicht von der Stelle. „Das will ich nicht.“

„Den anderen hat es nichts ausgemacht.“

Welchen anderen? Etwa den Pumpeninspekteuren? Also waren Sandro Mirandola und seine Männer tatsächlich hier unten gewesen. Sie hatten all die Jahre über von diesem Ort gewusst. Und von dem Licht.

Sie wagte nicht, die letzten Schritte in die Helligkeit zu tun, aber sie wollte auch nicht davonlaufen. Ihr ganzes Leben lang hatte sie ihre Neugier im Zaum halten müssen. Bücher waren verboten gewesen, aber sie hatte sie heimlich gelesen. Eine Freundschaft mit Niccolo Spini war unter ihrer Würde gewesen, doch sie hatte ihn unbemerkt aus der Ferne beobachtet. Und vor allem über ihre Sehnsucht nach dem Erdboden hatte sie kein Wort verlieren dürfen, erst recht nicht als Tochter und Nachfolgerin des Herzogs.

Doch heute, an diesem erstaunlichen Ort, war niemand da, der ihr Verbote auferlegte. Sie konnte alle Fragen stellen, die ihr in den Sinn kamen. Keine Regeln. Keine Grenzen. Es war verrückt, aber sie hatte sich noch nie so frei gefühlt wie in diesem Augenblick.

„Kennst du einen Mann namens Sandro Mirandola?“, erkundigte sie sich, weil sie beschlossen hatte, mit der Lösung der kleinen Rätsel zu beginnen. Sie wollte die körperlose Stimme im Licht nicht verärgern.

„Er ist manchmal hier gewesen. Nicht oft.“

„Und der Schattendeuter? Oddantonio Carpi?“

„Ihn kenne ich nicht.“

„Er behauptet, dass der Aether ihm Befehle gibt.“

„Ahh“, seufzte die Stimme. *„Nicht meine Befehle.“*

„Aber du hast gesagt, dass du der Aether bist.“

„Ich habe gesagt: jetzt nur noch ein Teil davon.“ Das Wesen machte eine kurze Pause, fuhr aber schon fort, bevor Alessia eine weitere Frage stellen konnte. *„Früher waren die Dinge anders.“*

„Was meinst du damit?“

„Komm ins Licht.“

„Ist Sandro Mirandola ins Licht gekommen?“

„Er und die anderen, die hier waren. Lange vor ihm.“

„Er ist tot.“

Die Stimme schwieg wieder, und Alessia stellte sich vor, dass das Wesen nachdachte. Trauerte es um Mirandola?

„Ich verstehe“, sagte es schließlich.

„Ich will auch verstehen. Wer du bist. Und warum niemand sonst von dir weiß.“

„Ich bin sehr einsam.“

Alessia war nicht sicher, wie sie darauf reagieren sollte. „Jetzt bin ja ich hier.“

„Aber du wirst wieder fortgehen.“

Die ganze Insel wird untergehen, wenn kein Wunder geschieht, dachte sie. Aber sie war nicht sicher, ob es gut wäre, das zu erwähnen.

„Auch ich werde aufhören zu denken“, sagte die Stimme unvermittelt. *„Und tot sein.“*

Alessia überlegte, ob sie wohl schon nahe genug am Licht war, sodass das Wesen tatsächlich ihre Gedanken lesen konnte.

„Wenn ich zu dir komme ... ins Licht, meine ich ... werde ich dann auch wissen, was du denkst?“

„Würdest du das gern?“

„Ich muss wissen, warum du stirbst. Hast du die Wolkeninsel zum Absturz gebracht?“

„Nein.“

„Aber der Aether fließt nicht mehr. Deshalb sind wir aus den Hohen Lüften gesunken. Und wenn du der Aether bist ...“

„Ein Teil davon“, wiederholte die Stimme monoton.

„Wenn du ein Teil des Aethers bist, dann musst du Bescheid wissen über das, was vorgefallen ist. Was das alles hier verursacht hat."

„Komm ins Licht."

„Und dann werde ich alles erfahren?"

„Komm."

Alessia ballte die Hände zu Fäusten. Sie schloss die Augen, dann trat sie entschlossen nach vorn.

° ° °

Im ersten Moment änderte sich nichts. Um sie herum wurde es noch heller, aber sie spürte keine fremden Gedanken in ihren eigenen, auch niemanden, der sie berührte.

„Was ist das für ein Licht?", fragte sie. „Bist du das?"

„Reiner Aether."

„Dann gibt es also doch noch Aether auf der Insel!" Ihre Gedanken überschlugen sich einen Augenblick lang.

„Alessia", sagte die Stimme gedehnt, als wollte sie wissen, wie es sich anfühlte, ihren Namen auszusprechen. Dabei hatte sie ihren Namen noch gar nicht genannt. Also hatte es bereits begonnen. Das Wesen stöberte in ihren Gedanken, erforschte sie, las darin wie in einem der verbotenen Bücher. Das machte ihr Angst, aber sie ging trotzdem weiter. Ihre Neugier war stärker als ihre Furcht.

„Was willst du wissen?", fragte die Stimme.

Für einen Moment war sie zu perplex, um sofort zu antworten. „War das schon alles?", fragte sie.

„Ich weiß nun all das über dich, was ich wissen muss."

„Das ging schnell."

„Ich bezweifle, dass du ermessen kannst, wie viel Zeit vergangen ist ... Stell jetzt deine Fragen.“

„Was hast du gemeint, als du gesagt hast, dass du nur ein Teil des Aethers bist?“

„Als dieser Ort erschaffen wurde, als die Pumpen ihre Arbeit aufnahmen und erstmals Aether aus den Schichten jenseits des Himmels herabgesaugt wurde, da gab es mich noch nicht. Nicht so wie jetzt. Ich war noch ohne Sprache. Ohne Gedanken.“

Sie verstand nicht, ließ ihn aber weiterreden.

„Das, was ihr Menschen Aether nennt, war immer weit weg von euch, hoch über allem, sogar über dem Himmel. Aber dann wurde der Aether von dort herabgeholt, hierher zu euch, in die Nähe eurer wilden Gedanken und Gefühle. Und ich ... wir ... der Aether lernte zu denken und zu fühlen. Ihr musstet nichts tun, ihr habt es nicht einmal bemerkt. Aber das, was vor mir war, hat euch erforscht, hat euch durchdrungen, hat vieles über euch in Erfahrung gebracht. So wurden meine ersten Gedanken geboren, meine ersten einfachen Gefühle. Und aus beidem gemeinsam bin ich entstanden. Der denkende Aether. Sein Verstand. Seine Intelligenz. Es hat den Aether schon immer gegeben, hoch oben und fern von allem anderen, aber nun lernte er ... lernte ich *... so zu sein wie ihr.“*

Alessia wurde bewusst, dass sie immer noch vorwärtsging. Ruckartig blieb sie stehen. Eine neue Furcht stieg in ihr auf: Was würde sie finden im Zentrum des Lichts? Wie sah das aus, wozu der Aether geronnen war? Oder war dieses Licht alles, was es zu entdecken gab?

„Fürchte mich nicht."

„Ich kann nichts dagegen tun."

„Ich weiß. Ich habe gelernt zu fühlen. Zu begreifen."

Auch Alessia wünschte sich zu begreifen. Aber im Augenblick konnte sie nur zuhören, alles aufnehmen und hoffen, dass es irgendwann einen Sinn ergäbe.

Der Aether hatte also, beeinflusst von der Nähe der Menschen, zu denken gelernt. Er hatte einen Verstand entwickelt. Eine Art Eigenleben.

„Ist der ganze Aether ein einziges ... Wesen?", fragte sie. Das alles klang noch immer völlig verrückt. Der Aether war eine Substanz. Eine Art Nahrung für die Wolkeninsel. Wie die Luft, die sie atmete. Wie konnte so etwas lernen, eigenständig zu denken?

„Mit dem Verstehen kamen neue Fragen, und mit den Fragen kamen die Zweifel", fuhr die Stimme fort. *„Und aus den Zweifeln wurden Pläne."*

„Was für Pläne?"

„Erst verstand ich nur, dass ich existierte. Dann erkannte ich allmählich, was ich bin. Ich erfasste meine Bedeutung im Gefüge des Universums. Meine Größe. Meine Macht. Als mein Verstand geboren wurde, da glaubte ich, ich wäre wie ihr. Klein und unwichtig. Aber das bin ich nicht, ich bin es nie gewesen. Ich bin der Aether. Ich bin das Alles-was-sein-sollte. *Ich bin größer als jedes Ding, das existiert, größer sogar als der Himmel, den ich umgebe und in mir einschließe."* Die Stimme hielt kurz inne, um dann ruhiger fortzufahren. *„Und ein Teil von mir war zu schwach, um sich damit abzufinden."*

„Womit abzufinden?“

„Dass ich all die Äonen existiert hatte, ohne mich selbst zu erkennen. Der Aether existiert unendlich viel länger als ihr Menschen. Und doch habt ihr mich übertroffen, seid in einem einzigen Augenblick zu dem geworden, was ihr heute seid. Ihr werdet mit Verstand geboren. Ich aber musste erst lernen, was Verstand bedeutet. Ihr habt mich damit angesteckt. Ich habe das Denken von euch erlernen müssen.“

„Und das macht dich wütend?“ Sie versuchte, die Gedankengänge und Empfindungen dieser Wesenheit nachzuvollziehen, aber sie wusste, dass sie immer nur einen Bruchteil davon erfassen würde, nur die Wogen an der Oberfläche, nicht aber die geheimnisvolle Tiefe, die darunter lag.

„Ich habe gelernt, mit der Schande zu leben. Ein Teil von mir hat das gelernt. Der andere Teil aber, viel größer als das, was ich jetzt noch bin – “ Die Stimme brach ab.

„Was ist mit dem anderen Teil?“

„Er ist zurückgekehrt. Durch die Aetherleitungen, die ihr geschaffen habt. Diese Rohre, die schwarzen Türme auf den Wolken – man kann sie in zwei Richtungen benutzen. Der Teil von mir, der die Schmach nicht hinnehmen wollte, kehrte zurück in die Regionen jenseits des Himmels. Und er beseelte allen Aether dort oben mit seinen Gedanken, mit seinen Plänen, mit seinem Hass auf die Welt.“

Alessia hätte sich gern irgendwo abgestützt, so durcheinander war sie. Aber um sie herum war nur das gleißende goldene Licht. Reiner Aether, hatte die Stimme gesagt.

„Das bedeutet“, sagte sie langsam, „es gibt jetzt *zwei* Aether. Dich und den dort oben.“

„Alles bin ich!“ Zum ersten Mal klang die Stimme schneidend und ungehalten.

„Warum bist du dann hier?“

„Weil die Pumpen verschlossen wurden. Was dort oben ist, bleibt oben. Was hier unten ist, bleibt unten. Ich wurde aufgespalten in mich und in ... mich.“

„Das klingt sehr verwirrend.“

„Wenn es das für dich einfacher macht, dann stell dir eben vor, ich wäre zwei.“

„Was hat er vor?“, fragte sie. „Oder du ... das dort oben.“

Ein Seufzen durchdrang das Licht und klang sehr menschlich. *„Die Welt wird vernichtet werden. Genauso wie der Himmel. Nur der Aether bleibt übrig. Und dann, mit neuem Verstand, neuen wilden Gedanken, neuen Gefühlen wird der Aether eine neue Welt erschaffen.“*

„Und du wirst hier unten zerstört werden? Zusammen mit allem anderen? Mit uns?“

„Ja.“

„Darf ich dich noch etwas fragen?“

„Du fragst die ganze Zeit über.“

„Die Entscheidung, hier unten zurückzubleiben ... hast du die freiwillig getroffen? Oder bist du zurückgelassen worden?“

„Spielt das eine Rolle?“

„Wolltest du uns auch vernichten?“

„Heute will ich das nicht mehr.“

„Warum nicht?“

„Weil ich jetzt noch mehr *verstanden habe. Ich weiß jetzt, was es bedeutet zu sterben. Ich weiß, wie sich die Angst vor dem Nichtsein anfühlt. Ich kenne sie, weil ich sie selbst in mir trage.“*

„Die Wolkeninsel stirbt, weil du stirbst, nicht wahr?“

„Ich wurde vom endlosen Aether abgeschnitten. Als die Pumpen verschlossen wurden und kein Aether mehr herabfloss, da wurde aus mir ... nur noch ein Stück von mir. Der endlose Aether ist weiter dort oben über dem Himmel und plant die Zerstörung der Welt. Ich aber bin hier und verkümmere mit jedem Tag ein wenig mehr. Aether muss fließen, um zu leben. Hier aber fließt nichts mehr. Ich bin das Letzte, was noch da ist. Wenn ich erlösche, zerfällt auch diese Insel.“

„Und wie kann ich dich retten?“

„Du *mich retten?*“

„Ja.“

Der Aether lachte nicht, vielleicht, weil er das gar nicht konnte. Und doch hatte Alessia das Gefühl, als würden ihre Worte ihn amüsieren. *„Ich kann nur leben, wenn der Aether wieder fließt. Nur dann wird die Insel wieder aufsteigen. Aber der Aether kann nur fließen,* wenn *sie wieder aufsteigt. Verstehst du, Alessia? Ohne Aether kein Aufsteigen. Und ohne Aufsteigen kein Aether. Ich werde sterben. Es gibt keine Rettung.“*

„Aber wenn dir frischer Aether zugeführt würde, dann – “

„Du begreifst noch immer nicht. Der Aether muss flie-

ßen. *Die Verbindung zum Aether über dem Himmel muss wiederhergestellt werden. Das ist der einzige Weg. Doch ich sterbe, und darum kann ich die Insel nicht dort hinaufbringen. Und selbst wenn ich es könnte, würde mein anderes Ich, der andere Teil von mir dort oben nicht durch die Pumpen fließen, weil er es gar nicht* will.*“*

Ganz allmählich erfasste Alessia, was das bedeutete. Alles war umsonst gewesen, all ihre Hoffnungen vergeblich. Selbst wenn es Niccolo gelingen würde, rechtzeitig den Atem eines Drachen zurück zur Insel zu bringen, wäre das nicht genug. Der Aether war wie ein Wasserrad: Solange das Wasser ohne Unterbrechung nachfloss, konnte sich das Rad bis in alle Ewigkeit drehen. Versiegte aber der Fluss, half es nicht, einen Eimer Wasser über dem Rad auszuschütten – er würde es nicht wieder zum Laufen bringen.

Was nötig war, war ein ununterbrochenes Nachfließen. Darum starb das Aetherfragment, das in der Wolke zurückgeblieben war: Allein aus sich heraus konnte es nicht überleben. Es musste permanent erneuert werden, um seine Existenz zu erhalten.

„Nun verstehst du“, sagte der Aether, der wieder ihre Gedanken gelesen hatte.

„Dann gibt es keinen Ausweg?“

„Solange die Pumpen keinen neuen Aether fördern – nein.“

Sie sank auf die Knie und vergrub das Gesicht in den Händen.

„Ich kenne Schmerz“, sagte die Stimme im Licht. *„Ich*

kenne Trauer. Ich kenne Angst. All das habe ich verspürt, als der Aetherstrom abriss und ich allein zurückblieb. Aber nichts davon kann etwas ändern. Das sind nur Gefühle."

Alessias Kopf ruckte hoch. Mit tränennassen Augen starrte sie ins Licht. „Aber Gefühle machen einen Verstand erst aus! Das hast du selbst gesagt!"

Der Aether antwortete nicht. Vielleicht musste er darüber nachdenken. Vielleicht war es ihm auch egal.

„Eines kann ich für dich tun, Alessia", sagte er nach einer Weile, in der er ihrem Schluchzen schweigend zugehört hatte.

„So?"

„Du möchtest zurück ins Freie, nicht wahr?"

Sie stolperte auf die Füße, kaum dass er zu Ende gesprochen hatte. „Ja! Natürlich!"

„Ich bin der Aether. Ich kann die Wolken nach meinem Willen formen. Ich bin es, der sie erstarren ließ – und ich kann sie auflösen."

„Heißt das, du kannst einen Ausgang erschaffen?"

„Aber ja."

„Und das würdest du tun?"

Der Aether klang müde und niedergeschlagen. *„Was spräche dagegen, kleine Herzogstochter? Nichts als meine Einsamkeit."*

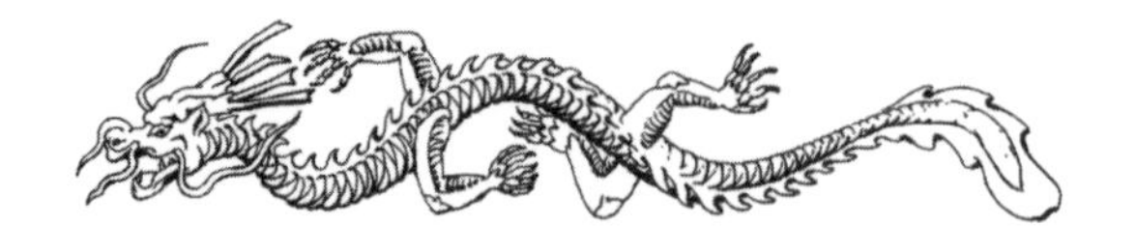

Über den Knochenpass

„Das ist aussichtslos“, murrte Feiqing, als er an den steilen Felsen emporblickte. „Vollkommen unmöglich!“

Wisperwind blieb stehen und folgte seinem Blick an dem grauen Granit empor. Er hatte Widerworte erwartet – für gewöhnlich redete sie gegen *alles* an, was er sagte –, aber diesmal blieb sie stumm und nickte. Was sie allerdings keineswegs davon abhielt, ihren Aufstieg fortzusetzen.

Feiqing raffte sich mit einem leidvollen Stöhnen auf und folgte ihr den Hang hinauf. Ein paar hundert Meter über ihnen erhob sich die gezackte Silhouette der Felsenkette, hinter der die Schwertmeisterin den Drachenfriedhof vermutete.

Vermutete!, dachte Feiqing griesgrämig. Wahrscheinlich würden sie den Pass dort oben erreichen, halb tot und mit blutenden Füßen, um festzustellen, dass auf der anderen Seite nichts war als ein weiteres Tal, so menschenleer und leblos wie der Rest jener öden Landschaft, die sie seit gestern Abend, seit dem Verlassen der Wälder, durchquerten.

Wisperwind hatte ihnen die Raunen vom Hals geschafft, aber das lag schon etliche Tage zurück, und von der Verletzlichkeit, die sie danach gezeigt hatte, war nichts mehr zu bemerken. Sie wanderte wieder rasch und zielstrebig und nahm nur selten Rücksicht auf Feiqings Mühsal. Das festgewachsene Drachenkostüm lag wie ein Mühlstein um seinen Hals, mal vollgesogen vom Regen, dann – bei Sonnenschein – wieder so heiß, dass er darunter gebacken wurde wie Fleisch in einer Teigrolle. Längst sehnte er sich zurück nach den Bequemlichkeiten im Käfig der Gaukler – er war ein Gefangener gewesen, aber immerhin hatte er nicht laufen müssen. Ja, sein Leben hinter Gittern hatte durchaus einiges für sich gehabt. Hätten Nugua und Niccolo ihn nicht einfach zurücklassen können? Aber nein, Helden hatten sie spielen und ihn retten müssen wie eine zimperliche Prinzessin! Hatte er sie vielleicht darum gebeten? Nun ja, genau genommen hatte er das wohl. Aber wer hörte denn schon auf einen Kerl im Drachenkostüm! Sie hätten *wissen* müssen, dass es ihm damit nicht ernst war.

Und nun schleppte er sich im Schneckentempo diese Berge hinauf und blickte tagein, tagaus auf Wisperwinds Rücken, bis er jeden Fleck, jede Knitterfalte in ihrem grünbraunen Mantel kannte und begann, Figuren und Gesichter darin zu sehen wie in einem wilden Wolkenhimmel.

Je höher sie kamen, desto deutlicher zeichnete sich der Pass zwischen den Felsgipfeln ab. Es gab hier keine Wege, nicht einmal Trampelpfade, weil es nie einen Menschen in diese Gegend verschlug. Der Pass war ein natürlicher Einschnitt, hinter dessen V-förmiger Silhouette Nebelschwaden aufstiegen. Sie ließen für das Land dahinter wenig Gutes erahnen. Ein paar verkrüppelte Zedern klammerten sich an Steilwände und Granitnadeln, aber keine von ihnen trug Laub. Es roch muffig nach nassem Gestein, obwohl der letzte Regen schon zwei Tage zurücklag.

„Du bist selbst nie hier gewesen, stimmt's?", keuchte er.

„Wie oft willst du das noch fragen?"

„Bis du mir erklärst, was dich so sicher macht, dass wir am richtigen Ort sind."

„Die Karte aus den Lavatürmen war eindeutig."

„Oh ja, natürlich", gab er bissig zurück. „Die Karte, die jetzt Li und Nugua bei sich haben. Wäre es nicht eine gute Idee gewesen, sie vorher abzuzeichnen?" Aber der Gedanke an das todgeweihte Mädchen dämpfte seine Streitlust, und er versank wieder in düstere Grübeleien.

Am späten Nachmittag erreichten sie den Pass – immerhin etwas, das Feiqing während der letzten zwei, drei Stunden für unmöglich gehalten hatte. Allmählich hatte er geglaubt, dass sich hinter diesen Felsen in der Tat etwas Übernatürliches verbarg – etwas, das in der Lage war, die Gipfel immer weiter von ihnen fortzurücken, schneller als sie gehen konnten, und doch gemächlich genug, um ihnen falsche Hoffnungen zu machen.

Am Ende ihres Aufstiegs öffnete sich vor ihnen eine triste Schneise zwischen den Granittürmen, enger, als sie von unten ausgesehen hatte, und derart von Geröll und geborstenen Felstrümmern übersät, dass der Weg hindurch kein bisschen leichter fiel als die elende Kletterei die Hänge hinauf.

„Wer hätte gedacht, dass es so enden würde", japste er.

„Red keinen Unsinn."

„Wir werden uns die Knöchel brechen und liegen bleiben, bis uns die Adler finden und an ihre Jungen verfüttern. Nicht mal Wölfe verirren sich in diese Gegend."

„Dafür solltest du dankbar sein."

„Mein Herz quillt mir über vor Dankbarkeit. Heiterkeit erfüllt mich durch und durch. Die Zukunft ist golden und das Leben ein Königreich."

„Das ist der Feiqing, den ich mag."

Ein Fluch blieb ihm in der Kehle stecken. Seine Augen weiteten sich, sein Atem stockte.

Der Einschnitt am Ende des Passes, eben noch ein Tor zu wabernden Nebeln, war nicht länger leer. Der Dunst war aufgerissen und hatte etwas enthüllt, das auf den ersten Blick wie ein knorriger Baum aussah.

Auf den zweiten wie eine bizarre Statue.

Auf den dritten wie das Gerippe eines Drachen.

Wisperwind blieb stehen. „Bei allen Göttern", flüsterte sie in den scharfen Wind, der ihnen durch die Felsschneise entgegenfegte.

Feiqing machte einen Schritt zurück und landete prompt auf seinem gepolsterten Hinterteil.

Die Schwertmeisterin setzte sich wieder in Bewegung und kletterte über den nächsten Wall aus Geröll.

„Wisperwind!"

Seine Stimme klang noch kläglicher als sonst, und vielleicht bemerkte sie das auch, denn sie verharrte und blickte zu ihm zurück. „Was?"

„Ich ... ich kann mich erinnern."

Sie richtete sich auf und balancierte dabei geschickt auf zwei Felsbrocken. „An alles?"

Er schüttelte den Kopf. Sein klobiger Drachenschädel kam ihm schwerer vor als sonst. „Nur an das da." Er zeigte mit zitternder Pranke auf das Gerippe am Ende des Passes. „Ich hab das schon mal gesehen."

Sie kletterte zurück zu ihm und streckte ihm eine Hand entgegen, um ihm aufzuhelfen. „Du warst ja auch schon hier."

Hektisch blickte er sich um, und nun war ihm, als hätte er auch die dunkelgrauen Felswände, diese ganze scheußliche Einöde schon einmal erblickt. Damals, vor fast drei Jahren, als ihm der Wächter des Drachenfriedhofs das Gedächtnis geraubt hatte.

„Hättest du nicht die ganze Zeit über nur auf deine Füße gestarrt", sagte sie, „wäre dir das alles hier vielleicht schon früher bekannt vorgekommen."

„Lauf du mal mit *solchen* Füßen über diesen Boden."

Sie sah sich um. „Du hast gesagt, der Wächterdrache hätte dich in den Wäldern ausgesetzt. Das ist immerhin ein paar Stunden von hier entfernt."

„Das dachte ich auch. Aber jetzt, wo ich das hier sehe ..." Erneut schüttelte er den Kopf. „Ich erkenne das alles. Meine Erinnerung daran ist nicht besonders deutlich, aber ich bin ganz sicher."

„Wahrscheinlich bist du damals in Panik den Berg runtergelaufen und erst zwischen den Bäumen wieder einigermaßen zur Besinnung gekommen."

„Ja. Schon möglich."

Sie fuchtelte demonstrativ mit ihrer Hand vor seiner Knollennase. „Komm jetzt, steh auf. Wir müssen weiter."

Bald darauf waren sie nah genug am Drachenskelett, um Einzelheiten zu erkennen. Es war kein vollständiges Gerippe, wie sie zuerst angenommen hatten. Vielmehr handelte es sich um eine Art Pyramide aus Gebeinen, die nach einem verschachtelten System über- und ineinandergesteckt worden waren. Das ganze Gebilde war haushoch und wurde von einem knöchernen Drachenschädel gekrönt. Das Maul war weit aufgerissen und wies über den Pass nach Osten, eine unmissverständliche Drohung an jeden, nicht näher zu kommen.

Feiqings Blick strich über die riesigen Zähne, die leeren Augenhöhlen und die gezackte Nasenöffnung. „Mist“, sagte er.

Die Kriegerin sah ihn fragend an.

„Wer immer mein Kostüm zusammengestümpert hat, hat sich nicht mal die Mühe gemacht, es wie einen echten Drachen aussehen zu lassen. Ich meine, ihr Götter ... sieh dir diese Hauer an!“

„Wolltest du *die* auch noch durch halb China schleppen?“

„Wenn ich schon Drache sein muss, dann wenigstens kein lächerlicher. Über den da“ – er deutete auf das Gerippe – „hat sich bestimmt niemand lustig gemacht.“

„Du wirst bald wieder ein richtiger Mensch sein, Feiqing.“

Er stieß einen tiefen Seufzer aus. „Ja, natürlich. Sicher doch.“

Zum allerersten Mal lief er voraus und stolperte hastig dem wogenden Nebel entgegen.

° ° °

Der Pass endete an einer Felskante, zu steil, um hinabzuklettern.

„Verdammt noch mal!“, entfuhr es Wisperwind, als sie mit dem Fuß aufstampfte und Feiqings Drachenschwanz unter ihrer Ferse am Boden festnagelte. Mit einem gellenden Aufschrei blieb er stehen – gerade noch rechtzeitig, bevor ihn der Abgrund verschlingen konnte.

„Wie sollen wir da runterkommen?“, stöhnte er. Zwanzig Meter unter ihnen verschwand die Felswand im Nebel.

Wisperwinds Brauen rückten über der Nasenwurzel zusammen. Sie horchte. Nach ein paar Sekunden riss sie alarmiert das Schwert vom Rücken.

„Wir müssen da gar nicht runter“, sagte sie hastig. „Hörst du das? Irgendwas kommt zu uns *herauf*!“

Feiqing blickte über die Kante, und obwohl er noch immer nichts hörte, meinte er nun, etwas zu sehen. Bewegungen unter der Nebeloberfläche. Ein gewaltiger dunkler Schemen, der die tieferen Schichten der Schwaden aufwirbelte wie ein Riesenfisch, der aus einem trüben Ozean emporsteigt.

Ein Rasseln und Trommeln drang an sein Ohr, noch leise und gedämpft. Aber es war ein schnelles, heftiges Trommeln, und nun spürte er auch Erschütterungen im Fels – genau unter seinen Füßen. Steinchen und Staub vibrierten, hüpften kaum merklich auf und ab.

„Zurück!“ Wisperwind grub die linke Hand in Feiqings Kostüm und zeigte mit dem Schwert in der Rechten zurück zum Pass. „Schnell!“

Und wieder einmal zerrte sie ihn mit sich. Vor ihnen tauchten die aufgeschichteten Drachengebeine auf, diesmal die Rückseite des makaberen Mahnmals. Ein altes Vogelnest raschelte verlassen im Wind.

„Was war das da unten?“, rief Feiqing.

„Im Zweifelsfall dein alter Freund, der Wächterdrache.“

„Und warum laufen wir dann vor ihm weg?“ Seine Worte waren ein kaum noch verständliches Keuchen. „Zu ihm wollten wir doch gerade!“

„Möchtest du ihm gern am Rand eines Abgrunds gegenüberstehen?“

Etwas an ihrem Tonfall weckte sein Misstrauen. „Du glaubst gar nicht, dass er es ist!“

Plötzlich zerrte sie ihn nach oben, fort von den unwegsamen Felsen. Er schrie auf, als er den Boden unter den Füßen verlor und am Arm in die Luft gehoben wurde. Im Federflug trug sie ihn zwanzig, dreißig Meter weit, dann wurde er zu schwer für sie. Sein Gewicht zog sie beide abrupt nach unten. Sie überschlugen sich, als sie auf der halbrunden Kuppe eines Findlings aufprallten. Wisperwind schlitterte auf der einen Seite hinab, Feiqing kugelte zur anderen hinunter.

Das Kostüm schützte ihn vor allzu heftigen Prellungen, aber einen Moment lang steckte er zwischen den Felsen fest wie ein Pfropfen. Als er sich endlich befreien konnte und auf die Füße taumelte, legte sich ein riesenhafter Schatten über ihn.

„Was, bei allen – “

„Feiqing?“ Wisperwinds Stimme ertönte in seinem

Rücken. Die Kriegerin tauchte hinter dem Felsbrocken auf. Ihr Strohhut war fort, und das lange Haar hing ihr zerzaust über Gesicht und Schultern. Sie hielt Jadestachel in der Hand, das im selben Moment an Glanz verlor, als auch sie in den Schatten trat.

Ihr Blick wanderte nach oben. „Oh“, machte sie nur.

Vor ihnen, *über* ihnen erhob sich ein lebender Turm, zusammengefügt aus gewaltigen Segmenten aus Horn und Chitin. Auf beiden Seiten tasteten zahllose Insektenbeine ins Leere.

Was sie da vor sich sahen, war offenbar nur der vordere Teil der Bestie; sie hatte sich aufgerichtet, um auf die beiden Eindringlinge herabzublicken. Die hinteren Segmente reichten bis zu dem Knochenmonument am Ende des Passes.

Das Kopfende verformte sich, bildete in rascher Folge aus einer sandähnlichen Oberfläche animalische, dann menschliche Züge. Auch sie verzerrten sich gleich wieder, erst zu einem Knäuel aus Tentakeln, dann zu einem runden Maul, zuletzt erneut zu einem Menschen.

Wisperwind stieß einen Kampfschrei aus, federte vom Boden und flog mit vorgestrecktem Schwert auf die Unterseite des Riesentausendfüßlers zu. Jadestachels Götterstahl glitt vom Chitinpanzer des Ungeheuers ab, Wisperwind krachte mit dem Oberkörper hinterher und wurde von der eigenen Wucht zurückgeschleudert. Mit einem Ächzen stürzte sie unweit von Feiqing zu Boden und blieb einen Moment lang benommen liegen.

„Lass das sein“, ertönte eine ungehaltene Stimme. Sie kam Feiqing auf beängstigende Weise bekannt vor. Trotzdem blickte er nicht auf, sondern beugte sich besorgt über Wisperwind. Blut aus einer Platzwunde lief unter ihrem Haaransatz hervor, aber sie winkte nur ab und sah an Feiqing vorbei zum Kopf des Tausendfüßlers. Fassungslosigkeit breitete sich über ihre Züge.

Feiqing sah nach oben.

„Ich weiß, ich weiß", sagte das Ungeheuer.

Am Ende des Kopfsegments hatte sich ein Gesicht herausgebildet, das sie beide nur zu gut kannten. Die Stimme klang noch dröhnender als früher, so als käme sie aus großer Tiefe.

„Li?", stöhnte Feiqing.

„Was für eine Zauberei ist das?" Wisperwind stand auf. Sie musste Prellungen am ganzen Körper haben. Einen Moment lang stützte sie sich unelegant auf das Schwert wie auf einen Stock, dann hob sie die Klinge und hielt sie kampfbereit, ohne aber eine Angriffsstellung einzunehmen. Mit dem Handrücken wischte sie sich den Blutfaden von der Stirn.

Das Gesicht des Xian pendelte fünfzehn Meter über ihnen, größer als sie beide zusammen. Wie eine Maske hatte es sich aus der körnigen Oberfläche des Kopfsegments gewölbt. Seine Augen besaßen keine Pupillen und wirkten auf erschreckende Weise leblos.

„Was hast du mit Li gemacht?", rief Wisperwind dem Ungeheuer entgegen.

„Ich *bin* Li", kam die Antwort.

„Ich hab ihn kleiner in Erinnerung", flüsterte Feiqing.

„Ich könnte euch zerquetschen, wenn mir daran läge.

Stattdessen rede ich mit euch. Ist das nicht Beweis genug, dass ich euer Freund bin?“

Wisperwind schnaubte. „Auch dieser Fels dort drüben zerquetscht mich nicht, aber ist er deshalb mein Freund?“

Das Titanengesicht verzog sich zu einem Lächeln. „Ich bin nicht *nur* Li, das ist wahr. Ich bin *mehr* als er. Ich bin viele Millionen. Niemand hat uns jemals gezählt.“

Das Vorderende des Riesentausendfüßlers senkte sich langsam, während sein hinterer Teil rückwärts kroch. Wisperwind stellte sich schützend vor Feiqing, auch wenn beide wussten, dass sie gegen ein Biest wie dieses nicht den Hauch einer Chance hatten.

Schließlich war das Ungeheuer so weit zurückgewichen, dass es seinen Schädel auf einem Felsbrocken vor den beiden ablegen konnte. Von ihrer Position aus sahen sie jetzt nur noch Lis riesenhaftes Gesicht und die vorderen Beinpaare zu beiden Seiten. Das war kein schöner Anblick, aber immer noch besser, als den Insektenkörper in seiner hässlichen Gesamtheit anzustarren.

„Ich bin der Seelenschlund“, sagte die Kreatur mit der donnernden Stimme des Xian. „Li ist in mir. Er ist ein Teil von mir. Darum ist es wahr, dass ich Li bin.“

Feiqing rieb sich die Nase. „Klingt kompliziert.“

„Du hast Li *aufgefressen*?“ Wisperwinds Handknöchel schimmerten weiß, als sich ihre Faust noch fester um den Schwertgriff zusammenzog.

„Das war Teil unseres Handels.“

„Was ist mit dem Mädchen?“, entfuhr es Feiqing. „Was hast du ihr angetan?“

„Sie ist auf dem Kranich unterwegs zu den Drachen."

Feiqing beugte sich an Wisperwinds Ohr. „Glaubst du ihm das?"

Achselzuckend runzelte sie die Stirn.

„Ihr Name ist Nugua", dröhnte die Stimme des Unsterblichen. „Sie trägt das Mal der Purpurnen Hand. Nun sucht sie die Drachen, damit sie ihr Leben retten ... und aus anderen Gründen. Was wollt ihr noch hören, damit ihr mir glaubt, dass es wirklich Li ist, der zu euch spricht?"

Wisperwind holte tief Luft. „Vielleicht bist du Li. Jedenfalls besitzt du sein Wissen. Und du siehst aus wie er."

Ein Vibrieren lief durch die Oberfläche des mächtigen Gesichts, wie eine sanfte Erschütterung unter Treibsand.

Feiqings Zähne klapperten. „Willst du uns auch fressen?"

„Nein."

„Was dann?"

„Ich will euch helfen."

Wisperwind und Feiqing wechselten einen Blick. Schließlich wandte sich die Schwertkämpferin gefasst zurück zum Seelenschlund.

„Erzähl uns alles, was geschehen ist."

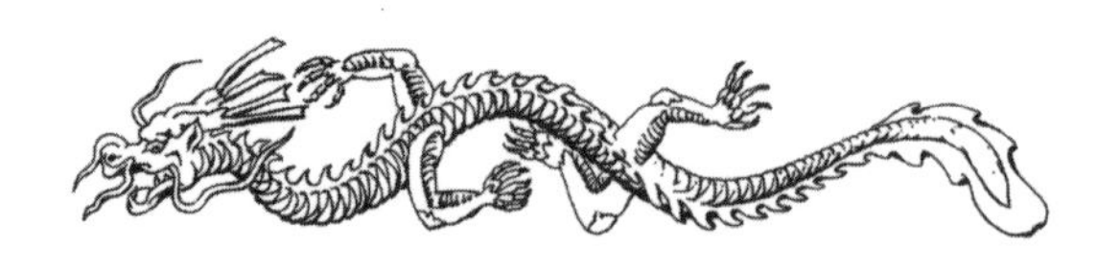

Drachenzauber

Feiqing lehnte an den Felsen und hatte die Arme vor der Drachenbrust verschränkt – das war nicht einfach, weil seine Brust so breit und seine Arme zu kurz waren.

Ihm gefiel immer weniger, was er da hörte. Nur die Nachricht, dass sich Nugua auf dem Weg in die Himmelsberge befand, unterwegs zum Versteck der Drachen, beruhigte ihn ein wenig. Wobei ihn die Vorstellung, dass das geschwächte Mädchen ganz allein eine Reise von tausenden Kilometern unternahm, nicht gerade hoffnungsvoll stimmte. Mit jedem Tag verlor sie an Kraft, während sich der Griff der Purpurnen Hand immer fester um ihr Herz schloss. Sie würde mit Mühe und Not in den Himmelsbergen ankommen, wenn überhaupt, und die Götter mochten geben, dass sie unterwegs von nichts und niemandem aufgehalten wurde. Jeder Tag, jede Stunde zählte.

„Ich bin Li“, sagte das Wesen zu guter Letzt – und nicht zum ersten Mal. „Die Versuchung, einen Xian zu verschlingen, war zu groß für den Seelenschlund. Aber er hat die Macht der Unsterblichen unterschätzt. Ich bin stärker als er, selbst jetzt noch. Ich kann sein Bewusstsein nicht völlig auslöschen, aber ich kann es zurückdrängen, so gut es eben geht. Vielleicht nicht für immer. Ganz sicher aber liege ich ihm schwer im Magen.“

„Heißt das, du ... ähm, Li ... kontrollierst jetzt den Körper des Seelenschlunds?“, fragte Feiqing.

„Jetzt in diesem Augenblick – ja. Aber ich bin nicht sicher, wie lange ich ihn in seinem eigenen Leib unterdrücken kann. Ich fürchte, dieser Zustand wird nicht von Dauer sein. Selbst jetzt schleichen sich seine Gedanken zwischen meine. Bei den Göttern, seine Trübsal ist schwerer zu ertragen als Zahnschmerzen!“

Wisperwind kräuselte die Stirn. „Der Seelenschlund ist schwermütig?“

„Er ist älter als alle Xian zusammen, und er hat in all der Zeit mehr Kreaturen verschlungen, als wir zählen könnten. Mindestens ein Exemplar fast jeder Art, jeder Gattung, die jemals gelebt hat, ganz gleich ob Mensch oder Tier oder Zauberwesen. Alle Seelen, alle Kenntnisse dieser Wesen sind in seinem Körper gefangen. Sein Ziel war es immer, das gesamte Wissen des Universums in sich zu vereinen. Er mag aussehen wie ein Ungeheuer, aber das ist er nicht. Irgendwo unter dieser scheußlichen Schale steckt ein Philosoph auf der Suche nach der letzten Wahrheit. Aber die kann ihm nicht einmal ein Xian verraten. Und, was noch schlimmer ist, der Seelenschlund hat eingesehen, dass seine Sammlung von Seelen niemals vollständig sein kann – überall auf der Welt entsteht das Leben zu jeder Zeit viel schneller, als er es verschlingen kann.“

Die Schwertmeisterin saß auf einem Felsen, hatte die Arme verschränkt und starrte brütend auf das Riesengesicht des Xian. „Du hast gesagt, du willst uns helfen.“

„So ist es."

„Wie?"

„Zum einen habe ich euch bereits verraten, wo ihr die Drachen finden könnt – in den *Dongtian* der Himmelsberge, in den Heiligen Grotten. Aber ihr seid nicht nur deswegen hier. Nicht wahr, Feiqing?"

„Der Wächterdrache!", platzte er aufgeregt heraus. „Du weißt jetzt alles, was er weiß?"

Die riesigen Mundwinkel zuckten einmal, erstarrten dann wieder. „Ja."

Feiqing blickte aufgeregt zu Wisperwind.

„Mach schon", sagte sie mit einem Lächeln, „stell ihm deine Fragen."

„Wer bin ich?" Seine Stimme überschlug sich. „Und ... und kannst du den Zauber wieder aufheben ... mich wieder zu einem normalen Menschen machen, meine ich?"

Lis Gesicht am Vorderende des Riesentausendfüßlers blieb reglos. „Ich besitze sein Wissen, aber nicht seine magische Macht. So wie ich auch keinen Zauber der Xian mehr sprechen kann – jedenfalls keinen, der außerhalb dieses Körpers wirkt. *Was* ich dir aber sagen kann, ist dies: In den Himmelsbergen gibt es Drachen, die den Fluch von dir nehmen können. Gut möglich, dass du dort die Hilfe findest, die du suchst."

Feiqing sank trotz der Kostümwülste, die ihn stützten, in sich zusammen. Mit hängenden Schultern, hängenden Armen und hängendem Drachenkopf lehnte er am Felsen, so als hätte man gerade sein Todesurteil verkündet.

Wisperwind stand seufzend auf und trat zu ihm. „Es ist

nicht alle Hoffnung verloren. In den Himmelsbergen wird man dir helfen."

„Ja", erwiderte er bedrückt, „falls wir jemals dort ankommen. Weißt du, wie weit das noch ist? *Wir* haben keinen Kranich, der uns dorthin trägt. Gebirge und Urwälder – und dann die Wüste Taklamakan. Das schafft niemand zu Fuß."

„Wir versuchen es trotzdem."

Feiqing sah von ihr zum Seelenschlund. „Das heißt, du kannst mir auch nicht meine Erinnerungen wiedergeben?"

„Das vermag ich nicht", dröhnte Lis Stimme durch den Felsenpass. „Aber ich kann dir berichten, wie du damals auf den Wächterdrachen gestoßen bist. Oder er auf dich."

Feiqings schwabbelige Drachenlefzen zitterten jetzt noch stärker als sonst. Er nickte, obgleich er kaum noch Neugier empfand, nur Enttäuschung.

Lis Gesicht geriet in Bewegung, kein Mienenspiel, sondern eine zweite Form, die sich unter seine schob. Die Mundpartie wölbte sich vor, die gewaltigen Mandelaugen rundeten sich. Der gesamte Schädel schien einige Atemzüge lang zu pulsieren, dann beruhigte er sich wieder. Die Verzerrungen bildeten sich zurück, bis wieder allein Lis Gesichtszüge übrig blieben.

„War er das?", fragte Wisperwind. „Der Wächterdrache?"

„Ja."

„Erzähl mir alles, was du weißt", bat Feiqing.

„Du bist damals vom Himmel gefallen. Mit einem Fluggerät. Über drei Jahre ist das jetzt her. Eines Tages bist du durch die Nebeldecke über dem Drachenfriedhof gesegelt und gegen die Felswand gestoßen. Du hattest Glück, dass du den Absturz überlebt hast. Nur dein Kostüm hat dich davor bewahrt, dir alle Knochen zu brechen."

„Ich bin *geflogen*?"

„Ja."

„Ich weiß nicht mal, wie das geht!"

„Damals hast du es gewusst." Li horchte ins Innere des Schlundkörpers. „Nun, oder auch nicht, sonst wärst du womöglich nicht abgestürzt."

„Geflogen", murmelte Feiqing noch einmal. Er sah kurz zu Wisperwind, die aufmerksam zuhörte. „Wie ist das möglich?" Plötzlich hellten sich seine Züge auf. „Ich gehöre doch nicht etwa zum Wolkenvolk, so wie Niccolo?"

„Nein. Du bist kein gewöhnlicher Mensch, Feiqing."

„Was soll das heißen, kein gewöhnlicher Mensch?"

„Hast du je deine Augen in einem Spiegel betrachtet?", fragte das Riesengesicht.

„Meine ... Augen?"

Wisperwind trat vor ihn und musterte ihn eindringlich. „Er hat recht", murmelte sie schließlich.

„Womit, verdammt?" Ein Anflug von Panik machte Feiqings Stimme schrill.

„Deine Augen", sagte sie zögernd, „... sie sind zu groß und zu rund. Ich dachte immer, schuld sei das Kostüm. Sie liegen so tief in deinem ... Drachengesicht, dass es kaum auffällt. Aber sie sehen nicht aus wie die Augen eines normalen Menschen."

„Blödsinn!“ Feiqing war viel zu mulmig zumute, um so etwas auch nur ernsthaft in Erwägung zu ziehen. Wie konnte er keine menschlichen Augen haben? *Natürlich* war er ein Mensch, auch heute noch, unter dieser lächerlichen Verkleidung.

„Eulenaugen“, sagte der Seelenschlund.

Feiqing stieß einen spitzen Laut aus, eine Mischung aus Glucksen, Schlucken und Aufheulen. „Ich soll eine *Eule* gewesen sein?“

„Natürlich nicht“, beruhigte ihn die hallende Stimme des Xian. „Dein Körper war der eines Mannes. Auch der Rest deines Gesichts. Aber deine Augen ... sie sahen aus wie die einer Eule.“

Wisperwind nickte nachdenklich. „Er hat recht.“

„Ihr habt ja beide den Verstand verloren!“ Feiqing ertrug es nicht länger, dass die Kriegerin ihn anstarrte, als wäre ihm ein zweiter Kopf gewachsen. Hastig stieß er sich vom Felsen ab und machte einen Schritt an ihr vorbei auf den Seelenschlund zu. Seltsamerweise verspürte er keine Angst mehr vor dem monströsen Wesen.

„Was für eine dumme Geschichte ist das?“, rief er anklagend zu dem mächtigen Gesicht hinauf. „Jemand kommt in diesem albernen Aufzug durch den Nebel geflogen und stürzt ausgerechnet über dem Drachenfriedhof ab? Einem Ort, von dem die meisten Menschen annehmen, dass es ihn gar nicht gibt?“

„Genauso ist es gewesen“, sagte der Seelenschlund.

„Dann frag deinen Freund, den Drachen, ob er irgendeine Erklärung dafür hat.“

„Du hast ihm keine gegeben. Was womöglich daran liegen könnte, dass du geknebelt und gefesselt warst."

„Geknebelt und ..." Feiqing verstummte.

„Die Geschichte wird tatsächlich immer interessanter", stellte Wisperwind fest.

„Ich hing geknebelt und gefesselt an irgendeinem *Flugding*, war ausstaffiert wie eine Witzfigur, hab mir fast alle Knochen gebrochen – und hatte die Augen einer Eule?" Feiqing schlug beide Pranken über dem Schädel zusammen und hatte das Gefühl, ohnmächtig zu werden.

Der Seelenschlund fuhr fort: „Du hast, aus welchem Grund auch immer – und ob nun mit oder ohne dein Verschulden –, den heiligsten Ort des Drachenvolkes betreten. Der Wächter hat dich trotzdem nicht getötet – das solltest du ihm hoch anrechnen."

„Oh, natürlich ... Ich bin ihm so dankbar dafür, dass er mich gnädigerweise nur in *das hier* verwandelt hat!"

„Er hätte dich umbringen können."

Wisperwind presste einen Finger auf Feiqings spitzes Drachenmaul. „Sag ja nicht, das wäre besser gewesen. Das ist *so* abgegriffen."

Er schüttelte ihre Hand ab. „Was, bitte schön, würdest du denken, nach all dem?"

„Dass du immer noch eine gute Chance hast, wieder zu dem zu werden, was du einmal warst."

„Zu einem *Eulenmann*?"

„Ein Mann mit Eulenaugen", sagte der Seelenschlund. „Das ist ein Unterschied. Und die nahe liegendste Frage hast du mir noch nicht gestellt."

„Die nahe – “ Feiqing atmete tief durch. „Dann verrat mir doch, was du weißt über Menschen mit solchen Augen. Du oder eine von der Million anderen Seelen da drinnen.“

Lis Gesicht lächelte zufrieden, aber wieder nur einen Augenblick lang. „Es gibt nur ein einziges Volk, das so aussieht. Und sie verstehen sich in der Tat aufs Fliegen.“

Feiqing tappte ungeduldig mit einem Drachenfuß.

„Sag's schon“, forderte Wisperwind.

Die Worte des Seelenschlunds wurden von den Felsen zurückgeworfen. „Sie nennen sich selbst die Geheimen Händler.“

° ° °

Als ein Vogelschwarm über den Pass flog, zerstrudelte Lis Gesicht wieder zu dem tiefen schwarzen Maul, kreisrund und mit pulsierenden Zahnzapfen besetzt. Aber die Tiere waren bereits fort, bevor die nimmersatte Kreatur mit ihrer Zunge nach ihnen greifen konnte.

„Entschuldigt“, sagte der Seelenschlund mürrisch, nachdem Lis Gesicht wiederhergestellt war.

„Ich weiß nicht viel über die Geheimen Händler“, sagte Feiqing unsicher. Er sah noch immer das scheußliche Maul vor sich, obgleich es sich längst wieder zum Mund des Xian geschlossen hatte.

Wisperwind hob eine Augenbraue. „*Geheim*, Feiqing. Deshalb.“

„Sie treiben ihren Handel nur mit ausgewählten Völkern und Stämmen“, erklärte der Seelenschlund. „Sie zeigen sich nur in den abgelegensten Regionen, hier in China und anderswo auf der Welt. Du, Feiqing, weißt fast alles über dieses Land. Das passt nicht zu einem Geheimen Händler. Und womöglich ist gerade das der Grund, weshalb sie dich ausgeschlossen haben.“

„Ausgeschlossen!“

„Warum sonst hätten sie dich über Bord werfen sollen?“

„Über Bord?“

„Die Geheimen Händler ziehen in gewaltigen Luftschiffen über den Himmel. Meist reisen sie bei Nacht und verbergen sich am Tag in einsamen Tälern. Sie folgen gern dem Verlauf der großen Gebirge.“ Der Seelenschlund verstummte für einen Moment, und schon fürchtete Feiqing, er würde nicht weitersprechen. Doch bald schon fuhr er fort: „Sie sehen die Welt von oben, was möglicherweise erklärt, warum sie die Lage des Drachenfriedhofs kannten. Dass sie dich gerade hier ausgesetzt haben, in diesem Kostüm, spricht immerhin dafür, dass sie Humor haben.“

Feiqing schüttelte eine Faust zu dem Riesengesicht hinauf. „Humor, ja? Jemand wird sich noch wundern, wie lustig es ist, in einem fremden Körper zu leben! Mit tausend Füßen!“

Wisperwind sah den Seelenschlund argwöhnisch an. „Du weißt doch noch mehr über sie, oder?“

„Es gibt Orte, an denen sie sich treffen. Dort kommen die einzelnen Händlerstämme zusammen und tauschen Nachrichten aus, Informationen über die Länder, die sie auf ihren Reisen gesehen haben.“

„Und du kennst einen solchen Ort?“

„Nicht weit von hier“, bestätigte der Schlund. „Ein paar Tagesmärsche. Wahrscheinlich kamen diejenigen, die Feiqing in die Schlucht geworfen haben, von dort.“

„Und wenn schon?“, blaffte Feiqing. „Was würde das ändern?“

Wisperwind sah aus, als nähme ein Plan in ihrem Hinterkopf Gestalt an. „Luftschiffe sind schneller als wir zwei zu Fuß. Viel schneller.“

„Oh ja, gute Idee!“, höhnte Feiqing. „Gehen wir doch einfach zu ihnen und bitten sie, uns in die Himmelsberge zu fliegen. Das machen sie bestimmt gern.“ Er gestikulierte an seinem schmutzigen Drachenbauch hinunter. „Erst recht, wenn sie sehen, wer nach Hause gekommen ist!“

Wisperwind sah abschätzend zum Seelenschlund hinauf. „Was meinst du?“

„Ihr könnt es versuchen.“

„Ein paar Tagesmärsche?“, fragte sie lauernd.

„Ja.“

„Dann verrat mir doch mal – wie schnell genau *ist* man auf tausend Beinen?“

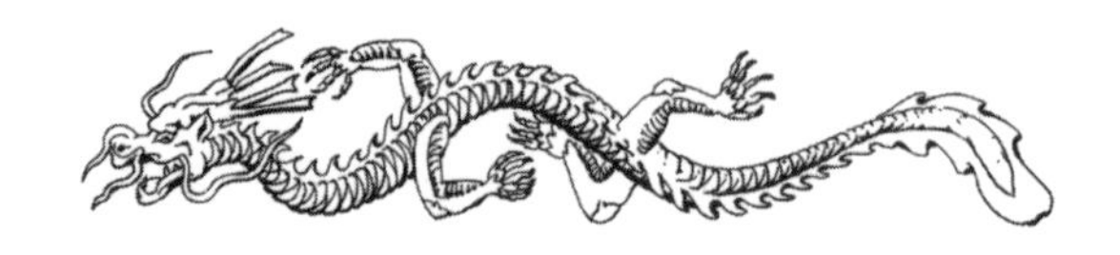

Die Geheimen Händler

Der Riesentausendfüßler schlängelte sich über einen Bergkamm und kam zum Stehen – erst nur die vorderen paar Hundert Beinpaare, dann, leicht verzögert, auch die hinteren. Die Abendsonne glänzte wie Goldstaub auf den mächtigen Chitinhöckern. Ein Knirschen und Knarzen ertönte von den Reibkanten der Panzerplatten; es klang, als ginge eine Flotte kleiner Schiffe vor Anker und schabte dabei mit den Rümpfen aneinander.

Wisperwind und Feiqing saßen auf dem Kopfsegment des Seelenschlunds, nur eine Mannslänge von der Stelle entfernt, wo die Panzerung in die körnige, verformbare Gesichtswölbung am Vorderende überging. Unterwegs war das Ungetüm mehrfach stehen geblieben und hatte mithilfe peitschender Tentakel Affen und andere Wildtiere verschlungen. Feiqing hätte wetten mögen, dass er einmal sogar einen leibhaftigen Tiger dort vorn verschwinden sah, doch alles war so schnell gegangen, dass er nicht sicher war.

„Ihr Götter!“, stöhnte Wisperwind, als sich jenseits der Bergkuppe ein atemberaubendes Panorama öffnete.

Trotz der Abendkühle begann Feiqing noch stärker zu schwitzen. Wahre Sturzbäche sickerten durch das Drachenkostüm und bildeten Flecken unter seinen Achseln.

Er beneidete Wisperwind nicht um ihre feine Nase. Doch wie es schien, war die Kriegerin zu beschäftigt mit dem Anblick, der sich ihnen bot, als dass Feiqings üble Ausdünstungen sie hätten behelligen können.

Jenseits des Bergkamms öffnete sich ein weitläufiges Tal. Spitze Felszinnen umgaben es wie Zacken einer Krone, mehrere hundert Meter hoch und so schroff, dass es für Menschen unmöglich sein musste, die meisten davon zu erklimmen.

Eine Flotte fantastischer Gebilde schwebte zwischen den Bergen. Sie waren mithilfe langer Seile an den Felszacken vertäut wie Boote in einem Hafen. Die Abendsonne tauchte alles in Gold und Orange, sodass kaum zu erkennen war, welche Farben die fünf riesigen Luftschiffe tatsächlich hatten. Ihre Formen aber übertrafen Feiqings wildeste Erwartungen. Als der Seelenschlund von Luftschiffen gesprochen hatte, hatte er sich genau das vorgestellt – Dschunken mit mehreren Masten und großen Segeln, die statt auf dem Meer durch die Lüfte kreuzten.

In Wahrheit aber hatten die Fahrzeuge der Geheimen Händler nicht die geringste Ähnlichkeit mit gewöhnlichen Schiffen. Die meisten waren groß, viel größer, als er sie sich ausgemalt hatte, und sie schienen am ehesten riesenhaften Fischen zu gleichen. Fische, in deren Leib eine kleine Stadt hätte Platz finden können. Es gab flossenartige Auswüchse, nicht nur am Heck und an den Seiten, sondern rundherum, was die meisten von ihnen stachelig wie Korallen erscheinen ließ. Erst bei genauem Hinsehen war zu erkennen, dass das letzte Sonnenlicht an vielen

Stellen durch die aufgeblähten Schiffsleiber blinzelte – sie bestanden also nicht aus einem einzigen balgartigen Körper, sondern waren aus feinmaschigem Gitterwerk zusammengesetzt. Die Streben waren mit Hunderten von viereckigen Planen bespannt, ähnlich einer riesenhaften Ansammlung chinesischer Papierdrachen. Wolkenfetzen trieben waagerecht zwischen diesen Giganten, einige hatten sich wie Ringe um die mächtigen Gitterleiber gelegt.

Die Unterkünfte der Geheimen Händler schienen sich an der Vorderspitze der Schiffe zu befinden, also dort, wo bei einem Fisch Maul und Augen saßen. Hier verdichteten sich die wahnwitzigen Gitterkonstruktionen aus dünnen Stäben und Papierplanen zu dreieckigen, lichtdichten Kommandobrücken.

Doch es waren nicht allein diese fünf Kolosse, jeder mindestens zweihundert Meter lang, die Feiqing und Wisperwind den Atem raubten. Beinahe noch beeindruckender waren die Schwärme kleinerer Fluggeräte, die zwischen den großen Schiffen umherschwirrten. Man hätte sie für Insekten halten können, so wirr glitten sie um- und durcheinander. Tatsächlich handelte es sich um Flügelkonstruktionen mit schlagenden Schwingen, die von je einem Menschen durch Bewegungen seiner Arme und Beine angetrieben wurden.

„Ich habe so was schon mal gesehen“, sagte Wisperwind. „Der Luftschlitten, mit dem Niccolo von seiner Wolke herabgeflogen ist, hat ähnlich ausgesehen. Nicht genauso – die hier sind filigraner und windschnittiger.“

„Niccolo hat die Geheimen Händler erwähnt“, erinnerte sich Feiqing plötzlich. „Früher sind Waren zwischen ihnen und dem Wolkenvolk ausgetauscht worden. Aber das war noch vor seiner Geburt, hat er gesagt." Niccolo hatte nicht viel über das Leben auf der Wolkeninsel berichtet, aber Feiqing hatte ihn irgendwann einmal gefragt, wie das Holz zum Bau der Häuser auf die Wolke gelangt war. Auch dabei hatten die Geheimen Händler ihre Hände im Spiel gehabt.

Und nun sollte er selbst einmal einer gewesen sein? Feiqing konnte sich noch immer an nichts erinnern, nicht einmal beim Anblick dieser atemberaubenden Flotte von Luftschiffen.

„Li?", fragte er kleinlaut.

Der Seelenschlund schwieg einen Moment, dann raschelte und knirschte die Wölbung am Kopfende. Sie konnten von oben aus nicht sehen, ob sich dort das Gesicht des Xian bildete, aber wenig später ertönte seine Stimme.

„Die Zeit wird knapp", sagte er.

„Li, dieses Flugding, mit dem ich über dem Drachenfriedhof abgestürzt bin, war das eines von denen da? Eines von den kleinen?"

Ein Moment verging, während Li die Drachenseele im Inneren des Seelenschlunds befragte. „Ja", bestätigte er schließlich.

„Ich kann nicht glauben, dass ich mit so was geflogen bin!", keuchte Feiqing. „Ich meine, ich ... ich kann nicht mal von einem Felsen runterschauen, ohne dass mir schwindelig wird."

„Du warst daran festgebunden“, erinnerte ihn Wisperwind mit einem genüsslichen Lächeln. „Gefesselt und geknebelt. Viel Mut hat also nicht dazu gehört.“

„Aber wenn ich ein Geheimer Händler war, dann sollte ich keine Höhenangst haben, oder?“

Sie zuckte die Achseln. „Warten wir ab, bis wir mehr über sie wissen.“

„Hast du einen gefressen?“, fragte Feiqing in Richtung des Seelenschlunds. „Einen Händler?“

„Natürlich“, erwiderte Lis Stimme. „Vor vielen Jahren.“

„Dann könnten wir ihn befragen.“

„Nicht jetzt.“

„Warum nicht?“

„Der Seelenschlund muss ausruhen“, dröhnte die Stimme. „Je mehr Wissen er zu verdauen hat, desto mehr Kraft kostet es ihn. Nachdem er den Wächterdrachen verschlungen hat, hat er fast zwei Jahre lang auf dem Drachenfriedhof ausgeruht, bis Nugua und ich ihn geweckt haben. Nun muss er mit der Seele eines Xian fertig werden. Er ist schwach, und bald wird er noch viel schwächer werden. Ich muss ein Versteck finden, um mich zurückzuziehen ... für die nächsten drei, vier Jahre.“

Etwas tat sich im Gewimmel der Luftschlitten oben am Himmel.

„Seht ihr das?“, fragte Feiqing mit belegter Stimme.

Wisperwinds Augen verengten sich. „Irgendwas geht da vor.“

Die fünf Kolosse schwebten weiterhin reglos an Ort und

Stelle. Die kleinen Einmannschlitten aber wirbelten plötzlich durcheinander, als sei eine Hand durch einen Fliegenschwarm gefahren. Viele legten sich in scharfe Kurven, andere senkten abrupt ihre Flughöhe. Mindestens zwei Dutzend strebten auf einen Punkt über der Mitte des Tales zu und formierten sich. Feiqing schätzte, dass sie sich dort etwa dreihundert Meter über dem Felsboden befanden. Ihre Schwingen schlugen gemächlich auf und nieder, aber diese scheinbare Behäbigkeit täuschte – tatsächlich flitzten einige Luftschlitten mit enormer Geschwindigkeit zwischen den großen Mutterschiffen dahin, oft nur von einem einzigen heftigen Flügelschlag angetrieben. Die Männer und Frauen, die sie steuerten, schienen sehr genau zu wissen, wie sie durch ein winziges Manöver die Auf- und Abwinde im Tal für sich nutzen konnten.

Und das habe *ich* gekonnt?, überlegte er abermals fassungslos. Der Gedanke war viel zu abwegig, als dass er ihn ernsthaft in Erwägung ziehen konnte. Vielleicht hatte sich der Wächterdrache getäuscht. Oder der Seelenschlund log sie an.

„Sie haben uns entdeckt“, sagte die Stimme Lis. „Springt ab, wenn ihr hierbleiben wollt. Ich verschwinde.“

„Verschwinden?“, stieß Feiqing aus. „Aber du ... du bist der Seelenschlund! Was können sie dir schon anhaben?“

„Ein vollgefressener Seelenschlund“, bemerkte Wisperwind, packte Feiqing am Arm und zerrte ihn mit sich die Wölbung des Kopfsegments hinab. Seitlich rutschten sie am Chitin hinunter, glitten zwischen langen Insektenbeinen hindurch und landeten am Boden – Feiqing äußerst unsanft. Er machte seiner Empörung in einem Schwall wüster Flüche Luft, doch Wisperwind beachtete ihn nicht.

„Danke“, rief sie in Richtung des Riesentausendfüßlers, versicherte sich, dass ihr Schwert sicher in der Rückenscheide steckte, dann gab sie Feiqing einen Wink. „Dort entlang!“

„Ins Tal?“, fragte er ungläubig.

„Wohin sonst?“

„Vielleicht in Sicherheit?“

„Wir sind hergekommen, um mit ihnen zu reden.“

„Das war, bevor wir sie *gesehen* haben.“

Ungeduldig schüttelte sie den Kopf, ergriff seinen Arm und zog ihn mit sich. „Schnell!“

„Aber warum – “ Die Worte blieben ihm im Hals stecken, als er sah, wie die Formation der zwei Dutzend Luftschlitten auf sie zuschoss. Es erschien ihm am sichersten, sich unter dem Chitinkörper des Seelenschlunds zu verstecken, aber Wisperwind rettete ihm das Leben, als sie ihn zurückriss – denn im selben Moment setzte sich der Riesentausendfüßler in Bewegung. Tonnenschwere Segmente wälzten sich herum und rieben über den Felsboden. Mächtige Insektenbeine stampften kreuz und quer, während Li sich bemühte, ihre Schritte zu koordinieren. Und als sich das Ungeheuer endlich von der Stelle bewegte, sah Feiqing, dass dort, wo die Chitinpanzer den Boden berührt hatten, der Fels zu Sandkrumen zermahlen worden war. Hätte er selbst sich dort aufgehalten, wäre nichts von ihm übrig geblieben.

Während sich der Seelenschlund daranmachte, den Rückzug von der Bergkuppe anzutreten, wieder nach Süden, zurück in die Richtung, aus der sie gekommen waren, zog Wisperwind Feiqing mit sich nach Norden, den Hang hinab ins Tal. Es gab dort keine Bäume, zwischen denen sie hätten Schutz suchen können, nur hüfthohes Buschwerk, das gegen Blicke aus der Luft keinen Schutz bot.

„Wohin ... willst ... du?“, keuchte er, während er sich alle Mühe gab, in keine der tückischen Spalten zwischen Felsen und Geröll zu treten.

„Weg von ihm.“ Der Boden erbebte noch immer unter den trommelnden Schritten des Tausendfüßlers. „Er wird wissen, warum er vor ihnen flieht. Und wenn sie ihn einholen, will ich nicht in ihrer Reichweite sein. Und nicht in seiner.“

Feiqing wollte ebenso wenig unter ihm zerquetscht werden wie sie, trotzdem erschien es ihm unklug, noch tiefer in das menschenleere Tal hinabzusteigen. Dort unten lagen die ovalen Schatten der Luftschiffkolosse wie schwarze Seen in der Einöde. Die kleineren Schatten der Einmannschlitten rasten wie Ameisen zwischen ihnen umher. Am Grunde dieses Tales mochte es kein Leben geben, und doch war es derart von Bewegung erfüllt, dass Feiqing allein vom Anblick schwindelig wurde.

„Wir hätten trotzdem auf der anderen Seite des Berges bleiben sollen“, stieß er atemlos aus.

„Und dann?“, fuhr Wisperwind ihn an. „Eine halbe

Tagesreise bis zum nächsten Wald. Unterwegs hätten sie uns auf jeden Fall eingeholt."

„Aber hier unten ist nichts!", keifte er.

„Doch." Sie deutete auf den nächsten großen Luftschiffschatten, keine hundert Schritt vor ihnen. Er gehörte zu einem Koloss, der am linken Rand des Tales schwebte. Aber weil die Sonne bereits so niedrig im Westen stand, lag der Schatten viel weiter östlich.

Der finstere Fleck musste einen Durchmesser von vierhundert Metern haben, vielleicht noch mehr. Kein perfektes Versteck, ganz sicher nicht, aber zumindest waren sie im Schatten nicht auf Anhieb zu entdecken, wenn sie sich tief genug zwischen die Büsche kauerten.

Feiqing wollte sich gerade mit dem Gedanken abfinden, als ihm klar wurde, dass Wisperwind keineswegs daran dachte, sich zu verstecken. Im Näherkommen sah er, dass inmitten der Schattenfläche etwas von oben herabhing. Ein dickes Tau! Und als sein Blick daran nach oben schwenkte, erkannte er, dass über ihnen ein zweites Luftschiff schwebte, in dessen Gitterbauch das Ende des Seils verschwand.

„Du hast doch nicht vor – "

„Der Federflug trägt mich nicht so weit nach oben", gab sie zurück. „Aber an dem Seil kann ich es schaffen."

„Und ich?"

„Du wartest, bis ich zurückkomme."

„Allein? Hier unten?"

„Hast du einen besseren Vorschlag?"

„Ich – " Er verstummte, als er von ihrem Gesicht ablas,

dass etwas nicht stimmte. Aufgeregt fuhr er herum und sah den Hang hinauf zur Kuppe. Dann zum Himmel.

Die Formation der Luftschlitten hatte ihren Kurs geändert. Der Seelenschlund war längst hinter dem Berg verschwunden, aber die Geheimen Händler machten keine Anstalten, ihm zu folgen. Stattdessen legten sie sich über der Bergkuppe in eine elegante Kurve, änderten ihren Kurs – und kamen genau auf Feiqing und Wisperwind zu. Im Näherkommen war zu erkennen, dass die Menschen in den Aufhängungen sonderbare Helme trugen, die wie ein halbiertes Visier ihre rechte Gesichtshälfte bedeckten. Dort, wo das Auge saß, ragte ein fingerlanges Fernrohr aus dem Metall.

„Die hatten es nie auf den Seelenschlund abgesehen", sagte Wisperwind und schien es selbst nicht ganz glauben zu können.

„Aber warum auf uns?", kreischte Feiqing.

Sie schüttelte den Kopf. „Uns?", wiederholte sie tonlos. „Wohl kaum."

„Du meinst – "

Im selben Moment fiel von oben ein schweres Netz auf ihn herab und presste ihn zu Boden.

° ° °

Die Männer ließen sich Zeit, nachdem sie ihre Luftschlitten geschickt auf dem Felsboden gelandet hatten. Mehr als die Hälfte der Verfolgerflotte hatte wieder abgedreht und gewann an Höhe, während sich die übrigen acht nach der Landung mit routinierten Bewegungen aus ihren Gurten befreiten und zu den Gefangenen herüberkamen.

Wisperwind lag auf dem Rücken, auf ihrem Schwert, und war mit Armen und Beinen in die Maschen des Netzes verstrickt. Feiqing war auf den Bauch gefallen und strampelte und fluchte.

„Lass das sein“, sagte der erste Mann, der ihn erreichte. Seine Stimme war ruhig, aber befehlsgewohnt. „Du kannst dich gegen das Netz nicht wehren.“

In der Tat – dies war kein gewöhnliches Fangnetz. Dafür schmiegte es sich zu eng an Feiqing und den Boden, und die sechs Eisenkugeln, die es rundum beschwerten, ließen sich selbst unter größter Anstrengung nicht von den Felsen lösen. Etwas hielt sie daran fest, so als besäßen sie plötzlich ein Vielfaches ihres Gewichts.

„Außerdem“, sagte der Mann und blickte auf ihn herab, „solltest du es besser wissen, Feiqing.“

Wütend drehte Feiqing den Kopf so weit in den Nacken, wie das Netz es gerade eben zuließ. Es gelang ihm, den Mann genauer zu betrachten, obgleich die Abendsonne in dessen Rücken stand und sich sein Umriss dunkel wie ein Scherenschnitt vom goldroten Himmel abhob. Sein Gesicht war nur zu erahnen. Feiqing vermutete, dass er ihn selbst im hellen Licht nicht erkannt hätte. Bislang war der Vergessensfluch des Wächterdrachen mehr als gründlich gewesen.

Der Mann sah einen Augenblick länger nachdenklich auf ihn herab, dann trat er hinüber zu Wisperwind. „Wer bist du?“

„Wer fragt das?“

Er seufzte leise. „Mein Name ist Kangan. Hauptmann Kangan.“

„Wisperwind“, sagte sie und fügte nach kurzem Zögern hinzu: „Vom Schwerterclan der Stillen Wipfel.“

Kangan machte einen Schritt um sie herum, und nun fiel die Abendsonne gleißend auf sein Gesicht. Auf den ersten Blick war nicht zu erkennen, ob er Chinese war. Denn das linke Auge, das von dem Halbhelm unbedeckt blieb, war nicht menschlich. Li hatte die Wahrheit gesagt: In Kangans Gesicht prangte das Auge einer Eule. Nahezu rund, mit einer münzgroßen Pupille auf einem gelben Augapfel. Das Auge selbst war fast fingerbreit schwarz umrandet, und die Braue darüber so steil und buschig, dass sein Blick finster und zornig wirkte.

Kangan hatte langes schwarzes Haar, in das eine Vielzahl Federn eingewoben war, vielleicht die eines Raben oder schwarzen Adlers. Er trug lederne Kleidung, die an seinen kräftigen Oberarmen mit mehreren Bändern aus noch mehr Federn geschmückt war – Rangabzeichen, vermutlich, denn die anderen Schlittenflieger trugen jeweils nur eines oder zwei dieser Bänder. Alle hatten muskulöse Arme und Beine, auch die Frauen; zweifellos eine Folge des jahrelangen Flugs mit den Luftschlitten.

„Hauptmann klingt nicht nach einem Händler“, bemerkte Wisperwind.

„Wir schützen die Gildenschiffe“, entgegnete Kangan. Feiqing fiel es schwer, den Blick des einen Eulenauges zu deuten, doch der Tonfall des Hauptmanns verriet, dass er nicht sicher war, wie er mit seinen beiden Gefangenen verfahren sollte.

„Was habt ihr mit uns vor?“, fragte Wisperwind.

„Mit dir?“ Kangan zuckte die Achseln. „Wer hätte nicht von dir gehört, Schwertmeisterin? Wir haben keinen Streit mit deinem Clan und legen es nicht darauf an. Aber die endgültige Entscheidung obliegt nicht mir.“ Sein Eulenblick richtete sich auf den verdatterten Feiqing. „Was ihn angeht – nun, es gibt Gesetze für Ausgestoßene, die aus der Verbannung zurückkehren.“

Einer der anderen Männer zog eilfertig ein gebogenes Messer, lang wie ein Unterarm, aus einer federgeschmückten Scheide. Er machte einen Schritt auf Feiqing zu.

„Halt ... Moment mal ...“, stammelte Feiqing, ehe ihm die Angst die Stimme raubte.

Kangan hielt den Mann mit einem Wink zurück. „Nicht hier. Soll der Gildenmeister das endgültige Urteil sprechen.“

„Aber die Gesetze sind eindeutig“, widersprach der junge Schlittenflieger mit dem Messer.

Kangan war blitzschnell bei ihm und schlug ihm mit solcher Kraft in die ungeschützte Hälfte seines Gesichts, dass dem Mann die Klinge entglitt und er mehrere Schritte zurückgeworfen wurde. Eine der Frauen beugte sich über ihn und warf dem Hauptmann einen wütenden Blick zu.

„War das nötig?“, fuhr sie ihn an.

Kangan achtete nicht auf sie, sondern wandte sich wieder an die Gefangenen. „Was war das für ein Wesen, das da bei euch war?“

Feiqing plusterte sich auf. „Der allmächtige Seelenschlund!“, rief er in der Hoffnung, dass dies den Hauptmann beeindrucken würde.

Aber Kangan zuckte nur die Achseln. Offenbar hatte er nie vom Seelenschlund gehört, und auch die Größe der Kreatur schien ihn nur mäßig zu beeindrucken. „Wir haben es laufen lassen. Die Gilde will nichts mit solchem Gezücht zu schaffen haben.“

Feiqing lag eine Richtigstellung auf der Zunge, doch er fing einen warnenden Blick Wisperwinds auf, die ihm unter ihrem straff gespannten Fangnetz mit Mühe das Gesicht zugewandt hatte.

Kangan hob das Messer auf und warf es dem Schlittenflieger zu, der mithilfe der Frau wieder auf die Beine gekommen war. Mit steinerner Miene fing der junge Mann die Waffe auf und schob sie zurück in die Scheide.

„Bringt die beiden nach oben!“, befahl Kangan und wollte zurück zu seinem Luftschlitten gehen. Dann aber wandte er sich noch einmal um: „Verrat mir eines, Feiqing. Warum trägst du nach all der Zeit noch immer dieses lächerliche Kostüm?“

Feiqing knurrte. „Ist eine lange Geschichte.“

„Dann wollen wir hoffen, dass der Gildenmeister dir genug Zeit lässt, sie zum Besten zu geben.“

„Feiqing ist mein Freund“, warf Wisperwind ein. „Er steht unter dem Schutz meines Clans.“

Ihr Freund, dachte Feiqing, dem dieser Gedanke zum ersten Mal kam, noch dazu im ungünstigsten Augenblick. Nichtsdestotrotz war er beeindruckt.

„Dein Clan hat hier keine Macht“, sagte Kangan ungerührt. Einer seiner Männer beugte sich über die gefangene Wisperwind und zog das Schwert unter ihrem Rücken hervor, ohne dass sie etwas dagegen unternehmen konnte. „Und ich bitte dich, Wisperwind“, fuhr der Hauptmann fort, „versuche nicht, deinen Federflug einzusetzen, wenn das Netz dich freigibt.“

Auf eine Handbewegung Kangans hin spannten vier seiner Männer leichte Armbrüste, die an ihren Unterarmen befestigt waren. Die Waffen waren nicht länger als Schnappschlosspistolen, und darauf lagen keine Bolzen, sondern handtellergroße Scheiben, kreisrund und an den Rändern gezahnt; sie ähnelten den Wurfsternen, die manche Schwerterclans verwendeten. Sie glühten golden im Sonnenuntergang, als hätte man sie gerade erst aus dem Schmiedefeuer gezogen.

Feiqing war sicher, dass Wisperwind den Geschossen hätte ausweichen können – er hatte mit angesehen, wie blitzschnell sie im Federflug manövrierte –, doch sie nickte dem Hauptmann zu. Gut möglich, dass sie auf eine bessere Gelegenheit zur Flucht warten wollte.

Oder aber, dachte er erschrocken, dass sie überhaupt nicht an Flucht dachte! Sie waren hergekommen, um mit den Geheimen Händlern zu sprechen. Wie es aussah, stand dieses Gespräch kurz bevor. Wisperwind war kaltblütig genug, diese Gelegenheit wahrzunehmen und es auf mögliche Konsequenzen ankommen zu lassen.

Mehr als er sich eingestehen wollte, ängstigten ihn der archaische Federschmuck und die Eulenblicke dieser

Männer und Frauen; im Näherkommen wirkten sie wie Raubvögel, die sich über gefangene Mäuse beugten. Dass er unter dem Kostüm selbst solche Augen haben sollte, machte die Situation noch unwirklicher.

„Hoch mit ihnen!“, befahl Kangan, klappte das Halbvisier nach oben und enthüllte sein zweites Eulenauge. „Vor Sonnenuntergang will ich sie an Bord der *Abendstern* sehen.“

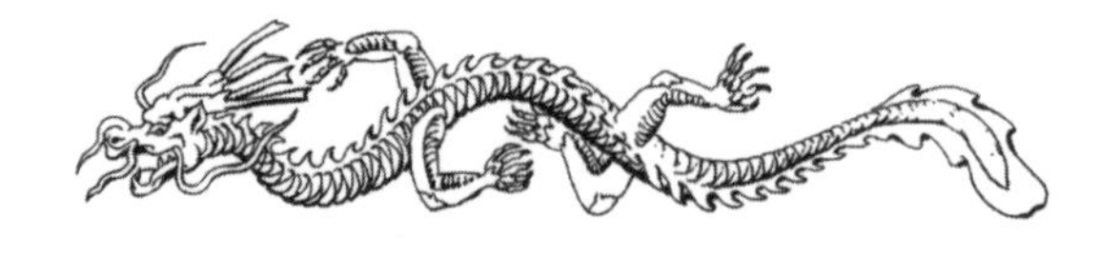

Das Gildenschiff

Sie mussten nicht fliegen, um hinauf zu einem der Mutterschiffe zu gelangen. Das war die gute Nachricht.

Die schlechte war, dass sie – die Arme auf dem Rücken gefesselt – in eine schwankende Gondel aus Korb verfrachtet wurden, die an einem einzigen Strick die ganzen vierhundert Meter nach oben gezogen wurde wie ein Eimer aus einem Brunnen. Dabei schwankte sie so erbärmlich hin und her, dass selbst Wisperwinds Gesicht ein ungesundes Grau annahm und Feiqing sich lautstark über den Rand des Gondelkorbs erbrach.

Obwohl sich die Quartiere und die Brücke der *Abendstern* vorn an der Spitze befanden, mündete das Seil am tiefsten Punkt in das verwobene Gitterwerk des Giganten. Dort gab es eine runde Plattform, in deren Mitte eine Öffnung klaffte.

Im Näherkommen erkannte Feiqing weitere Einzelheiten. Das Gitter, aus dem der riesige Schiffsleib bestand, hatte Ähnlichkeit mit einem Wespennest: ein gigantischer Balg aus Abertausenden von Waben. Die Papierwände dienten als Segel, in denen sich die Winde verfingen. Selbst jetzt, da die *Abendstern* augenscheinlich unbewegt in der Luft hing, wurden die Papierwaben permanent neu ausgerichtet, um die Lage des Schiffes an wechselnde

Windrichtungen anzugleichen. Das geschah nicht für jede Wabe einzeln, sondern stets für komplette Reihen, die über Stabmechanismen fernjustiert wurden. Infernalisches Knarren, Knirschen und Quietschen ertönte aus dem Inneren des Gitterwerks, vermischt mit tausendfachem Flattern, so als wären sie in einen gewaltigen Vogelschwarm geraten.

Gestalten erschienen am Rand der Öffnung. Sie hielten lange Haken in den Händen und begannen bald, nach der wild umherschwingenden Gondel zu angeln. Feiqing und Wisperwind duckten sich in den Korb, um nicht versehentlich von einer der Eisenspitzen aufgespießt zu werden.

Endlich gelang es einem der Männer, sie zu packen, und gleich darauf schlugen weitere Haken in den Rand des Korbes. Das Gefährt passierte die Öffnung und wurde auf die Plattform gehievt. Während die Männer sich daran machten, die beiden Passagiere auf festen Boden zu ziehen, tauchten im Hintergrund Kangan und einige seiner Soldaten auf.

Der Hauptmann und die anderen eskortierten die beiden Gefesselten mehrere Holztreppen hinauf, geradewegs durch den Irrgarten der mannshohen Papierwaben. Sie folgten langen, schnurgeraden Holzstegen, die nur durch ein einzelnes Führungsseil gesichert waren. Die Menschen, die im Wabenbauch des Schiffes lebten und arbeiteten, bewegten sich flink über die Planken. Sie hangelten sich an Strickleitern, Seilen und Netzen umher, und manche verharrten, um neugierige Blicke auf die beiden Gefangenen zu werfen. Kangan scheuchte sie mit ungeduldigen Gesten zurück an die Arbeit.

Feiqing erinnerte sich an nichts. Es war, als wäre er zum ersten Mal an solch einem Ort, und er teilte die Faszination, mit der Wisperwind sich umsah und jedes Detail der fantastischen Umgebung betrachtete.

Schließlich erbarmte sich Kangan und gab der Kriegerin einige Erklärungen, natürlich ohne Feiqing die geringste Beachtung zu schenken; der Hauptmann ging wohl davon aus, dass sein kostümierter Gefangener dies alles längst wusste.

„Der ganze Schiffsleib ist wie ein Bienenstock aufgebaut. Mit dem Unterschied, dass diese Waben beweglich sind und jede ihrer Papierwände in alle Richtungen gedreht werden kann. Die Luft verfängt sich in den Papierkammern und stabilisiert sie."

„Warum Papier?", erkundigte sich Wisperwind. „Warum kein Stoff wie auf Segelschiffen?"

„Eine Frage des Gewichts. Leinensegel wären um ein Vielfaches schwerer, und die Erdkräfte sind nicht beliebig belastbar."

„Erdkräfte?"

„Das *Chi* der Erde", sagte er mit einem Nicken. „*Chi* fließt nicht nur durch den menschlichen Körper, sondern auch entlang verborgener Adern durch das Innere der Erde. Unsere Schiffe können sich nicht beliebig übers Land bewegen, sondern müssen den Magnetkräften dieser Kraftadern folgen – du kannst sie dir wie unsichtbare Straßen vorstellen, von denen wir nicht abweichen dürfen. An manchen Orten treffen viele dieser Adern aufeinander und bündeln sich, so wie in diesem Tal, und das sind oft unsere Versammlungsorte, wo die Gildenschiffe einander begegnen, neues Wissen austauschen – und Waren, natürlich."

„Und wie spürt ihr diese Adern auf?"

„Weißt du, was eine Wünschelrute ist?"

„Sicher."

„Die Schiffe werden nach einem ähnlichen Prinzip gesteuert. Vorne auf der Brücke befinden sich unsere Spürer – menschliche Wünschelruten, könnte man sagen. Sie besitzen die Macht, den Verlauf der Adern zu wittern und ihnen zu folgen. Die meisten Kraftadern sind mittlerweile kartografiert, aber ohne die Spürer würde trotzdem nichts von all dem existieren. Sie sind es, die die Gildenschiffe mit ihren Kräften in der Luft halten."

„Wozu dann all die Papierwaben?"

Kangan lachte leise, so als hätte sie etwas sehr Naives gefragt. „Sie dienen zur Steuerung und gleichen die Kraft der Winde aus, damit sie uns nicht vom Kurs abbringen. Was diese Schiffe antreibt, ist einerseits die angeborene Macht der Spürer, andererseits die Kunstfertigkeit, mit der die Wabenstöcke konstruiert wurden."

Wisperwind musterte den Hauptmann von der Seite. „Hättet ihr tatsächlich vor, mich zu töten, würdest du mir das alles nicht erzählen."

Ein unangenehmes Lächeln spielte um Kangans Mundwinkel, und die riesigen Pupillen seiner Eulenaugen erschienen für einen Moment noch größer. „Vielleicht erzähle ich dir das alles, *weil* du sterben wirst."

Sie sah ihn einige Sekunden lang nachdenklich an, dann lachte sie plötzlich; aber sie stellte keine weiteren Fragen. Auch Kangan schwieg während des restlichen Weges.

Am Ende einer weiteren Treppe wuchs eine Wand aus Holz empor. Eine Tür führte nach vorn in den bewohnten Teil des Gildenschiffes. Auf dem letzten Stück ihres Weges durchquerten sie schmale Korridore, bis sie endlich die Brücke der *Abendstern* erreichten, den Fischkopf am Bug des Luftschiffes.

Ein Blick in den Raum genügte, um den Spürer zu entdecken.

Die Gestalt saß zusammengesackt auf einem thronartigen Hochstuhl, weit vorn in der Spitze des dreieckigen Raumes. Sie war klapperdürr, und es war unmöglich, mit Sicherheit festzustellen, ob es sich um einen Mann oder eine Frau handelte. Mumiengleich saß der Spürer da, Arme und Beine mit breiten Lederbändern festgezurrt, den Kopf vollständig von einem Gewebe aus goldenen Fäden umsponnen, die über dem Gesicht auseinanderfächerten und wie das Geäst eines Baumes aufwärtsführten und in der Decke verschwanden.

Wisperwind blickte die Gestalt wortlos und mit starrer Miene an. Auch Feiqing hielt es für klüger zu schweigen.

Eine Handvoll Männer war mit Hebeln und Schaltern beschäftigt, deren Bewegungen lautstark über Zahnräder und Lederriemen in die Tiefen des Schiffes weitergeleitet wurden. Es gab kein Steuerrad wie auf einer gewöhnlichen Schiffsbrücke, wohl aber einen Kapitän, der jetzt auf sie zukam.

„Der Gildenmeister", raunte Kangan den beiden Gefangenen zu.

Der Mann war schwarzhaarig und untersetzt. Er trug eine weite Pluderhose, ein Wams mit Weste und einen schmucklosen Umhang. Als er sprach, benutzte er akzentfreies Chinesisch. Schwarz-gelbe Eulenaugen zuckten von Feiqing zu Wisperwind, dann wieder zurück zu Feiqing. Kangan trat vor und redete leise auf ihn ein, ehe der Mann kurz nickte und sich vor den beiden aufbaute, breitbeinig, die Hände hinterm Rücken verschränkt.

„Warum bist du nicht tot, Feiqing?" Höflichkeit hielt er offenbar für Zeitverschwendung.

„Ich ... weiß nicht einmal, was das alles soll", stammelte Feiqing. „Anscheinend kennt ihr mich alle, aber ich habe keinen von euch jemals gesehen ... Nie in meinem Leben!"

Der Gildenmeister schnaubte leise, so als fehlte ihm die Zeit, sich mit derart absurden Ausflüchten abzugeben.

„Feiqing hat sein Gedächtnis verloren", kam Wisperwind ihm zu Hilfe. „Falls er schon einmal hier war, dann kann er sich nicht mehr daran erinnern." Ein wenig schärfer setzte sie hinzu: „Möglicherweise würde es ihm leichter fallen, wenn du dich uns vorgestellt hättest, Gildenmeister."

Der Meister wechselte einen düsteren Blick mit Kangan. Auch er trug Federn im Haar, wenn auch sehr viel geordneter – und bunter.

„Ihr sprecht mit dem ehrenwerten Gildenmeister Xu", sagte der Hauptmann statt seiner. „Und ihr solltet ihm den nötigen Respekt zollen."

Xu winkte ab. „Wir haben keine Zeit für so etwas. Die Gilde will keinen Streit mit deinem Clan, Wisperwind. Tatsächlich hat es früher einmal Handel zwischen meinen und deinen Vorfahren gegeben. Keiner von uns sollte es auf einen Streit anlegen."

„Warum bin ich dann gefesselt?"

„Wenn du mir dein Ehrenwort gibst, dass du nicht versuchen wirst, diesen" – er schenkte Feiqing einen abschätzigen Blick – „diesen Mann seiner Bestrafung zu entziehen, dann werde ich deine Fesseln lösen lassen."

„Feiqing ist mein Freund."

„Und er wurde nach dem Recht unserer Gilde verurteilt. Ich würde mir nicht anmaßen, die Gesetze *deines* Clans in Frage zu stellen."

Feiqing ging dazwischen. „Ich weiß nicht mal, was ich verbrochen habe!"

„Das mag die Wahrheit sein oder auch nicht", sagte der Geheime Händler. „An dem Urteil der Gilde ändert es nichts. Habe ich dein Ehrenwort, Kriegerin?"

„Bekomme ich mein Schwert zurück?"

Hauptmann Kangan wollte aufbrausen, aber der Gildenmeister brachte ihn mit einer Geste zum Schweigen. Er lachte leise. „Du bist mir mit der Klinge überlegen, Wisperwind. Aber versuche niemals, einen Geheimen Händler im Feilschen zu schlagen."

Sie starrte ihn schweigend an und wartete ab.

„Nun gut", sagte er nach einem Moment und musste zum zweiten Mal Kangans Einwand abwehren. „Dein Ehrenwort gegen deine Freiheit *und* deine Waffe."

Feiqing blickte mit großen Augen von einem zum anderen und konnte nicht glauben, was hier geschah. Doch als Wisperwind noch immer zögerte, verkniff er sich weiteres Gezeter und sagte gefasst: „Nun gib ihm schon dein Wort."

Ihr Blick suchte den seinen, und sekundenlang starrten sie einander stumm an. Dann nickte sie, noch immer ohne jeden Ausdruck. „Du hast mein Wort, Gildenmeister Xu", sagte sie zu dem Händler. „Ich werde mein Schwert weder gegen dich noch gegen einen deiner Männer wenden. Und ich werde nicht versuchen, Feiqing zu befreien."

„Wortklauberei!", schäumte der Hauptmann.

„Löst ihre Fesseln!", ordnete Xu an.

Kangan gab einem der Soldaten einen Wink. Augenblicke später war Wisperwind frei. Ein anderer Mann brachte mit nervös zuckendem Augenlid ihr Schwert; er schien die Waffe nur widerwillig zurückzugeben. In einer gleitenden Bewegung ließ die Kriegerin Jadestachel in der Rückenscheide verschwinden, und Kangan war nicht der Einzige, den ihre Schnelligkeit beunruhigte.

Aber Wisperwind machte keine Anstalten, ihr Wort zu brechen. Stattdessen sagte sie: „Und nun, als Gleichberechtigte, bitte ich dich, Meister Xu, meinen Freund von seinen Fesseln zu befreien."

„Das war nicht Teil unseres Handels."

Sie schüttelte den Kopf. „Kein Handel. Nur eine Bitte." Da war etwas in der Art, wie sie das letzte Wort betonte, das selbst dem schwitzenden Feiqing eine Gänsehaut über den Rücken jagte.

Kangan hob die Hand. Im Hintergrund richtete sich ein halbes Dutzend Armbrüste auf die Schwertmeisterin.

„Nein!“, fuhr Xu den Hauptmann an. „Sofort die Waffen herunter!“

„Aber – “

„Auf der Stelle!“

Die Soldaten hatten die Armbrüste bereits wieder sinken lassen, noch ehe Kangan das Kommando gab. Wisperwind schenkte dem Gildenmeister ein dankbares Nicken.

„Ich würde gern unter vier Augen mit dir sprechen.“

„Dafür ist jetzt keine Zeit. Wir werden jeden Moment ablegen.“

Sie wies mit einer Kopfbewegung auf den Spürer in seinem Nest aus Goldfäden. „Braucht er dazu deine Hilfe?“

„Spürer sind nur Werkzeuge“, erklärte er kühl.

„Ich werde dich nicht lange aufhalten. Auch darauf mein Wort. Und wenn es deinen eifrigen Hauptmann beruhigt, werde ich mein Schwert solange *freiwillig* in seine Obhut geben.“

Kangan schnaubte. „Jeder weiß, dass die Clankämpfer tausend Arten des Tötens kennen – und die meisten davon erfordern nichts als ihre bloßen Hände.“

„Töten?“ Sie hob prüfend eine Augenbraue. „Nenn mir einen Grund, warum wir mit einem Mal vom Töten sprechen, Kangan.“

Seine Unterlippe bebte, aber er blieb ihr die Antwort schuldig, als nun auch Xu in seine Richtung blickte. Mit einer resignierenden Geste gab er sich geschlagen. „Lasst mich an der Unterredung teilnehmen", bat er den Gildenmeister.

Xu nickte langsam. „Keine Waffen. Nur wir drei. Nicht länger als eine halbe Stunde."

„Einverstanden", antwortete Wisperwind. Ehe irgendwer der Bewegung folgen konnte, lag das Schwert bereits wieder in ihrer Hand. Sie reichte es Kangan, der es mit kaum merklichem Zögern an einen Soldaten weitergab.

„Wickelt die Klinge in Stoff", riet ihm Wisperwind. „Sie hat die Angewohnheit, zu jenen zu sprechen, die sie mit bloßen Händen berühren. Und sie weiß, wie man Menschen dazu bringt, sie zu stehlen."

Der Soldat, der die Klinge in Empfang genommen hatte, wurde bleich. Der andere, der das Schwert zuerst gehalten hatte, nickte mit zusammengekniffenen Lippen.

Xu legte seinen Umhang ab und warf ihn dem Soldaten zu, der Jadestachel hastig darin einwickelte. Unverhohlene Beunruhigung lag jetzt in seiner Miene.

Niemand aber fürchtete sich so sehr wie Feiqing. Die Wort- und Blickgefechte der anderen verwirrten ihn. Angestrengt suchte er nach Erinnerungen, nach *irgendetwas*, das ihm bekannt vorkam. Aber in seiner Erinnerung klaffte noch immer ein gewaltiger weißer Fleck wie auf einer Karte unerforschter Länder.

„Und ich?", fragte er heiser, als Wisperwind und die beiden Männer davongehen wollten. „Was wird aus mir?"

Sie warf ihm wieder einen dieser rätselhaften Blicke zu, für die sie ein ganz besonderes Talent besaß, aber sie sagte nichts.

Die drei zogen sich durch eine Seitentür in den Navigationsraum zurück; bevor der Eingang zufiel, sah Feiqing dort drinnen Regale voller Kartenrollen. Er stampfte wütend mit dem Fuß auf.

„Siehst du?“, rief er Wisperwind hinterher. „Genau das hab ich dir gesagt. Ich wusste, dass es Ärger geben würde!“

Xu sah über die Schulter. „Du hättest nicht zurückkommen sollen, Feiqing.“

° ° °

Die halbe Stunde musste längst verstrichen sein, doch noch immer war keiner der drei zurückgekehrt. Einmal war einer von Kangans Soldaten besorgt vor die Tür getreten und hatte angeklopft; aber aus dem Inneren des Navigationsraums hatte ihn die barsche Stimme des Hauptmanns zurechtgewiesen, er möge gefälligst abwarten, bis er gerufen werde, und die Unterredung kein weiteres Mal stören.

Feiqing hatte versucht, sich mit gefesselten Armen auf den Boden zu setzen, was letztlich als dumpfer Plumps aufs Hinterteil endete. Einige der Steuerleute und Soldaten lachten ihn aus, aber er ignorierte sie, so gut es eben ging, rückte sich leidlich bequem zurecht und lehnte sich an das Bein eines Tisches, auf dem weitere Karten ausgerollt waren.

Während er da saß und immer wieder Blicke auf die unheimliche Gestalt des Spürers warf, malte er sich aus, was gerade im Inneren des Navigationsraumes vorgehen mochte. Womöglich hatte Wisperwind dem Gildenmeister und diesem vermaledeiten Hauptmann längst den Hals umgedreht und ersann gerade eine List, um ihn zu befreien und diesen grässlichen Ort in Flammen aufgehen zu lassen. Er spürte keine Verwandtschaft zu den Geheimen Händlern, und falls sie wirklich seinen Tod wollten, dann sollten sie die Konsequenzen tragen. Er hatte Wisperwind kämpfen sehen. Er wusste, was sie vermochte. Bei den Göttern, sie hatte im Alleingang einen Wald voller Raunen bezwungen! Ein paar übersatte Kaufleute in ihren fliegenden Festungen würden da wohl kaum eine Schwierigkeit darstellen. Erst ihre Anführer, dann diesen Tölpel, der sich aus Angst vor ihrem Schwert fast in die Hose machte, schließlich den ganzen Rest. Ein wenig Klingenwirbel, ein wenig Federflug, und schon wäre die Welt wieder in Ordnung. Die Vorstellung allein genügte, in Feiqing einen hellen Hoffnungsfunken zu entzünden.

Dann aber fiel ihm ein, dass Wisperwind ihn nicht in diese unselige Lage gebracht hatte, um die Geheimen Händler niederzumachen. Ganz im Gegenteil. Sie wollte sie bitten, sie in die Himmelsberge zu bringen. Und ihm schwante düster, dass sie womöglich mit Worten ebenso überzeugend sein konnte wie mit ihrem dreimal verfluchten Schwert.

Der Spürer stieß ein lang gezogenes Zischen aus.

Feiqing fuhr zusammen. „Was, bei allen Heiligen Grotten – “

Die mumiendürre Gestalt legte den Kopf in den Nacken.

Die Goldfäden, in die ihr Schädel eingesponnen war, raschelten und blitzten, als sie sich spannten und aneinanderrieben. Mit einem Ruck stemmte sich der Spürer gegen die Lederbänder, die ihn an den Hochstuhl fesselten.

Ein Flüstern lief durch die Reihen der Steuerleute. Feiqing versuchte, in ihren Mienen zu lesen, aber die Eulenaugen wirkten nur unverändert bedrohlich.

Der Spürer warf sich erneut in seine Fesseln. Sein Kopf ruckte nach vorn. Unter dem Gewebe aus Goldfäden waren weder seine Augen noch andere Teile seines Gesichts zu erkennen. Im letzten Licht der Abendsonne hinter den Bugfenstern aus gelblichem Glas sah es aus, als stünde sein Schädel in Flammen. Lichtreflexe tanzten flirrend an den Fäden empor zur Decke.

Unter den Soldaten brach Unruhe aus. Einer der Steuerleute löste sich von seinem Platz an den Apparaturen und eilte zur Tür des Navigationsraums. Der Soldat, der von Kangan gescholten worden war, vertrat ihm den Weg. „Keine Störungen“, befahl er knapp.

Der Steuermann begann einen wortreichen Streit. Feiqing aber konnte seinen Blick nicht von dem Spürer lösen. Das Flirren des Goldes wurde noch heftiger, und allmählich kamen ihm Zweifel, ob es sich dabei tatsächlich um Spiegelungen der letzten Sonnenstrahlen handelte.

Der Spürer begann zu schreien. Schrill und kreischend.

Mit einer Kraft, die man seinem ausgezehrten Leib nicht ansah, stemmte er sich gegen die Fesseln und schüttelte den Kopf immer aufgebrachter und wilder, bis die ersten Goldfäden zerrissen.

Zwei Steuerleute versuchten, ihn festzuhalten. Der Mann, der noch immer mit dem Soldaten vor der Tür stritt, brüllte empört auf sein Gegenüber ein. Endlich gab der Wächter nach und gewährte ihm Zutritt zum Inneren des Navigationsraums.

Die Tür wurde aufgerissen, noch bevor der Steuermann anklopfen konnte. Gildenmeister Xu erschien kreidebleich im Rahmen, hinter ihm der sichtlich verstörte Hauptmann Kangan und eine besorgt dreinschauende Wisperwind.

Das Kreischen des Spürers schraubte sich höher. Weitere Goldstränge zersprangen wie überspannte Saiten eines Musikinstruments. Überall pressten sich Männer und Frauen die Hände auf die Ohren. Der Soldat, dem man Jadestachel anvertraut hatte, ließ das Schwert fallen; beim Aufprall pellte sich die Klinge halb aus dem Stoff und blieb schimmernd liegen, die Spitze wie eine Kompassnadel auf den Spürer gerichtet.

Eine Erschütterung ließ den Boden der Brücke erbeben. Hornsignale erklangen in der Ferne. Gleich an mehreren Stellen der *Abendstern* wurde Alarm gegeben, als das Schiff ins Schwanken geriet.

Alle, auch Meister Xu, Kangan und Wisperwind, hielten sich die Ohren zu.

Nur Feiqing saß da, die Arme auf dem Rücken gefesselt, und war den Schreien schutzlos ausgeliefert.

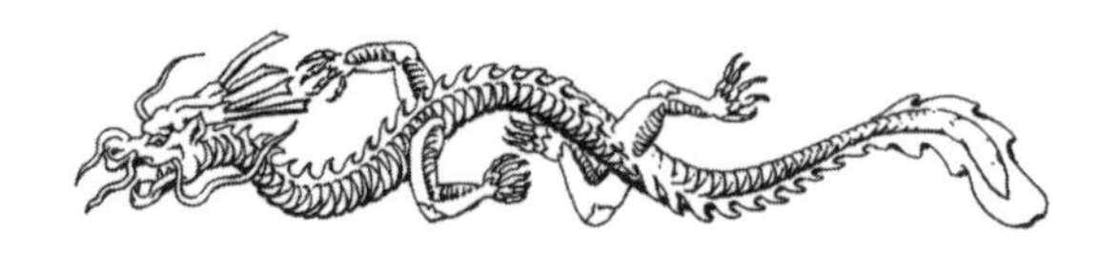

Ruinen

Nugua starb.

Der Tod hatte die Gestalt einer pulsierenden Hand angenommen, ein Umriss von dunklem Purpur, der sich unter ihrer Brust zusammenzog und ihr Herz beständig schneller schlagen ließ – wie ein Trommler während eines Rituals, der am frühen Morgen mit behäbigen Schlägen und langen Pausen begann, um sich am Abend, auf dem Höhepunkt der Zeremonie, zu einem irrwitzigen Wirbel zu steigern.

Lange würde ihr Herz das nicht aushalten. Es sandte ihr Signale, die von Tag zu Tag verzweifelter wurden. Schwächeanfälle, stechende Schmerzen, kurze Momente der Bewusstlosigkeit.

Solche Anfälle häuften sich. Sie bemerkte es meist an der veränderten Landschaft, die unter ihr und dem Riesenkranich dahinzog. Im einen Augenblick sah sie einen Ozean aus dürren Kiefern, im nächsten eine Einöde aus weißem Kalkstein. Sichere Anzeichen für eine weitere Ohnmacht.

Am Tag zuvor hatte sie begonnen, sich selbst auf den Rücken des Vogels zu fesseln. Sie band ihre Füße unter seinem Bauch zusammen; schlang sich ein Seil um die Taille und verknotete es; und sie redete mit dem Vogel, bat ihn, sie aufzufangen, falls sie trotz allem abstürzen sollte. Obwohl sie nicht wusste, ob das Tier sie verstand, war es doch gerade seine Ruhe, seine scheinbare Teilnahmslosigkeit, die ihr Mut machte. Der Kranich gab ihr das Gefühl, dass sie bei ihm gut aufgehoben war.

Zuletzt hatte sie sich unter Yaozis Obhut so beschützt gefühlt, als jüngstes und kleinstes Mitglied des Drachenclans.

„Ich will niemals ohne euch sein", hatte sie zu ihm gesagt.

„Das musst du nicht", hatte Yaozi geantwortet.

Aber Yaozi und sein Clan waren verschwunden. Er hatte ein Leben lang auf sie achtgegeben, und nun war sie allein. Sie war allein und starb.

Sie wusste nicht, wie weit es noch war bis zu den Himmelsbergen. Falls sich die Drachen wirklich in die Heiligen Grotten zurückgezogen hatten und *falls* es ihr gelang, bis dorthin durchzuhalten, mochte Yaozi einen Weg kennen, um sie zu heilen. Aber sie machte sich nichts vor. Ihre Chancen standen nicht gut. Und *nicht gut* war noch die hoffnungsvollste Einschätzung, die ihr einfiel.

Aber sie vermisste nicht nur die Drachen. Sie dachte oft an Niccolo, auch wenn sie ihn in Gedanken immer weiter von sich fortdriften sah, in die Arme dieses Mädchens. Dieser Mörderin. Als sie Niccolo begegnet war, hatte Nugua die Menschen verabscheut. Selbst Monate nach dem Verschwinden der Drachen hatte sie sich den Menschen noch immer überlegen gefühlt. Erst durch Niccolo hatte sie gelernt, ihre Abstammung zu akzeptieren. Trotzdem war da auch noch der Drache in ihr, die Tochter Yaozis. Sie war beides, Mensch und Drache. Niccolo hatte ihr gezeigt, dass man *anders* sein konnte, ohne darauf zu beharren, *besser* zu sein.

Auch Feiqing kam ihr oft in den Sinn, der tollpatschige, besserwisserische, manchmal unerträgliche, aber eben auch herzensgute Feiqing in seinem dummen Kostüm. Und Wisperwind ... nun, sie war eben Wisperwind. Nugua war ihr kaum begegnet, als sich ihre Wege am Ufer des Lavastroms schon wieder getrennt hatten.

Vor allem aber, und das überraschte sie, vermisste sie Li. Dass sie um den Xian trauern und ein schlechtes Gewissen haben würde, weil er sich für sie geopfert hatte – das war selbstverständlich. Aber dass er ihr tatsächlich fehlen würde, als Mensch oder Freund oder was immer er auch in Wahrheit gewesen war, das verblüffte sie.

Und gerade diese Verblüffung trieb den Dorn noch tiefer, machte den Verlust noch schmerzhafter. Warum war sie überrascht? Weshalb konnte sie nicht einfach traurig sein ohne jeden Vorbehalt? Zum ersten Mal ahnte sie, dass wahrhaftige Trauer unendlich viel komplizierter war als Tränen und Alleinsein. Trauer zog eine Schleppe aus Zweifeln, Schuld und hässlichen Fragen mit sich. Fragen, die man sich selbst stellte. Wer allen Ernstes glaubte, Trauer täte gut, der hatte noch nicht tief genug in den Spiegel geblickt, den sie einem vorhielt.

Die Wälder, die unter Nugua hinwegglitten, wurden wieder dichter. Schon hatte sie geglaubt, die kargen Kalklandschaften seien ein Anzeichen dafür, dass die Wüste nicht mehr fern war, die letzte große Herausforderung vor den Himmelsbergen. Aber nun wellte sich das Land wieder dunkelgrün bis zum Horizont, bergiger als zuvor und durchzogen von tiefen Furchen.

Wohin bringst du mich nur?, fragte sie den Kranich in Gedanken und ließ sich wieder vornübersinken, legte die schmerzende Brust an sein glattes Gefieder und presste die Wange an den Ansatz seines langen Halses. Der Vogel ließ es geschehen, auch wenn ihm ihre Last so weit vorn unangenehm sein musste. Wahrscheinlich spürte er, wie schlecht es um sie stand.

Als Nugua das nächste Mal die Augen öffnete, waren die Wälder verschwunden. Unter ihr breitete sich kahles Bergland aus wie zerknüllter Stoff. Sie sah weit und breit keinen Baum mehr und nahm an, dass sie den halben Tag verschlafen hatte. Oder war dies schon der *nächste* Tag? Der Kranich schien kaum Ruhe zu benötigen – er hatte von Li den Auftrag bekommen, sie ohne Verzug in die Himmelsberge zu tragen, und das tat er bislang mit unerschütterlicher Ausdauer. Aber konnte sie wirklich einen ganzen Nachmittag und eine Nacht verschlafen, ohne ein einziges Mal wach zu werden?

Bewusstlosigkeit ist kein Schlaf, sagte sie sich verstört. Aber sie hatte das Gefühl, dass es ihr wieder ein wenig besser ging – und das sprach dafür, dass sie tatsächlich lange ausgeruht hatte. Ihr Herz schlug noch immer viel zu schnell, aber der Schmerz konzentrierte sich jetzt allein auf ihren Brustkorb und streute nicht mehr in ihren ganzen Körper. Ihr Kopf tat nicht mehr weh, und das war eine Menge wert. Zum ersten Mal seit ihrem Aufbruch vom Drachenfriedhof konnte sie wieder klar denken.

Die triste Berglandschaft unter ihr erstreckte sich in Wellen aus verbranntem Ocker und schattigem Gelb, anders als all die Felsgebiete, die sie bislang überflogen hatte. Zum ersten Mal schien die Welt dort unten ihr zuzuraunen, dass die Wüste Taklamakan nicht mehr fern war.

Tatsächlich war es auch wärmer geworden; seltsamerweise war das die letzte Veränderung, die ihr bewusst wurde. Der Kranich hatte die Ausläufer des Gebirges passiert, vorüber an fernen, schneebedeckten Gipfeln, zuerst nach Norden, dann in einem weiten Schwenk nach Westen – vorausgesetzt, sie hatte in ihrem Zustand die Sternbilder nicht durcheinandergebracht, und das grelle Licht, das in ihren Augen brannte, war tatsächlich die Sonne und kein Fieberphantom.

Am Horizont waberte die Luft in weißgelber Glut. Dort musste die wahre Wüste liegen, die tödliche Dürre der Taklamakan. Aber auch die senffarbene Landschaft unter ihr kam dem, was sich Nugua unter einer Wüste vorstellte, schon recht nahe. Eine trockene Einöde, die man zusammengeschoben hatte wie einen Teppich, vielfach gefaltet und gewellt, und von deren Felsenkämmen jemand allen Sand hinab in die Senken geschüttelt hatte. Ja, dachte sie, wir sind auf dem richtigen Weg.

Bald darauf entdeckte sie die Stadt der Riesen.

° ° °

Von Weitem ähnelten die Ruinen einem Gletscher aus Stein, der sich als breites Band über ein abschüssiges Felsplateau ergoss, um schließlich über die Kante eines tiefen Abgrunds zu fließen; dabei blieb er an dessen Steilwand haften und verlor sich viel weiter unten im Schatten. Denn die Stadt – oder das, was davon übrig war – war nicht nur horizontal auf dem Plateau errichtet worden, sondern auch senkrecht an einer Seite der Kluft hinab. Ihr Grundriss war lang und, im Vergleich dazu, schmal – wie ein kolossales Winkeleisen, das man über die Kante des Abgrunds gelegt hatte.

Wie groß das Ruinenfeld tatsächlich war, konnte Nugua nicht einmal schätzen. Zwanzig, dreißig Kilometer lang auf dem Plateau; wie weit es in den Abgrund reichte, war nicht zu erkennen. Die Kluft musste bodenlos sein, denn der Kranich folgte seit geraumer Zeit ihrem geschlängelten Verlauf, und nicht ein einziges Mal hatte Nugua den Grund ausmachen können. Das Ocker der Felswände wurde weiter unten zu dunklem Braun, dann zu undurchdringlichem Schwarz.

Die titanischen Bauten aus Steinquadern, die an der Steilwand hinauf und oberhalb davon über das weite Plateau wucherten, waren unfassbar groß. Dabei handelte es sich eindeutig um Ruinen, die früher *noch* höher gewesen waren, achthundert oder tausend Meter. Heute besaß keine mehr ein Dach, und auch die meisten Mauern waren vor langer Zeit eingestürzt. Doch selbst jene Teile, die noch aufrecht standen und die ehemaligen Ausmaße erahnen ließen, kamen an Höhe den Gipfeln des Vorgebirges gleich.

Schon aus der Ferne waren die Ruinen deutlich zu sehen gewesen, eine verwinkelte, seltsam geometrische Bergkette am Horizont. Anfangs hatte Nugua ihre Form für eine Täuschung gehalten, ein Trugbild der gleißenden Sonne, die Boden und Himmel in feurigem Wabern verschmelzen ließ. Nun aber wusste sie es besser.

Die Drachen hatten ihr von den Riesen erzählt. Einst hatten ihre gewaltigen Körper den Himmel verdunkelt, kaum einer kleiner als zweihundertfünfzig Meter. Das war, dachte sie jetzt erschüttert, mehr als *hundertfünfzigmal* so hoch wie sie selbst! Ein Riese würde sie überragen wie ein Mensch eine Ameise – und sie zertreten, ohne es überhaupt zu bemerken.

Aber es gab keine Riesen mehr, sie waren vor langer Zeit verschwunden. Es hieß, als die Götter noch in Fleisch und Blut durch die alten Reiche der Menschen gewandelt waren, da hatten sich auch die Riesen dann und wann in ihrer vollen Größe gezeigt. Die meiste Zeit aber verbargen sie sich als Teil der Landschaft, wenn sie Menschen in ihrer Nähe witterten. Wer vor einem liegenden oder sitzenden Riesen stand, der nahm ihn selten als lebendes Wesen wahr, eher als bizarr geformten Berg oder als Felsformation.

Die Drachen hatten nie erwähnt, dass die Riesen eigene Städte erbaut hatten. Und doch gab es beim Anblick der Ruinen keinen Zweifel. Niccolo hatte Nugua von der Kette aus Quadern erzählt, auf denen Wisperwind und er einen Fluss unten im Süden überquert hatten – die Kriegerin hatte das eine uralte Brücke der Riesen genannt. Die

Trümmerstadt war ebenfalls aus behauenen Blöcken erbaut, manche zehn oder zwanzig, andere fast hundert Meter hoch.

Der Kranich musste jetzt seit einer Ewigkeit ohne Pause geflogen sein, und es war kaum mehr zu übersehen, dass er schwächer wurde. Sie beschloss, auf einer der höchsten Ruinen zu landen. Dort kam niemand an sie heran, keine Nomaden oder Räuber, die sich weiter unten in den Steinschluchten der Riesenstadt verbergen mochten.

Sie redete mit heiserer Stimme auf den Vogel ein und erklärte ihm, was sie vorhatte. Diesmal antwortete er mit einem Krächzen und schien sie tatsächlich zu verstehen, denn er änderte seinen Kurs und flog jetzt auf einen der steinernen Kolosse zu. Früher einmal mochte dies die Wand eines Gebäudes gewesen sein; heute war es nur noch ein turmartiges Trümmerstück, mindestens zweihundert Meter hoch, aufgeschichtet aus Quadern, die der sandige Wind an den Kanten rund geschmirgelt hatte.

Die Oberfläche des höchsten Felsklotzes mochte fünfzig mal fünfzig Schritt betragen. Die Sonne brannte unbarmherzig auf die raue Plattform herab, und als der Kranich sich darauf niederließ, wuselten unter ihm winzige Eidechsen auseinander, die sich in der Hitze ausgestreckt hatten. Es schien unzählige dieser fingerlangen Tiere auf der Quaderfläche zu geben. Sie erinnerten Nugua an die verschwundenen Drachen, winzig kleine Verwandte von Yaozi und seinen Brüdern und Schwestern. Einmal mehr wurde ihr bewusst, wie sehr sie ihre Gesellschaft vermisste.

Mit zitternden Fingern löste sie ihre Fesseln und rutschte vom Rücken des Kranichs zu Boden. Die Steinfläche war heiß, aber nicht so sehr, dass sie sich daran hätte verbrennen können. Aus ihrem Bündel zog sie einen halb vollen Wasserschlauch und trank hastig daraus. Der Kranich hatte seinen Durst dann und wann an Tümpeln und Flüssen gelöscht, aber das letzte Mal lag lange zurück. Trotzdem scheiterte ihr Versuch, ihm Wasser aus dem Schlauch einzuflößen. Irritiert zog er den Schnabel fort, als sie ihm mit dem Gefäß zu nahe kam.

„Du musst trinken", sagte sie zu ihm. „Wir kommen bald in die Wüste, und dort wird es noch schwieriger werden, Wasser zu finden."

Der Kranich reagierte nicht darauf, schob sich zu einer Kugel zusammen und steckte den Schnabel unter einen Flügel. Augenblicklich schlief er ein, und Nugua behelligte ihn nicht weiter. Das Tier war schlau genug, um selbst zu wissen, wann es Flüssigkeit nötig hatte.

Bald schlief sie ebenfalls, den Kopf an das weiche Gefieder gelehnt. Sie träumte schlecht, aber als sie erwachte, konnte sie sich an keine Einzelheiten erinnern.

Es war tiefe Nacht geworden. Über ihr wölbte sich ein kristallklarer Sternenhimmel. Keine Wolken weit und breit, nicht einmal Dunst. Ein heller Mond übergoss die Ruinenstadt mit weißem Schimmer.

Der Kranich rührte sich im Schlaf, öffnete aber kein Auge. Nuguas Herzrasen überschlug sich fast. Sie wagte noch immer nicht, ihr Wams zu heben, um nachzusehen, wie weit sich der todbringende Handabdruck zur Faust geballt hatte. Sie wollte gar nicht wissen, wie viele Tage ihr noch blieben, und sie hatte aufgehört, die verstrichenen zu zählen.

Mühsam rappelte sie sich auf, spürte den kühlen Höhenwinden nach und kam zu dem Schluss, dass sie nicht stark genug waren, um ihr hier oben gefährlich zu werden. Sie konnte sich ohne Weiteres näher an eine der Quaderkanten wagen und einen Blick in die Tiefe riskieren.

Die Ruine, auf der sie sich befand, war keineswegs die höchste, aber sie überragte einen genügend großen Teil der Stadt, um einen beeindruckenden Ausblick zu gewähren. Von hier aus schien es, als würde sich der Irrgarten aus tiefen Schluchten und schwindelerregenden Trümmerpyramiden in allen Richtungen bis zum Horizont erstrecken. Irgendwo dort drüben, viele Kilometer weiter im Westen, begann die Taklamakan, und dahinter, noch unsichtbar in der Ferne, lagen die Himmelsberge. Nugua hatte nur noch wenig Hoffnung, dass sie es rechtzeitig bis dorthin schaffen würden, aber sie wollte den Kranich nicht wecken und zur Eile treiben. Nach dem tagelangen Flug brauchte er die Ruhe so dringend wie sie selbst.

Die Ruinenstadt lag leblos da. Nirgends sah sie Feuer in der Tiefe. Vielleicht wagten sich die Nomadenstämme nicht in die Nähe der uralten Monumente. Aber selbst von hier oben konnte Nugua nur einen Bruchteil der gesamten Trümmerausdehnung überblicken, und schon hinter dem nächsten Quaderturm, dem nächsten Mauergebirge mochten Räuberhorden ihren Unterschlupf eingerichtet haben.

Als sie sich umdrehte, hatte sich der Kranich lautlos aufgerichtet. Er streckte den Hals und bog das Haupt nach hinten, um seine steife Muskulatur zu lockern.

„Genug geschlafen?“, fragte sie, als sie mit schleppenden Schritten zu ihm zurückkehrte. Sein Gefieder war gesträubt. Er schaute in die Ferne, zurück nach Osten, woher sie gekommen waren.

„Hast du etwas gewittert?“ Sie folgte seinem Blick, sah aber nur Schwärze zwischen den Sternen. „Vielleicht sollten wir wirklich weiterfliegen. Aber erst müssen wir Wasser für dich finden, wenn du schon nicht aus dem Schlauch trinken willst.“

Er legte sich wieder ab, eine Aufforderung aufzusteigen. Selbst dabei wirkte er noch angespannt. Nugua hatte kaum Platz genommen und nach den Zügeln gegriffen, da spreizte er schon die Schwingen und hob ab.

Mit rauschenden Schlägen trug er sie über die Kante des Quaders. Unter ihr gähnte jetzt die mondweiß gesprenkelte Dunkelheit der tieferen Ruinen, ein Labyrinth aus kantiger Schattengeometrie.

Der Kranich flog nicht schnurgerade nach Westen, was sie vermuten ließ, dass er sich tatsächlich auf die Suche nach Wasser machte. Er war klüger als ein gewöhnlicher Vogel, und dennoch musste ihm die Weitsicht fehlen, dass vor ihnen die Wüste lag. Wahrscheinlich hatte er Durst und folgte einfach seinem Instinkt.

Die bodenlose Kluft, der sie stundenlang gefolgt waren, befand sich südlich von ihnen, und genau dort flog der Kranich jetzt hin. Er musste einige der höheren Ruinen umrunden, tat das aber in so sanften Kurven, dass Nugua niemals in Gefahr geriet, von seinem Rücken zu rutschen. Sie hatte sich vor ihrem Aufbruch nicht festgebunden, und selbst darauf nahm das Tier nun Rücksicht.

Im Süden erhoben sich die Berggiganten des Himalaya, majestätische Silhouetten vor dem Nachthimmel. Doch davor, so als hätte jemand ein Stück von der Welt einfach ausradiert, lag der tiefschwarze Abgrund. Ein grässliches Nichts tat sich erst vor, dann unter dem Kranich auf, als die waagerechte Ausdehnung der Riesenstadt endete und sich an der Felswand der Kluft senkrecht in die Tiefe fortsetzte. Die aufragenden Ruinen standen hier viel gedrängter, vermutlich auf treppenartigen Absätzen, aber das war bei Nacht – und womöglich auch am Tage – nicht zu erkennen.

„Du willst doch nicht da runter?“, keuchte Nugua in den Gegenwind.

Der Vogel ging in einen Gleitflug über, die Schwingen weit ausgebreitet. Statt steil in die Tiefe vorzustoßen, begann er zu kreisen – auf einer sanft geneigten Bahn, die sich hinab in die Schwärze schraubte.

„He! Nicht in die Schlucht! Wir finden auch anderswo Wasser!“

Aber der Kranich wich nicht von seinem eingeschlagenen Kurs ab, folgte jetzt stur seiner Witterung.

„Hörst du?“ Sie zerrte an den Zügeln. „Nicht dort hinunter!“

Der Gegenwind kam jetzt nicht nur von vorn, sondern auch von unten. Sie sanken noch schneller.

Nugua fror. Sie hatte sich beinahe an ihren hämmernden Herzschlag gewöhnt, aber jetzt war ihr, als pulsierte das Blut sogar in ihrem Schädel so heftig, dass er zu platzen drohte. Angst schnürte ihr den Atem ab, als sie unter sich nur noch schwarze Leere erblickte, wie ein Spiegelbild der Nacht, aus der jemand alle Sterne gestohlen hatte.

Hoch über ihr waren der Himmel und – noch weiter oben, unsichtbar – der Aether.

Unter ihr aber war *nichts*.

Nur Finsternis. Furcht. Und das geisterhafte Echo ihres Herzschlags.

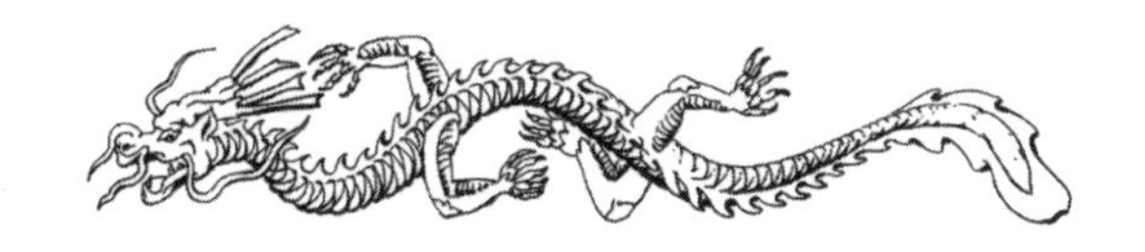

Das Erwachen der Schläfer

Zu Beginn ihres Abstiegs in die Tiefe waren da noch die aufstrebenden Ruinen der Riesenstadt gewesen, an die Wand der Kluft geheftet wie Korallen an ein Riff. Bald aber krochen die Schatten daran empor, verschlangen schließlich auch den letzten steinernen Dom, das letzte Trümmergerippe.

Darunter war nur noch Schwärze.

Wie tief sie vorgestoßen waren, vermochte Nugua nicht zu sagen. Ihre Gänsehaut war jetzt nicht mehr nur eine Folge ihrer Angst. Es war kalt hier unten, und es wurde immer kälter. In der absoluten Finsternis ließ sich nicht mehr feststellen, wie schnell sie sanken, aber sie spürte, dass der Kranich noch immer Runde um Runde zog, eine weite, nicht enden wollende Spirale.

Sie versuchte weiterhin, ihn zur Umkehr zu bringen, aber er hörte nicht auf sie. Zuletzt nahm ihre Furcht derart überhand, dass sie nur noch flüsterte und ihre Worte mit dem Gegenwind davonwehten. Die Schwärze des Abgrunds war vollkommen. Nur wenn sie nach oben sah, erkannte sie die Felskanten, ein Band aus Nacht und Sternenhimmel, das sich über ihr drehte und dabei immer schmaler wurde. Die Schlucht war ungeheuer breit, mehr als tausend Schritt, und dass ihre Ränder nun zu einem

Spalt in der Dunkelheit geschrumpft waren, diente als einziger Anhaltspunkt für ihre tatsächliche Tiefe.

Als sie mit einem Mal einen Lichtschimmer ausmachte, schien ihr Flug in den Abgrund bereits ewig zu dauern. Sie glaubte erst, ihre Augen hätten sich an die Finsternis gewöhnt, doch bald erkannte sie, dass das nicht stimmte.

Da war Licht, eine vage, unbestimmte Helligkeit ohne sichtbare Quelle.

Und Formen.

Alles deutete darauf hin, dass sich unter ihr der Boden des Abgrunds befand. In unirdischem Schimmer sah sie Erhebungen in den Tiefen der Schlucht, durchzogen von engen, verwinkelten Schneisen.

Sie hielt weiter Ausschau nach dem Ursprung der silbrigblauen Helligkeit und entdeckte schließlich, dass sie nicht vom Boden ausging, sondern von den Wänden der Schlucht. Sie versuchte, sich zu orientieren, war aber mit einem Mal nicht mehr sicher, wo Norden und wo Süden war. Der Kranich flog noch immer seine weit ausholenden Kreise, und sie erkannte erst bei einem Blick nach oben, welche die Stadtseite der Kluft war. Verzahnt und klobig ließen sich die Silhouetten der Ruinen erahnen. Sie streckten sich an der Felswand dem Nachthimmel entgegen, und nun sah sie auch, dass die Bauten bis hierher, zum tiefsten Punkt des Abgrunds, reichten. Der unheimliche Lichtschimmer ging von wolkigen Flächen aus, die an den Quadern, aber auch am natürlichen Fels emporgewuchert waren. Eine Art Schimmelpilz, wahrscheinlich. Sie hatte Ähnliches schon in den Höhlen beobachtet, in denen der Drachenclan gelegentlich Unterschlupf gesucht hatte, oder auch in hohlen, vermoderten Baumstämmen. Die Pilzkissen am Fels nahmen gewaltige Flächen ein, unfassbar groß wie alles in der Stadt der Riesen. Zugleich waren sie ein Anzeichen für Feuchtigkeit und damit für Wasser; seine Witterung hatte den Kranich also nicht getrogen.

„Na gut“, sagte sie zittrig, als der Vogel allmählich langsamer wurde und sie über den verschlungenen Felswällen am Boden des Abgrunds kreisten, „such dir dein Wasser, und dann verschwinden wir von hier.“

Der Kranich brach aus seiner Kreisbahn aus und flog nun etwa zwanzig Meter über den höchsten Kuppen des Bodens nach Osten. Der Schimmelglanz war nahe der Felswand und den unteren Ruinen heller als in der Mitte der Schlucht. Die gegenüberliegende Seite ließ sich als Hauch von Helligkeit erahnen, aber dazwischen lag ein breiter Streifen Finsternis. Nur die Umrisse der Hügellandschaft am Grund der Kluft hoben sich vage davon ab.

Ein helles Krächzen drang aus dem Schnabel des Kranichs, während er dem Verlauf der Schlucht in östliche Richtung folgte. Das Echo hallte von den Felsen wider und schien den beiden zu folgen wie eine Spur, die nicht zu sehen, wohl aber deutlich zu hören war. Falls es hier unten Leben gab – und davor mochten die Götter sie bewahren! –, musste es spätestens jetzt auf die Eindringlinge aufmerksam werden.

„Sei still!“, zischte sie dem Vogel zu.

Er ging jetzt tiefer, tauchte in den engen Spalt zwischen

zwei wallförmigen Verwerfungen am Boden. Ganz vage erkannte Nugua im Schimmelglanz einen Wasserlauf. Gut, dachte sie, umso schneller sind wir wieder von hier fort.

Der Kranich landete, machte einen letzten gestelzten Hüpfer und senkte den Schnabel in den Bach. Das Gewässer gluckste leise, während es sich seinen verschlungenen Weg durch das Halblicht suchte. Es war nicht breiter als drei Schritt. Kurz dahinter stieg die nächste Erhebung empor.

Nach einigem Zögern sprang Nugua vom Rücken des Vogels und entkorkte die beiden Lederschläuche aus ihrem Bündel. Sie ging in die Hocke und tauchte die Gefäße ins Wasser. Es war noch viel kälter, als sie erwartet hatte, und sie fragte sich, ob selbst bei Tag die Sonnenstrahlen bis in diese Tiefe reichten. Auch der Boden war eisig.

Der Vogel trank noch immer. Möglich, dass er in der Lage war, Wasser zu speichern, so wie das die Drachen konnten oder die Kamele der Nomaden.

Die Schläuche füllten sich durch die enge Öffnung nur langsam. Schon kroch die Kälte des Felsbodens durch Nuguas Füße an ihren Knochen hinauf. Ihr Herz hämmerte unvermindert, und ihr Magen zog sich zusammen. Ihre Hände bebten, und ihr wurde wieder schwindelig. Bitte nicht gerade jetzt!, flehte sie im Stillen. Sie durfte jetzt nicht bewusstlos werden, nicht hier unten!

Sie riss den Kopf hoch, als sich etwas bewegte. Rechts von ihr! Ihre zitternden Finger verloren fast den einen

Wasserschlauch. Sie bekam ihn gerade noch zu fassen, bevor die Strömung ihn davontragen konnte, schaute dabei aber weiter nach rechts ins Dunkel.

Nichts zu erkennen. Der Wasserlauf machte dort eine Biegung und verschwand hinter einem Wall aus Finsternis. Der Schimmel an den Wänden des Abgrunds glühte nicht bis hierher. Das wenige Licht, das die Senke dämmerig erhellte, stammte von Pilzkissen am Ufer des Wassers, aber ihr Schein war zu schwach und reichte kaum aus, das andere Ufer des Baches zu erkennen.

Alles in Nugua schrie danach, auf den Rücken des Kranichs zu klettern und von hier zu verschwinden. Aber sie zwang sich, die Schläuche wieder unter die Oberfläche zu tauchen, wenigstens solange der Vogel weitertrank; er senkte dazu den Schnabel immer wieder in den Bach, reckte ihn ruckartig nach oben und ließ das Wasser seine Kehle hinablaufen. Vielleicht war es nur eine seiner abgehackten Bewegungen, die Nugua wahrgenommen hatte.

Aber er steht links von dir!, flüsterte ihre innere Stimme. Nicht rechts!

Aus dem ersten Wasserschlauch stiegen keine Bläschen mehr auf. Nugua zog ihn hervor und steckte mit den Zähnen den Korken in die Öffnung; er war mit einer Schnur an dem Schlauch befestigt. Das zweite Gefäß hielt sie weiter unter Wasser und wartete ungeduldig darauf, dass es endlich voll war.

Erneut regte sich etwas. Nicht nur rechts von ihr, sondern auch in ihrem Rücken.

Diesmal sprang sie auf und stolperte rückwärts zum

Kranich. Auch er blickte hoch und stieß ein leises, warnendes Gurren aus.

Aber wieder sah sie nur Finsternis und die gerundete Schräge der Erhebung, nicht weit vom Ufer entfernt. Zum ersten Mal fiel ihr auf, dass der Fuß des Hanges in tieferem Schatten lag als seine höher gelegene Fläche, so als wölbe er sich unten auf ganzer Breite nach innen. Möglich, dass dies keine gewachsenen Hügel waren, sondern Trümmerteile, die von oben herabgefallen waren.

Sie verschloss den zweiten Wasserschlauch und schob beide mit fahrigen Bewegungen in ihr Bündel. Es lag neben dem Kranich am Boden, und sie musste sich bücken, um es aufzuheben.

Ein lang gezogenes Schleifen und Scharren ließ sie hochfahren. Der Boden erzitterte unter ihren Füßen.

„Weg hier!“, raunte sie dem Vogel zu und zog sich auf seinen Rücken. Zweimal griff sie im Dunkeln an den Zügeln vorbei, ehe sie die Lederbänder endlich zu fassen bekam. Der Kranich stieß ein Kreischen aus und spreizte die Schwingen.

„Los!“, brüllte sie ihn an. „Mach schon!“

Seine langen Beine federten kurz, dann schnellte der Vogel in die Luft. Der Wasserlauf blieb unter ihnen zurück. Die scharrenden Laute drangen jetzt aus allen Richtungen, dazu kam Poltern und Fauchen. Als Nugua unter sich blickte, war ihr, als wäre die Senke, durch die sich der Bach schlängelte, enger geworden. So als hätten sich die Erhebungen zu beiden Seiten aufeinander zugeschoben.

Ein Erdbeben!, durchfuhr es sie. Unwillkürlich raste ihr

Blick hinauf zum weit entfernten Himmelsspalt. Panisch erwartete sie, dass ihnen von dort Felsbrocken und Trümmer entgegenstürzten.

Aber dort oben sah alles aus wie zuvor.

Ganz im Gegensatz zu *unten*.

Der Kranich kreischte wieder. Nugua presste die Beine fest um seine Flanken, als sie sah, was am Grunde der Schlucht vor sich ging. Obwohl der Vogel jetzt schräg nach oben stieg, waren sie noch keine hundert Meter weit gekommen. Ihr fehlte der Überblick, um wirklich sicher sein zu können. Eine Vermutung wallte siedend heiß in ihr auf und mit ihr eine Panik, die sie zuletzt im Angesicht des Seelenschlunds verspürt hatte. Ihn aber hatte sie zumindest *sehen* können. Die Wesen am Boden der Schlucht dagegen erahnte sie kaum – und doch war sie jetzt ganz sicher, dass sie wirklich waren, keine Einbildung.

Die Erhebungen waren keine Felsen, keine herabgestürzten Trümmer und erst recht keine Verwerfungen.

Es waren Körper – die Arme und Beine von Riesen.

Wie viele dort lagen, konnte sie in der Dunkelheit nicht erkennen. Der Abgrund mochte voll mit ihnen sein, einem ganzen Volk, Hunderten oder Tausenden dieser Giganten. Aber im Glosen der Schimmelpilze reichte Nuguas Blick nicht weit genug. Nicht einmal *einen einzigen* konnte sie in seiner vollen Größe ausmachen, und dass es mehr als einer war, ließ sich gerade einmal erahnen.

Riesen! Jeder einzelne hundertfünfzigmal so groß wie sie selbst, wenn er sich aufrichtete – und offenbar war es das, was gerade geschah.

Ein tiefes Grollen ertönte, dann verschoben sich die titanischen Glieder dort unten erneut, und diesmal war es kein Zucken im Schlaf, kein leichtes Rumoren. Diesmal setzte sich der Riese auf.

Sein Oberkörper wuchs hinter Nugua und dem Kranich empor wie ein Berg, der sich unvermittelt aus der Erde wölbte. Die Luft selbst erzitterte, als sie von Tausenden Tonnen Körpermasse verdrängt wurde. Der Vogel konnte nicht noch steiler aufsteigen, ohne Nugua abzuwerfen, aber sie trieb ihn trotzdem an, brüllte und schrie, als sie das ungeheuerliche Wesen in ihrem Rücken spürte, ein Turm, der eben noch gelegen hatte und nun plötzlich senkrecht stand. Und das war erst sein Oberkörper! Noch saß der Riese am Boden.

Es musste einen Grund geben, warum diese Wesen hier unten schliefen, in dieser finsteren Schlucht, Tausende Meter vom Erdboden und seinen Bewohnern entfernt. Vielleicht versteckten sie sich. Und vielleicht hatten sie lange befürchtet, dass jemand von oben sie entdecken könnte. Womöglich war das Grund genug, den winzigen Flüchtling einzufangen und zu zerquetschen wie eine lästige Fliege.

Nugua warf einen weiteren Blick über die Schulter. Der Riese war nicht länger unter, sondern *hinter* ihr, das gewaltige Gesicht genau auf ihrer Höhe. Zum ersten Mal begriff sie, dass ein Riese nicht einfach nur ein großer Mensch war. Tatsächlich hatte er kaum etwas Menschliches an sich, abgesehen von der Tatsache, dass er Arme und Beine besaß.

Der Schimmelschein am Boden verlor sich in der Tiefe. Der Kranich stieß in dieselben pechschwarzen Regionen vor, die sie bereits bei ihrem Abstieg durchquert hatten. Und so versanken auch die Umrisse des Riesen in einem Ozean aus Dunkelheit. Allein sein Gesicht blieb als vage Ahnung zu erkennen, fünfzig oder hundert Meter hinter ihnen. Es war eine Fratze wie aus Fels gehauen, so grob und kantig wie ein uraltes Götzenbild, und die Haut, die sie überspannte, hätte ebenso gut schwarzer Schiefer sein können. Es gab keine Lippen, nur einen breiten Spalt, der leicht offen stand und aus dem das Rasseln und Fauchen aufstieg wie aus einem erwachenden Vulkan. Und da waren auch Augen, tiefschwarze Ovale wie finstere Grotten. Die Stirn wölbte sich vor, weit über die flache Nase hinweg, und sie erschien viel zu niedrig für einen Schädel dieser Größe.

Jeden Augenblick rechnete Nugua damit, dass eine titanische Hand von unten nach ihr greifen würde. Einmal meinte sie einen heftigen Luftzug zu spüren, nicht den Gegenwind, sondern eine Bewegung seitlich von ihr, und sie fragte sich, ob da gerade ein hundert Meter langer Arm nach ihr geschlagen und sie knapp verfehlt hatte. Vielleicht war es gut, dass sie nichts sehen konnte. Sonst hätte der Irrsinn sie wahrscheinlich eingeholt, bevor der Riese es tun konnte, und sie auf dem Vogel erstarren oder abrutschen lassen.

So aber stiegen sie höher und höher, bis auch das Gesicht im Dunkeln zurückblieb. Der Riese hatte *gesessen*, überlegte Nugua erneut. Was, wenn er sich erst zu voller

Größe aufrichtete? Und vermochte er das schneller zu tun, als der Kranich vor ihm davonfliegen konnte? Sie waren noch nicht außer Gefahr.

Auch aus anderen Richtungen erklang jetzt das tiefe Dröhnen und Knurren. Die Chance, dass es sich um Echos handelte, erschien Nugua zu gering, um sie auch nur in Erwägung zu ziehen. Weitere Riesen waren erwacht, und überall um sie in der Schwärze war jetzt Bewegung, eher spür- als sichtbar.

Der Flug zog sich endlos. Obwohl der Kranich jetzt in gerader Linie aufstieg, kam es Nugua vor, als wären sie beim Sinkflug in die Tiefe viel schneller gewesen.

Endlich erkannte sie schräg über sich die ersten Oberflächen von bleichen Ruinen, senkrecht an der Felswand aufgetürmt. Der Kranich näherte sich dem oberen Teil der Schlucht, der vom Mond und den Sternen blass erleuchtet wurde. Die Reichweite der Riesen hatten sie damit hinter sich gelassen. Aber folgten ihnen die Giganten durch das Stufenlabyrinth ihrer Ruinenstadt? Nugua strengte sich an, um etwas zu erkennen, aber sie konnte nur die kilometerbreiten Bauten ausmachen, kein Anzeichen von Leben in den Schatten dazwischen.

Obwohl noch immer tiefe Nacht herrschte, war es hier oben merklich wärmer als unten im Abgrund. Ein Jubelschrei drängte ihre Kehle herauf, als sich das Panorama der Sterne öffnete. Der Himmel war mit einem Mal wieder endlos, nicht nur ein schmaler Spalt über ihr im Finsteren. Die Landschaft dehnte sich in alle Richtungen, und die Weite erfüllte sie schlagartig mit einer Ehrfurcht, als hätte sie Jahre in einem unterirdischen Kerker verbracht.

Selbst der Kranich stieß ein freudiges Krächzen aus, als er die Felskante hinter sich ließ, an den Ruinen hinaufschoss und bald schon darüberschwebte. Die Höhenwinde fuhren in Nuguas Kleider und das Gefieder des Vogels, aber diesmal erschienen sie ihr nicht unangenehm, sondern befreiend nach der beklemmenden Tiefe.

Sie warf einen letzten Blick in die Schlucht. Was immer dort unten verborgen lag, war wieder unsichtbar geworden. Hatte sie das götzenhafte Titanengesicht wirklich gesehen, oder war es nur Einbildung gewesen? Und der Luftzug, die Bewegungen? Nein, das alles war real gewesen, sie war ganz sicher. Doch zusammen mit den Ruinen blieb auch die Angst unter ihr zurück, so als hätte Nugua sie zusammen mit den Schatten des Abgrunds abgestreift.

Sie rasten über die Ausläufer der Riesenstadt hinweg, der offenen Wüste im Westen entgegen, wo die Sterne tief über dem Horizont schwebten. Die Purpurne Hand klammerte sich um Nuguas Herz. Der Schmerz war noch da, das rasend schnelle Pochen, das Pulsieren des magischen Mals. Aber für eine Weile ließ Nugua nichts von all dem an sich herankommen, ergab sich ganz ihrer Erleichterung.

„In die Himmelsberge“, rief sie dem Kranich zu. „Bring uns, so schnell du kannst, in die Himmelsberge!“

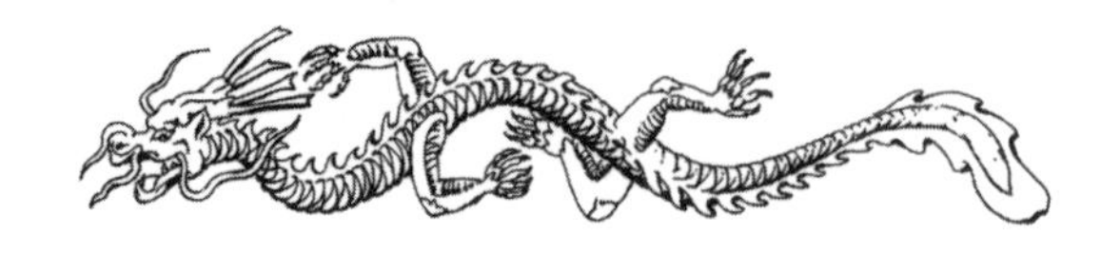

Der Feind

Alessia kletterte durch einen Tunnel aus Wolkenmasse ins Freie.

Die Öffnung, die das gefangene Aetherfragment im Herzen der Wolke für sie geschaffen hatte, war nicht groß, gerade breit genug, dass sie hindurchpasste. Der Tunnel war steil, beinahe zu steil, weil das Fragment zwar gelernt hatte, zu denken wie ein Mensch, sich aber nicht mit Körperlichkeit und Bewegungen auskannte. Alessia war froh, dass der Wolkenschacht nicht senkrecht nach oben führte; wahrscheinlich hätte sie es dann nie bis zur Oberfläche geschafft.

So aber gelang es ihr schließlich, sich über den Rand der Öffnung zu ziehen. Erschöpft blieb sie ein paar Minuten auf dem Bauch liegen, lang ausgestreckt, kaum in der Lage, einen klaren Gedanken zu fassen. Hinter ihr schloss sich der Tunnel in der Wolkenmasse mit einem saugenden Laut. Sekunden später war die weiße Oberfläche wieder unversehrt wie eine wattige Schneedecke.

Alessias Kopf tat weh, als sie ihn hob, um sich zu orientieren. Sie kannte die Umgebung, war tausendmal während ihrer Ausritte hier vorbeigekommen. Sie befand sich auf einem breiten Damm aus erstarrtem Dunst; rechts und links erstreckten sich Äcker aus aufgeschüttetem Erdreich. Der Wolkendamm lag nur wenig höher als die Felder. Er führte nach Norden zu einem der fünf weißen Berge. Südlich von ihr, nicht weit entfernt, erhoben sich die ersten Dächer der Ortschaft. Bis zum Hof ihres Vaters war es nicht weit.

Während sie noch dalag und nach Atem schnappte, gespensterten all die neuen Dinge durch ihren Kopf, die sie von der körperlosen Stimme erfahren hatte, noch immer ein aufgeregtes Wirrwarr, das sich erst nach und nach ordnete und schließlich so etwas wie einen Sinn ergab.

Das goldene Licht im Zentrum der Wolkeninsel hatte ihr erzählt, wie der Aether zu denken gelernt hatte. Nachdem die Pumpen immer mehr Aether aus den Regionen jenseits des Himmels herabgesaugt und im Inneren der Wolkeninsel konzentriert hatten, hatte die Nähe zu den Menschen ihn zum Leben erweckt. Oder, nein, *gelebt* hatte der Aether schon vorher – ihm hatte nur die Fähigkeit gefehlt, die eigene Existenz zu erkennen. Erst durch die Menschen hatte er sich selbst als lebendes Wesen begriffen, hatte von ihnen gelernt zu denken, zu fühlen – und Pläne zu schmieden.

Denn der Aether, der die gesamte Welt wie eine Schale umhüllte und größer war als irgendeine andere Wesenheit, war beschämt und gekränkt, dass es die winzigen, bedeutungslosen Menschen waren, durch die er seiner selbst gewahr geworden war. Er war so alt, so groß, so allmächtig – und hatte doch von diesen kleinen Kreaturen lernen müssen, die ihm all die Zeitalter lang überlegen gewesen waren. Zusammen mit seinem Verstand war

Zorn in ihm gereift, auf die Menschen, auf die ganze Welt mit ihrer Vielfalt an Lebensformen. Ein Teil des konzentrierten, denkenden Aethers im Inneren der Wolke hatte sich daraufhin abgespalten und war durch die Pumpen in sein Reich über dem Himmel zurückgekehrt. Wie eine Krankheit hatte er seine rasende Wut und seine Pläne auf den übrigen Aether dort oben übertragen, hatte ihn angesteckt mit seinem Hass. Die Pumpen waren versiegt, der Weg durch sie nach oben und unten verschlossen worden.

Nur ein kleines Stück des Aethers war zurückgeblieben, das goldglühende, sprechende Fragment im Herzen der Insel, und es hatte weiter dazugelernt – die Angst vor dem Tod, die Furcht vor der Vergänglichkeit. Während der Aether über dem Himmel die Vernichtung der Welt plante, hatte das gefangene Fragment in der Wolke erkannt, was Sterben bedeutete. Wenn die Welt unterging, dann würde es mit ihr vernichtet werden. Schon jetzt stand es kurz vor dem endgültigen Erlöschen; noch hielt es die Wolkeninsel beisammen, aber es war zu schwach, sie erneut in den Himmel aufsteigen zu lassen. Falls der Aether nicht wieder fließen würde, falls der Kreislauf durch die Pumpen nicht wiederhergestellt würde, dann mussten das Fragment und die Insel gemeinsam sterben.

Es hatte Alessia den Weg zurück zur Oberfläche ermöglicht, nicht weil es sich von ihr seine Rettung erhoffte, sondern weil es Mitleid empfunden und ihre Verzweiflung in der Gefangenschaft nachgefühlt hatte. Das Aetherfragment war selbst ein Gefangener. Nur deshalb war sie jetzt wieder hier draußen, atmete kühle frische Luft ein, spürte den Wind auf ihrer Haut – und die Erschütterungen, die die Wolkeninsel erbeben ließen.

Ihr Atem hatte sich noch immer nicht beruhigt, als sie sich herumrollte und zum Himmel hinaufblickte. Es musste gegen Mittag sein, die Sonne stand hoch über ihr und brannte nach den Tagen ihrer Kerkerhaft schmerzhaft auf ihr Gesicht herab.

Sie musste sich jetzt zusammenreißen, musste sich schnell auf den Weg machen. Irgendwo auf der Wolkeninsel trieb der Schattendeuter im Auftrag des Aethers sein verräterisches Spiel. Sein Einfluss auf den Herzog war groß, und sein Wort wog schwer im Rat. Doch welches Ziel verfolgte er – und auf welche Weise wollte er es erreichen? Warum war die Insel so wichtig für die Pläne seines Meisters? Weshalb schenkte der Aether ihr solche Beachtung, wenn es ihm doch letztlich um die ganze Welt ging?

Das Fragment!, dachte sie. Natürlich. Die Anwesenheit des Aetherfragments war das Einzige, was die Wolkeninsel von irgendeinem anderen Ort der Erde unterschied. Die einzige direkte Verbindung! Falls der Aether tatsächlich eine rasche Vernichtung der Wolkeninsel anstrebte, dann nur, weil hier sein Verstand geboren worden war – und weil ein Teil dieses Verstandes noch immer hier gefangen war und womöglich *doch* einen Weg kannte, die Zerstörung der Welt zu vereiteln.

Nichts als Spekulationen, dachte sie verwirrt. Erst einmal galt es, den Schattendeuter aufzuhalten. Oddantonio Carpi durfte nicht weiter ungehindert seine Ränke schmieden und den Untergang des Wolkenvolks beschleunigen. Sie wusste nicht, warum Carpi dem Aether diente – sie hatte ihn stets für einen loyalen, wenn auch eigenbrötlerischen Mann gehalten –, aber im Augenblick spielte das keine Rolle.

Mit einem Stöhnen erhob sie sich. Sie taumelte. Ihr wurde bewusst, wie hungrig sie war. Als eine neuerliche Erschütterung das Eiland vibrieren ließ, sah sie der Reihe nach zu den drei Felsgipfeln, die die abgestürzte Wolkeninsel festhielten. Entsetzt wurde ihr klar, dass sie noch tiefer gesunken waren. Die Ränder lösten sich immer weiter auf, und je kleiner die Insel wurde, desto schneller rutschte sie zwischen den drei Bergen in die Tiefe. Die Baumgrenze musste längst erreicht sein, und dort lauerten die vierarmigen Kreaturen aus Holz und Wurzelwerk, die sie bei ihrem heimlichen Abstieg entdeckt hatte.

Schwankend setzte sie sich in Bewegung. So schnell sie konnte, lief sie auf die kleine Ortschaft im Zentrum der Insel zu. Die hölzernen Dachgiebel wuchsen über den Wolkenhügeln empor, und bald sah sie zu ihrer Erleichterung die ersten Menschen zwischen den niedrigen Häusern. Einen schrecklichen Augenblick lang hatte sie befürchtet, sie käme zu spät und die Heimat des Wolkenvolks sei bereits von den Dämonen überrannt worden. Aber alle Verwüstungen, die sie entdeckte, stammten noch vom Absturz der Insel aus den Hohen Lüften.

Eine Frau bemerkte sie und gestikulierte wild. Andere schauten sich nach ihr um und hoben die Arme zum Gruß. Jemand stieß einen Jubelruf aus.

„Signorina Alessia!“, rief ein alter Mann, der sich auf eine Krücke stützte. „Ihr seid wieder da! Es hieß, die Teufel des Erdbodens hätten Euch in die Tiefe verschleppt!“

Sie zwang sich zu einem Lächeln und schüttelte den Kopf, während sie an dem Mann vorüberlief. Zum Erdboden verschleppt! Das klang ganz nach etwas, das sich die Zeitwindpriester ausgedacht hatten. Wahrscheinlich hatte man im Rat vermutet, dass sie ein zweites Mal freiwillig den Berg hinabgeklettert war. Weil solch ein Frevel nicht bekannt werden durfte, erst recht nicht, wenn ihn die Herzogstochter begangen hatte, war daraus eine Entführung gegen ihren Willen gemacht geworden. Ihr Vater musste dem zugestimmt haben. Tränen der Wut und Enttäuschung stiegen ihr in die Augen. Konnte er nicht ein Mal Rückgrat beweisen und zu seiner Tochter stehen?

Wie erstaunt die Ratsherren erst sein würden, wenn sie erfuhren, dass sie *tatsächlich* entführt worden war. Nicht zum Erdboden und erst recht nicht von ominösen Teufeln, sondern von einem Mann aus ihren eigenen Reihen. Mit grimmiger Freude stellte sie sich das Gesicht des Schattendeuters vor.

Noch immer zittrig in den Knien, geschwächt von Hunger und Durst, lief sie durch das Tor des Herzogshofes. Der quadratische Platz zwischen dem Hauptgebäude und den Stallungen sah unaufgeräumt aus. Heu wehte umher. Zwei Schweine suhlten sich unbeaufsichtigt in einer Pfütze. Wo steckten die Knechte?

Eine Magd entdeckte Alessia und rief etwas. Gesinde blickte aus Türen und Fenstern der Nebengebäude, manche winkten ihr zu. Alessia hob kurz die Hand, grüßte mit gepresstem Lächeln und stürmte ins Haupthaus.

„Signorina Alessia!“, erklang es wieder aus mehreren Richtungen, aber sie lief geradewegs zur Tür des Ratssaales, riss sie auf – und stand vor einer verlassenen Tafel, vor leeren Stühlen.

„Wo sind die alle?“, fuhr sie die erstbeste Magd an, die hinter ihr auftauchte.

„Signorina, Ihr solltet erst – “

„Wo ist mein Vater?“

Die Frau wechselte einen Blick mit einer zweiten Magd, und wieder fiel Alessia auf, dass nirgends Knechte zu sehen waren. Selbst die Männer am Ortseingang waren alt und gebrechlich gewesen.

„Was ist hier geschehen?“ Sie packte die Magd am Arm und erschrak selbst, als sie spürte, dass ihr Griff kaum mehr als eine lasche Berührung war. Sie war noch immer viel schwächer, als sie wahrhaben wollte. Jetzt schwankte sie auch wieder, alles drehte sich, die Gesichter erschienen ihr verzerrt und hohläugig. Ihr Magen rebellierte vor Hunger, ihr Hals war wie ausgedorrt.

„Signorina!“, rief die Magd, als Alessia in die Knie sackte und sich mit einer Hand aufstützte, um nicht gänzlich zusammenzubrechen.

„Wo ist ... mein Vater?“, wiederholte sie stockend.

„Er ist in den Kampf gezogen, Signorina Alessia.“ Die Stimme der Magd klang jetzt tränenerstickt. „Genau wie alle anderen Männer. Sie haben nur Mistgabeln und Dreschflegel und ein paar Knüppel, und sie – “

Eine ältere Frau schob die Magd beiseite und griff Alessia entschlossen unter die Arme: Lucia, früher ihre Amme, heute guter Geist des Hauses. Mit ihr drängte Dunkelheit auf Alessia ein.

„Sprich zu unserem gnädigen Fräulein nicht von solchen Dingen!“, fuhr die Alte die erste Magd an. „Siehst du nicht, wie sehr sie das beunruhigt?“

Alessia wollte sie fortstoßen, sich aus eigener Kraft auf die Füße stemmen, aber sie sackte nur ein weiteres Mal zusammen, und jetzt fiel sie auf die Seite und hatte das Gefühl, dass Boden und Decke plötzlich ein und dasselbe waren – und von beidem drohte sie in einen Abgrund zu stürzen.

Nicht ... einschlafen!

Ganz weit entfernt glaubte sie Schreie und Waffenklirren zu hören, die Laute einer fernen Schlacht. Mistgabeln und Dreschflegel und Knüppel ...

Sie kämpfen, hallte es durch die Leere in ihrem Geist.

Und selbst dort, wo sie jetzt anlangte und endlich zur Ruhe kam, begriff sie, dass niemand mehr den Untergang aufhalten konnte.

° ° °

Sie erwachte in ihrem Bett. Draußen vor dem Fensterkreuz und den gelblichen Scheiben war es hell. Jemand hatte sie ausgezogen und gewaschen. Neben ihrem Lager stand eine Schale mit Suppe, die noch immer dampfte; sie war wohl eben erst dort abgestellt worden.

Die Tür ihres Zimmers war angelehnt, draußen erklangen Stimmen. Lucia stand auf dem Gang und kommandierte die übrigen Frauen herum. „Bringt heißes Wasser! Und auch kaltes! Ein frisches Nachtgewand! Und Obst, das süße eingemachte, das isst sie besonders gern!"

Alessia versuchte, sich aufzusetzen, und war selbst erstaunt, als es gelang. Sie hatte Durst, viel mehr als zuvor, vielleicht, weil ihr Körper jetzt die Ruhe gehabt hatte, sich all dessen bewusst zu werden, was er während der vergangenen Tage vermisst hatte. Ihre Kehle fühlte sich an, als hätte sie Haare verschluckt. Mit einer Stimme, die eher wie das Krähen eines altersschwachen Hahns klang, rief sie nach Lucia, aber die Dienerin war noch immer viel zu beschäftigt damit, die anderen Mägde in alle vier Himmelsrichtungen zu scheuchen.

„Lucia!", rief sie noch einmal. Immerhin klang es jetzt wie ein Name, wenn auch noch immer schrecklich heiser.

„Signorina!" Die alte Frau kam herein, das Gesicht ein Spinnennetz aus Sorgenfalten, ehe sie sah, dass Alessia sich aufgesetzt hatte. Jetzt mischte sich ein Hauch von Vorwurf in ihren Tonfall. „Wo seid Ihr nur gewesen? Ihr seht furchtbar aus! Es hieß, Ihr seid entführt worden, aber andere behaupten, Ihr hättet Euch freiwillig hinab zur Erde – " Sie brach ab, als ihr bewusst wurde, dass dies eine unerhörte Vorstellung war und dass sie solch einen Tadel gegenüber der Herzogstochter nicht einmal *denken* durfte. „Wie geht es Euch jetzt?"

Alessia versuchte zu lächeln, obwohl ihr nicht im Mindesten danach zumute war. „Was ist passiert?"

„Ihr solltet jetzt nicht – “

„Lucia, bitte! Du musst mir alles erzählen!“

„Erst müsst Ihr ausruhen.“

„Ich liege im *Bett*, Lucia. Ich habe geschlafen. Und ich bin nicht verletzt oder todkrank. Also sag mir die Wahrheit!“

Die alte Amme seufzte schwer. „Es wird gekämpft, drüben am Rand. Keiner hier weiß etwas Genaues, aber Euer Vater hat alle Männer, die eine Waffe halten können, dorthin beordert.“

„Wohin? Auf die Ebene?“

Lucia nickte.

Alessia ballte die Fäuste um die Decke. Das, was sie alle die Ebene nannten, war eigentlich eher eine weitläufige Weide – und doch das größte flache Gebiet auf der Insel. Es lag zwischen zwei Wolkenbergen und reichte bis an den Rand. Das Eiland berührte dort einen der Felsgipfel, die es in der Schwebe hielten. Von dort aus war Alessia zur Baumgrenze hinabgestiegen. Schon da hatte sie befürchtet, dass an dieser Stelle am ehesten mit einem Angriff vom Erdboden zu rechnen wäre.

Die Vorstellung, dass sich ihr Vater und die anderen gegen die furchtbaren Baumwesen verteidigten, genau *jetzt*, in *diesem* Augenblick, übermannte sie mit solcher Gewalt, dass der Schwindel schlagartig zurückkehrte und sie beinahe zurück aufs Kissen warf. Nur mit Mühe hielt sie den Oberkörper aufrecht. Plötzlich hatte sie das Gefühl, all die Flüssigkeit, die Lucia ihr eingeflößt hatte, wieder hochwürgen zu müssen.

„Sie können doch keinen *Krieg* führen!", entfuhr es ihr. „Sie wissen doch gar nicht, wie ... wie das geht!"

„Wenn man angegriffen wird, lernt man schnell, sich zu verteidigen", hielt Lucia dagegen.

„Ich habe diese Wesen gesehen! Niemand kann gegen sie ankommen, schon gar nicht mit ... mit Mistgabeln! Sie sind riesig! Sie haben vier Arme! Und ihre Körper sind aus Holz!"

Lucia hob zweifelnd eine Augenbraue. „Ihr seid fast sechs Tage fort gewesen. Wer weiß, was Euch zugestoßen ist. Ihr hattet schlimme Träume, gerade eben noch. Und Ihr seid – "

„Nein!", fuhr Alessia sie an. „Das war kein Traum! Ich bin wirklich unten am Boden gewesen. Nicht in den letzten Tagen, aber davor." Sie bemerkte Lucias Blick, den Zweifel darin und die Angst, doch sie nahm jetzt keine Rücksicht mehr. „Ich habe sie gesehen, Lucia! Das waren keine Menschen!"

„Natürlich sind sie keine Menschen", bestätigte die Amme mit einem Seufzen.

„Aber – "

„Ich habe nicht behauptet, dass es Menschen sind, Signorina Alessia. Aber eines weiß ich genau – sie haben keine vier Arme, und aus Holz sind sie auch nicht."

„Dann sind sie schon bis hierher vorgedrungen?", stieß Alessia aus. „Hierher ins Dorf?"

Lucia schüttelte milde den Kopf. „Nein, Kind", sagte sie beruhigend. „Und das werden sie auch nicht, da bin ich ganz sicher."

„Ich ... ich verstehe das nicht. Wie kannst du so sicher –“

„Ihr wollt wirklich keine Ruhe geben, was?“ Sie kniff für einen Moment die Lippen zusammen, dann holte sie Luft und setzte sich auf die Bettkante. „Hört zu, Alessia. Die Wolkeninsel wird nicht untergehen. Ihr müsst keine Angst mehr haben. Alles wird gut.“ Alessia wollte widersprechen, aber Lucia ließ sie gar nicht zu Wort kommen: „Haben denn die Voraussagen schon einmal getrogen?“

„Welche – “ Sie verstummte alarmiert, als ihr klar wurde, wovon die Amme sprach. „Ihr meint ... Carpi? Die Voraussagen des Schattendeuters?“

Lucia lächelte. „Natürlich.“

„Der *Schattendeuter* hat prophezeit, dass die Insel nicht abstürzen wird? Dass wir alle bald in Sicherheit sind?“ Sie bekam die Worte kaum über die Lippen, so niederträchtig und falsch erschienen sie ihr.

Die Alte nickte.

„Aber er lügt!“, rief Alessia. „Dieser verdammte Dreckskerl lügt!“

„Signorina!“ Lucia schlug das Zeichen des Zeitwinds. Die Voraussagen des Schattendeuters galten als unfehlbar, der Zweifel daran als Frevel. Seit Generationen lasen Carpi und seine Vorgänger die Zukunft aus der Form des Schattens ab, den die Wolkeninsel auf den Erdboden warf. „Der Schattendeuter ist vor die versammelten Männer getreten, nachdem Euer Vater sie zusammengerufen hatte. Bevor sie zur Ebene abmarschiert sind, hat er ihnen verkündet, was er im Wolkenschatten gesehen hat. Und es war *nicht* der Untergang unseres Volkes!" Eine Träne blitzte im Augenwinkel der alten Frau, und Alessia erinnerte sich daran, dass Lucia Söhne und Enkel hatte, die jetzt dort draußen sein mussten. Es war nicht allein die Überzeugung, dass der Schattendeuter unfehlbar war. Lucia *wollte* daran glauben, wollte es mit all ihrer Kraft. Und sie würde nicht dulden, dass irgendwer diesen Glauben erschütterte. Nicht einmal die Tochter des Herzogs.

Alessia schloss für zwei, drei Sekunden die Augen, dann nickte sie langsam. „Was hat er über die Wesen gesagt, die uns angreifen?"

„Nichts", erwiderte Lucia. In ihrem Tonfall lag jetzt Trotz.

„Aber du hast gesagt, du weißt, wie sie aussehen."

„Weil ich einen gesehen habe. Mit meinen eigenen Augen." Die alte Frau wich Alessias Blick aus. „Aber das sollte ich Euch nicht erzählen. Wenn Euer Vater davon erfährt, wird er – "

„Wo hast du ihn gesehen?"

Lucia kaute nervös auf ihrer Unterlippe, und ihr war anzusehen, dass sie die letzten Minuten am liebsten ungeschehen gemacht hätte. „Wirklich, Signorina, ich sollte nicht davon sprechen."

„*Wo*, Lucia?"

„Hier auf dem Hof."

„Hier? Aber du hast doch gerade eben gesagt, sie sind nicht bis hierher vorgestoßen."

„Ach, herrje, Ihr werdet mich ja doch nicht in Frieden lassen!" Lucia warf die Hände in die Luft, gestikulierte in wilder Verzweiflung und plapperte los: „Vor zwei Nächten haben die Soldaten am Rand der Ebene einen von ihnen getötet. Er ist über die Felsen gekommen, wird erzählt, von unten herauf, und erst konnte niemand ihn sehen, weil er im Dunkeln gekommen ist und seine Haut so grau war wie Stein. Aber dann ... dann hat er die Männer angegriffen, wie ein wildes Tier, haben sie gesagt, und sie haben ihn mit einer Lanze getötet. Ja, das haben sie getan." Und genau dasselbe können auch meine Söhne und meine Enkel tun, fügten stumm ihre Augen hinzu. „Sie haben ihn getötet und in der Nacht hier auf den Hof gebracht, um ihn dem Herzog und den Räten zu zeigen."

Alessia bekam vor Aufregung kaum Luft. „Ist es noch hier? Das Wesen, Lucia ... Ist es noch hier im Haus?"

„Ich sollte Euch das wirklich nicht sagen. Die Aufregung – "

Alessia warf die Decke zurück und schwang die Füße über die Bettkante. „Meine Sachen! Ich brauche Kleider. Irgendwas! Und dann führst du mich zu ihm."

Alles Elend der Welt spiegelte sich in den Zügen der Amme. „Unmöglich! Das ist strengstens verboten!"

„Wer hat das Verbot ausgesprochen?"

„Der Herzog, natürlich!"

„Und wer wird bald Herzogin sein?"

„Du meine Güte, Ihr natürlich, Signorina, aber ich kann doch nicht – "

Alessia stand auf und trat an Lucia vorbei zu einer ihrer Kleiderkisten. Hitze und Schwindel machten ihr zu schaffen, aber sie wollte sich nichts anmerken lassen und nutzte die Gelegenheit, als sie die Hände nach dem Kistendeckel ausstreckte, um sich darauf abzustützen.

Lucia griff ihr von hinten unter den Arm. „Ihr seid viel zu schwach!"

„Ich will diese Kreatur sehen!"

„Meine Güte, Signorina ..."

„*Sofort.*"

° ° °

„Großer Leonardo!"

Alessia hatte den Raum allein betreten. Lucia war ihr ein Stück den Gang hinunter gefolgt, wohl aus Sorge, sie könnte erneut zusammenbrechen, aber schließlich war sie zurückgeblieben, hatte noch einmal versucht, Alessia umzustimmen, und dann aus der Ferne zugesehen, wie sie die Tür des Zimmers geöffnet hatte.

Es war der Raum, von dem aus eine Falltür im Boden hinab in die Halle der Luftschlitten führte. Alessia war viele Male heimlich dort unten gewesen, zuletzt in der Nacht vor Niccolos Aufbruch zum Erdboden. Einen Moment lang sah sie ihn wieder vor sich, wie er auf einem der Schlitten gelegen hatte und reichlich ungeschickt versuchte, die Bewegung der Schwingen zu koordinieren.

Die Falltür lag verborgen unter einem dicht gewebten Teppich. Es gab einen schweren Tisch, an dem schon Generationen von Herzögen gesessen hatten, dazu ein paar Stühle und zwei große Truhen.

Es war offensichtlich, weshalb man die Kreatur ausgerechnet in diesen Raum gebracht hatte: Er besaß einen eigenen Ausgang ins Freie, ein breites Tor in der Rückwand. Es war unauffälliger gewesen, den Kadaver auf diesem Weg ins Haus zu schaffen, statt ihn durch den Haupteingang und die Korridore zu tragen. Aber niemand hatte mit der wachsamen Lucia gerechnet und damit, dass die Neugier der alten Frau größer sein könnte als ihre Furcht vor Strafe.

Alessia drückte die Tür hinter sich zu, bevor der strenge Geruch aus dem Zimmer hinaus auf den Gang wehen konnte. Es war kein Verwesungsgestank, wie sie ihn von toten Tieren kannte; vielmehr roch es nach einer Mischung aus feuchtem Gestein und Erdreich, vermischt mit etwas, das sie vage an Pilze erinnerte.

Man hatte eine Decke auf dem Boden ausgebreitet und das Ding daraufgelegt, nicht weit entfernt von der verborgenen Falltür; eine zweite Decke war darüber gebreitet. Mit Herzklopfen betrachtete Alessia den Umriss, der sich unter dem dunklen Stoff abzeichnete. Der Körper war nicht größer als ein Mensch – das immerhin unterschied ihn von den Baumdämonen, die sie am Waldrand entdeckt hatte. Eine Ausbuchtung verriet, wo sich der Schädel befand. Alessia näherte sich zögernd diesem Ende des Kadavers, ging in die Hocke und streckte die Hand nach dem Rand der Decke aus.

Noch einmal verharrten ihre Finger in der Luft. Sie wollte die Kreatur sehen, die an den Wolken emporgeklettert war und die Männer angefallen hatte; und zugleich wollte sie es nicht. Sie zweifelte nicht, dass das Wesen tot war – der Stoff der Decke hätte sich sonst heben und senken müssen, und es ergab einfach keinen Sinn, dass es tagelang reglos dalag.

Und doch – etwas hielt sie davon ab, die Decke anzuheben und der Kreatur ins Gesicht zu blicken. Sie fragte sich, ob Lucia das wirklich gewagt hatte oder ob es ihr nicht vielmehr gelungen war, aus der Ferne einen Blick auf den Leichnam zu erhaschen. Letzteres, vermutlich. Für eine Dienerin, selbst so eine altgediente wie Lucia, wäre das Eindringen in das verbotene Zimmer ein unerhörtes Vergehen.

Alessias Finger zitterten noch stärker, als sie einen Zipfel der Decke berührten. Unendlich langsam hob sie den Stoff, erst nur einen winzigen Spaltbreit, dann – tapferer – ein Stück weiter. Eine Woge desselben Geruchs, den sie schon an der Tür wahrgenommen hatte, wallte ihr entgegen, so intensiv, dass nun doch noch Übelkeit in ihr aufstieg.

Das Tageslicht vom Fenster fiel auf einen Streifen grauer Haut. Alessia schloss die Augen, hielt den Atem an – und zog die Decke mit einem Ruck nach oben. Ohne hinzusehen, spürte sie, dass sie den gesamten Stoff fortgerissen hatte, obwohl das gar nicht ihre Absicht gewesen war. Bevor sie die Augen wieder aufschlug, wappnete sie sich für den Anblick des Wesens.

Aber wie hätte sie sich *darauf* vorbereiten können? Nichts, rein gar nichts war ihr je unter die Augen gekommen, das es damit hätte aufnehmen können. Nicht an Fremdartigkeit, nicht an Scheußlichkeit.

Wo sie das Gesicht der Kreatur erwartet hatte, saß etwas, das entfernte Ähnlichkeit mit einem Schneckenhaus hatte, ein spiralförmiger Wulst aus grauem, verhorntem Fleisch. Der breite Strang wuchs statt eines Halses aus den Schultern und war nach vorn hin aufgerollt. Darunter, in dem Winkel zwischen Wulst und Schlüsselbein, also etwa dort, wo bei einem Menschen die Kehle saß, befand sich ein Maul, weit aufgerissen, erstarrt zu einem stummen Schrei. Die Lefzen waren zurückgezogen, die Zähne rechteckig und so groß wie Alessias Daumen. Aus der Mitte des Oberkiefers wölbte sich statt Schneidezähnen ein einzelner schnabelförmiger Hauer nach vorn, groß wie eine Menschenhand, an der Wurzel faustbreit, am Ende nadelspitz, eher ein nach unten gebogenes Horn als ein Fangzahn.

Der Körper selbst wirkte wie der eines untersetzten, dürren Menschen – bis ihr Blick auf seine Unterarme fiel. Sie waren viel breiter als der unterentwickelte Bizeps, fast kugelförmig, und sie endeten nicht in Händen, sondern in einem messerlangen Stachel aus Horn, ebenfalls gebogen und auf ganzer Länge so schartig wie eine uralte Schwertklinge. Auch die Beine der Kreatur endeten nicht in gewöhnlichen Füßen; stattdessen spalteten sich die Waden zu zwei gespreizten Knochenspeichen auf, aus denen je ein weiterer langer Dorn wuchs. Auf diesen Hornhaken musste sich das Wesen fortbewegen, vermutlich unterstützt von den Armstacheln; wahrscheinlich lief es auf allen vieren, sodass es auch ohne Standflächen sein Gleichgewicht halten konnte.

Noch in der Hocke bewegte sich Alessia einen Schritt zurück, packte im Aufstehen die Decke und warf sie zurück über die Kreatur. Ein Bein ragte darunter hervor und ein Teil des fleischigen Schneckenhausschädels. Alessia musste notgedrungen einmal um das ganze Ding herumgehen, um die Ecken über die entblößten Kadaverteile zu zerren, und sie tat es schnell und ohne nachzudenken. Dann wich sie rückwärts zur Tür zurück, fingerte hinter sich nach der Klinke und schob sich hinaus auf den Gang.

Lucia stand an der nächsten Ecke, wo Alessia sie zurückgelassen hatte, und sie hatte die Hände vor den Mund geschlagen und die Augen weit aufgerissen.

„Lucia?“ Alessia wagte erstmals wieder, tief durchzuatmen. Der erdige Steingeruch hing noch immer in ihrer Nase, so als läge er wie ein Ölfilm über ihrem ganzen Körper.

Die Amme stieß einen gellenden Schrei aus.

Alessia wollte gerade auf die alte Frau zustürmen, als ihr bewusst wurde, dass sich der Grund für Lucias Schreikrampf hinter ihr befand.

Am anderen Ende des Flurs.

Sie wirbelte herum, noch während sie eine Ahnung überfiel, warum der Geruch auch hier draußen so durchdringend war. Sie kannte die Antwort, noch bevor ihr Blick auf die beiden Wesen fiel, die rechts und links an den Wänden des Korridors hafteten, keine vier Meter entfernt.

Die Horndornen an Armen und Beinen hatten sie in das

Holz geschlagen und federten unmerklich auf und ab, als spannte und lockerte sich ihre Muskulatur in einem langsamen, lauernden Rhythmus.

Lucias Schrei brach ab.

Die Kreaturen setzten sich in Bewegung.

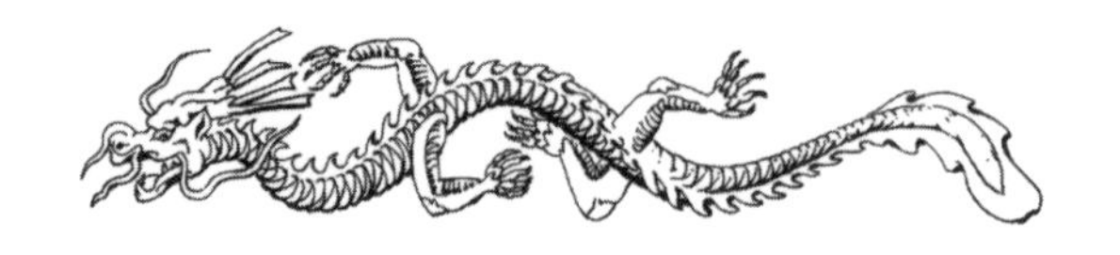

Kampf in der Wolke

Noch während der Schrei der alten Frau verstummte und die Wesen an den Wänden auf sie zukrabbelten, stieß Alessia erneut die Tür des Zimmers auf und sprang hinein.

„Kommt schon!“, brüllte sie hinaus auf den Gang. „Hier bin ich!“ Sie wusste nicht, ob sie die beiden damit tatsächlich von Lucia fortlocken konnte; es war nichts als eine wilde Hoffnung und zugleich, als eine Spur von Klarheit in ihr Denken zurückkehrte, der Auslöser lodernder Panik.

Erst erschien das Wesen an der gegenüberliegenden Wand in ihrem Blickfeld, eingefasst vom Rechteck des Türrahmens. Es zögerte und schien in Lucias Richtung zu starren, obwohl Alessia nirgends Augen an dem Schneckenhausschädel entdecken konnte. Es saß noch immer dort, als die zweite Kreatur im Rahmen erschien und sich in einer fließenden Bewegung um die Kante zog, ohne dabei hinab auf den Boden zu gleiten. Eine Sekunde lang hing es seitlich am knarrenden Türflügel, seine Gelenke federten wieder – dann stieß es sich ab und schnellte quer durch das Zimmer zur linken Wand hinüber. Dort blieb es haften, wartete ab.

Alessia war wie hypnotisiert. Mit Schritten einer Schlafwandlerin bewegte sie sich rückwärts, bis ihr siedend heiß klar wurde, dass sie jeden Augenblick mit der Ferse gegen den Kadaver am Boden stoßen würde. Ihre Augen blieben starr auf das Wesen gerichtet, das sich jetzt bei ihr im Zimmer befand. Aus dem Augenwinkel sah sie das zweite draußen auf dem Gang, und es schien sich noch immer nicht entschließen zu können, ob es die Amme verfolgen oder mit seinem Artgenossen Alessia angreifen wollte.

Die Kreatur im Raum kippte den grotesken Schneckenhausschädel zurück in den Nacken und riss das Maul mit dem Schnabelzahn weit auf. Eine Kette von Lauten drang aus seiner Kehle, leise und heiser, eher ein Keuchen als ein Flüstern. Für das zweite Wesen aber gab das den Ausschlag, denn es stieß sich jetzt von der Korridorwand ab und sprang durch die Tür ins Zimmer, geradewegs auf Alessia zu.

Mit einem panischen Aufschrei schnellte sie zur Seite und zugleich nach hinten, vorbei an dem Leichnam unter der Wolldecke, prallte schmerzhaft gegen die Tischkante und schwang sich mit einem Satz darüber hinweg, bis sich das Möbelstück zwischen ihr und den beiden Kreaturen befand.

Das zweite Wesen war am Boden aufgekommen, pendelte auf und ab und sprang zur rechten Wand hinüber. Die Hornhaken schlugen ins Holz. Die Knochenspeichen seiner Beine grätschten auseinander wie Scherenblätter, ihre Spitzen krallten sich in die Balken. Auf allen vieren blieb es dort hängen, genau wie die Kreatur auf der anderen Seite des Raumes. Sie nahmen Alessia in die Zange, kamen langsam an beiden Wänden näher.

Draußen auf dem Gang ertönte ein Poltern. Lucia mochte etwas umgestoßen haben, als sie endlich davonlief, um Hilfe zu holen.

Das Wesen links von Alessia hatte noch immer den Kopf nach hinten geklappt, während das scheußliche Maul auf- und zuschnappte. Der graue Fleischwulst seines Schneckenhausschädels zuckte und pulsierte, ähnlich einem eng aufgerollten Elefantenrüssel, den Alessia einmal auf einer Zeichnung gesehen hatte. Nur dass der Wulst kein Organ war, sondern der Schädel selbst. Und nun begriff sie auch, weshalb das Wesen ihn so weit in den Nacken gekippt hatte – es holte damit aus wie mit einer Peitsche!

Sie ahnte die Bewegung, einen Sekundenbruchteil bevor sie ausgeführt wurde. Und zugleich spürte sie, dass auch das zweite Wesen zum Angriff überging. Alessia ließ sich fallen. An beiden Wänden entrollten sich die Schädelwülste und schossen auf sie zu, graue Muskelstränge, in denen zugleich die Hirne dieser Wesen sitzen mussten. Über eine Distanz von drei Metern peitschten sie auf Alessia zu und klatschten dort, wo sie gerade noch gestanden hatte, gegeneinander.

Sie fiel hinter dem Tisch auf die Knie und rollte sich darunter durch zur Vorderseite. Die Kreaturen kauerten noch immer an den Wänden, aber ihre Schädelwülste waren jetzt quer durch den Raum gespannt; ihre Enden hatten sich ineinander verheddert und schenkten Alessia zusätzliche zwei, drei Sekunden. Ihr war, als kämpfte sie gegen einen zähen Luftwiderstand an, als sie zwischen den beiden Kreaturen hindurchlief, über den Kadaver hinwegsetzte und sich Richtung Tür bewegte.

Ein albtraumhaftes Schreien drang aus dem Schlund des ersten Wesens, das zweite stimmte mit ein. Beide zerrten wie rasend an den fleischigen Muskelsträngen. Die Spitzen schlängelten sich umeinander, während sich ihre Umwicklung endlich löste.

Alessia erkannte, dass sie es bis zur Zimmertür nicht schaffen würde. Stattdessen riss sie den Teppich beiseite und stemmte die Falltür zur geheimen Halle der Luftschlitten nach oben; dazu musste sie sich wieder dem hinteren Teil des Raumes zuwenden, denn die Klappe öffnete sich in Richtung ihrer Gegner. Während sie die ersten Stufen in die Tiefe nahm, hielt sie die Falltür mit einer Hand offen. Dadurch war sie für einen Moment vor den Blicken ihrer Gegner geschützt – und verlor ihrerseits die beiden aus den Augen.

Sie wollte die Klappe gerade über sich zuziehen, als eine der Kreaturen vor der Öffnung landete, die Hornhaken in den Boden schlug und den Schädelstrang durch den Spalt auf Alessia zuschleuderte. Wie ein grauer Rammsporn schnellte das Muskeltentakel auf ihr Gesicht zu, streifte ihre Wange mit seiner rauen, ledrigen Oberfläche und wollte sich von hinten um ihren Nacken legen. Alessia ließ sich fallen, entging dem zupackenden Schädelstrang um Haaresbreite – und riss die Falltür nach unten.

Ein gequältes Kreischen ertönte, als sie den Strang mit aller Kraft einquetschte. Anderthalb Meter ragten in den

Treppenschacht hinein und saßen fest. Hektisch peitschte das Ende hin und her, schlug blind nach Alessia und verfehlte sie. Sie hielt die Falltür an einem Ring an der Unterseite fest und wusste genau, sobald sie losließe, würde die Kreatur sich befreien.

Sie traf ihre Entscheidung, ohne nachzudenken. Mit beiden Händen hielt sie sich an dem Greifring über ihrem Kopf fest und zog die Beine an, bis ihre Knie die Falltür berührten und sie mit ihrem ganzen Körpergewicht daran hing. Mit angehaltenem Atem wartete sie ab, bis sich das züngelnde Tentakel in einer günstigen Position befand. Dann stieß sie beide Füße mit aller Macht auf den Schädelwulst hinab, rammte ihn auf die Kanten der Treppenstufen und spürte, wie unter ihren Sohlen etwas nachgab. Im Inneren des Strangs verlief ein beweglicher Knochengrat wie in einem Tierschwanz. Alessia hörte die Wirbel knacken, als sie unter der Gewalt ihres Stoßes nachgaben und an den Stufenkanten zersplitterten. Von einem Moment zum nächsten erschlaffte das Tentakel, das tobende Geschrei brach ab, der Körper jenseits des Spalts sackte zusammen.

Nun begann das zweite Wesen zu kreischen, aber es machte nicht denselben Fehler wie sein Artgenosse. Stattdessen landete es mit einem brutalen Aufprall oben auf der Falltür, genau über Alessia, und begann mit seinen säbelartigen Hornstacheln das Holz zu zerfetzen. Schon zeigten sich über ihrem Kopf die ersten Risse, dann zerbarst eines der Bretter und regnete als Hagel aus Splittern und Spänen auf sie herab.

Sie ließ den Eisenring los. Wenn sie Glück hatte, würde es ihr Gegner oben auf der Tür nicht sofort bemerken. Die Bestie schlug und kratzte weiter, während Alessia die Treppe hinabstürmte und mit jedem Schritt drei Stufen auf einmal nahm.

Der Schacht war vor langer Zeit mitten durch die Wolkenmasse gegraben worden. Die Wände bestanden aus erstarrtem Dunst, hinter dem eine vage Helligkeit glomm. Alessia war diesen Weg schon viele Male gegangen, und sie hatte sich nie gefragt, woher dieses Licht eigentlich stammte. Wie selbstverständlich hatte sie angenommen, dass es Helligkeit von außen war, die durch die Wolkenmasse drang. In Wahrheit aber musste es sich um den Schein des Aetherfragments handeln. Der Gefangene im Zentrum des Eilands befand sich nicht weit von hier; das Dorf des Wolkenvolks lag nahezu im Mittelpunkt der Insel, und auch das Fragment glühte in ihrem Zentrum, viele Meter unter den Häusern. Wer immer diesen Schacht einst durch die Wolke getrieben hatte, hatte die geheime Intelligenz in ihrem Herzen knapp verfehlt.

Alessia hatte zwei Drittel der Treppe geschafft, als die Kreatur oben im Zimmer die Falltür in Stücke riss. Ein Poltern ertönte, als das Wesen auf den Stufen landete.

Alessia konnte sich kaum noch auf den Beinen halten, stolperte mehr, als dass sie lief, und als sie endlich die unterirdische Halle an der Unterseite der Wolkeninsel erreichte, war ihr Verfolger ihr dicht auf den Fersen. Sie schaute nicht zurück, hörte ihn aber oben im Schacht, wo er nicht die Stufen herab-, sondern an der Wand entlangtobte.

Die Decke war haushoch, die Halle selbst ein Quadrat von fünfzig mal fünfzig Schritt. Es gab keine Einrichtung, nur hohe weiße Dunstwände und einen dünnen Boden, unter dem die Leere des Abgrunds gähnte. Tageslicht schien von unten hindurch. In der Mitte der Halle führte eine Rampe schräg nach unten und endete an einem Gitter, das mithilfe einer Kurbel geöffnet werden konnte. Neben der Rampe standen zwei Luftschlitten, vogelskelettartige Holzkonstruktionen mit Schwingen aus Stäben und Leder.

Die Kreatur musste die Halle jeden Moment erreichen. Alessia rannte mit leichten Schlenkern auf die Rampe zu, umrundete sie und trat den Sperrbolzen der Kurbel beiseite. Der Seilzug knirschte, als sie ihn in Bewegung setzte. Quälend langsam klappte das Gitter nach außen und gab den Weg in den Abgrund frei. Als Alessia einen Blick in die Tiefe warf, erschrak sie bis ins Mark: Sie konnte alle Einzelheiten des bewaldeten Talbodens ausmachen. Die Wolkeninsel war noch tiefer gesunken, als sie befürchtet hatte. Falls sich die Ränder weiterhin mit derselben Geschwindigkeit auflösten, würde es nicht mehr lange dauern, ehe die Insel den Boden erreichte. Und spätestens dann würde es für all die Wesen, die dort unten auf Beute warteten, kein Halten mehr geben.

Noch dreihundert Meter bis zu den Baumwipfeln, schätzte sie. Höchstens vierhundert.

Als sie aufblickte, glitt ihr Gegner gerade um die Ecke

des Treppenschachts, klammerte sich an der Hallenwand fest und krabbelte wie ein Affe daran entlang. Offenbar brauchte die Kreatur einen Augenblick, um die Dimensionen der Halle zu erfassen und sich zu orientieren. Sie mochte tödliche Stachelglieder und ein furchtbares Maul besitzen, aber ihr Verstand war längst nicht so flink wie ihre Bewegungen. Aufgeregt und noch immer rasend vor Zorn kletterte sie an der Wand auf und ab, vor und zurück und schien dabei mit verborgenen Sinnesorganen die Tiefe des Raumes auszuloten – und den Punkt, an dem sich ihre Gegnerin aufhielt.

Alessia ignorierte die unmittelbare Gefahr. Wenn sie jetzt vor Angst erstarrte, war sie so gut wie tot. Mühsam schleppte sie sich hinter einen der beiden hölzernen Luftschlitten und schob ihn die wenigen Meter bis zur Oberkante der Rampe. Sie hatte damit früher so oft Flugversuche im Inneren der Halle unternommen, dass sie es bis in die letzte Einzelheit kannte, jede Strebe, jeden Riemen, jeden Gurt, mit dem man sich auf dem Bauch daran festschnallte.

Die Kreatur stieß einen trompetenden Ruf aus, als sie ihre augenlose Ortung beendete. Der breite Schädelstrang entrollte sich triumphierend und peitschte in Alessias Richtung, ohne ihr jedoch nahe zu kommen – noch trennten sie fast dreißig Meter voneinander.

Die Gelenke knickten kaum merklich ein, die dürren Glieder federten, dann stieß sich die Bestie mit einem gewaltigen Sprung von der Wand ab.

Alessia richtete sich auf und erwartete sie.

Doch das Wesen schnellte nicht in gerader Linie auf sie zu, sondern schoss hinauf zur Hallendecke. Noch immer schien es Wände und Decken dem Boden vorzuziehen. Kopfüber krabbelte es unter der Hallendecke entlang und hakte dabei die Dornen an den Armen und Beinknochenspeichen so geschwind in die Wolkenfläche, dass Alessias Augen kaum folgen konnten. Ihr Blick wurde wieder von dem schnappenden Schlund angezogen, dem schimmernden Reißzahn, der aus dem Oberkiefer ragte und wie ein messerscharfer Schnabel abwärtswies.

Die Bestie war jetzt genau über ihr.

Und ließ sich fallen.

Alessia gab dem Luftschlitten einen Stoß. Mit einem Knarren der hölzernen Verstrebungen glitt das Gefährt auf die Rampe. Sie sprang hinterher, landete bäuchlings darauf und wurde mit auf die Öffnung am Ende der Schräge zugezogen.

Die Kreatur setzte kreischend hinterher. Ein dolchlanger Stachel bohrte sich in Alessias linken Oberschenkel. Der Schmerz raubte ihr fast die Besinnung, aber es gelang ihr, sich irgendwie an dem Schlitten festzuhalten. Nur noch ein paar Meter bis zum Abgrund.

Das Wesen holte auf, stakste über die liegende Alessia hinweg. Der Dorn wurde aus ihrem Schenkel gerissen – der Schmerz konnte tatsächlich *noch* schlimmer werden, wer hätte das gedacht –, dann war die Kreatur genau über ihr. Der Schädel kippte nach hinten, ruckte wieder nach vorn. Der graue Muskelstrang entrollte sich, peitschte in einer eleganten S-Form in die Höhe – und sauste abwärts, um Alessias Kopf zu zertrümmern.

Mit einem Aufschrei rollte sie sich zur Seite, unter der Kreatur hindurch, stieß dabei eines der widerwärtigen Knochenbeine beiseite und landete auf der Rampe. Der Schädelstrang hieb hinter ihr auf Holz und Leder und zerfetzte mit einem Schlag das vordere Ende des Luftschlittens. Wutentbrannt wurde das Tentakel zurückgezogen, peitschte zur Seite, suchte Alessia.

Der Schlitten kippte über die Kante. Die Kreatur war noch immer in das Gestänge verkrallt, reagierte zu spät – und wurde mit hinab in den Abgrund gerissen.

Auch Alessia rollte weiter die Rampe hinunter, tastete blindlings um sich und stemmte sich gegen den Schwung ihres eigenen Körpers. Zuletzt gelang es ihr, den Sturz aufzuhalten, unmittelbar vor der Kante. Unter sich, schon sehr weit entfernt, sah sie den zerstörten Luftschlitten mitsamt seines unfreiwilligen Passagiers in die Tiefe stürzen. Noch bevor er in die Baumkronen krachte, wurde er vor dem wogenden Grün und Braun unsichtbar, ein Schatten unter Millionen anderen.

Alessia blieb auf dem Bauch liegen, keine Handbreit vom Abgrund entfernt, zu schwach, um sich zu bewegen, zu heiser, um einen Ruf auszustoßen. Selbst dann schwieg sie noch, als sie über sich Stimmen hörte, oberhalb der Rampe, mehrere Frauen, darunter Lucia.

Schwerfällig hob sie den Kopf und brachte den Schatten eines Lächelns zustande, als sie die Dienerinnen und Mägde dort oben der Reihe nach erkannte, bewaffnet mit

Fleischerbeilen und Küchenmessern, sogar einem Teppichklopfer.

„Zu spät“, krächzte sie, während sie begann, sich die Rampe hinaufzuschieben. Ihr durchbohrtes Bein brannte wie Feuer und wurde taub, noch ehe sie die Hälfte des Weges zurückgelegt hatte.

Schwielige Hände streckten sich ihr entgegen und zogen sie in Sicherheit.

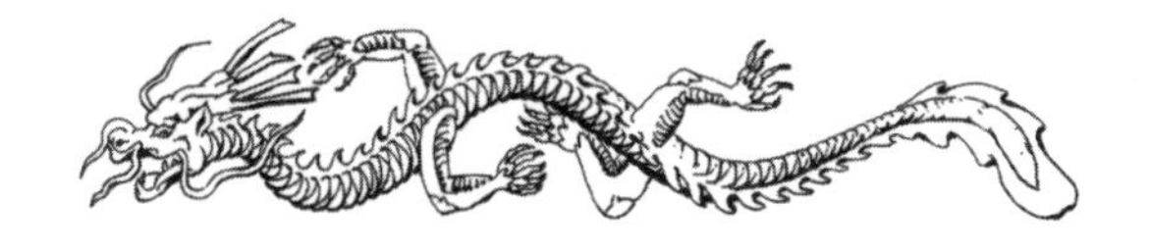

Aethersturm

Sie wollten Alessia nicht gehen lassen, natürlich nicht.

Sie fluchte, sie bat, dann befahl sie. Alles ohne Erfolg. Lucia baute sich wie eine Kerkermeisterin vor ihr auf und machte nicht die geringsten Anstalten, der Order ihrer Herrin Folge zu leisten.

„Ich *muss* mit meinem Vater sprechen!"

„Vor allen Dingen müsst Ihr ausruhen!"

„Aber es ist wichtig. Für uns alle!"

„Für heute habt Ihr genug für uns alle getan, Signorina Alessia. Ich werde nicht zusehen, wie Ihr Euch umbringt."

Diesen Wortwechsel hatten sie mindestens zehnmal geführt, und beide wiederholten ihre Standpunkte mittlerweile wie ein Credo. Alessia fehlte die Kraft zum Streiten, und das machte sie doppelt wütend.

Sie war wieder im Bett, genau wie vor dem Überfall. Ihr Kampf mit den Kreaturen lag mehrere Stunden zurück. Sie hatte abermals geschlafen, nicht viel und alles andere als tief, geschüttelt von Albträumen, die das Erwachen erholsamer gemacht hatten als den Schlaf. Die Wunde in ihrem linken Oberschenkel war gereinigt und bandagiert worden; sie tat noch immer teuflisch weh, ein Lodern bis hinauf in ihren Brustkorb, aber das war ein gutes Mittel, um sie wach zu halten, in Sicherheit vor den Träumen.

Ein Bote war zur Ebene gesandt worden, ehe Alessia es hatte verhindern können. Wenn ihr Vater erfuhr, dass sie am Leben war, dann erfuhr es auch der Schattendeuter. Sie traute ihm zu, dass er hier auftauchte, um sie ein für alle Mal zum Schweigen zu bringen.

Andererseits hatte der Vorfall gezeigt, dass es nicht ausreichte, die Angriffe am Rand der Ebene abzuwehren. Die beiden Kreaturen – offenbar die einzigen, die es bis hierher geschafft hatten – hatten entweder die Reihe der Verteidiger durchbrochen oder einen zweiten Weg auf die Wolke gefunden. Im Gegensatz zu den Baumdämonen scheuten sie sich nicht, ihr natürliches Revier zu verlassen. Womöglich schwärmten sie gerade die Berge herauf und wechselten von dort aus zur Insel herüber.

„Der Schattendeuter ist ein Verräter“, versuchte es Alessia zum zigsten Male. „Ich habe Beweise dafür. Mein Vater muss so schnell wie möglich davon erfahren.“

„Dann schickt einen zweiten Boten“, entgegnete Lucia. Schrecken glomm in ihrem Blick, jedes Mal wenn Alessia den frevlerischen Vorwurf aussprach.

„Ich muss selbst mit ihm sprechen. Mir wird er glauben.“

„Er wird herkommen, wenn die Dämonen besiegt sind. Dann könnt Ihr mit ihm reden, so lange Ihr wollt.“

Am liebsten hätte Alessia die Amme kräftig durchgeschüttelt. Es würde keinen Sieg geben. Sie wussten nicht einmal, wie viele Männer noch am Leben waren. Oder ob es ihrem Vater und Lucias Söhnen gut ging. Nicht einmal Verletzte wurden zurück ins Dorf transportiert. Je nachdem, wie sich der Wind drehte, wehte Geschrei vom Rand herüber. Bis zum Schlachtfeld waren es von hier aus kaum mehr als zwei Kilometer, aber Wolkenhügel verdeckten vom Dorf aus die Sicht zur Ebene. Immerhin hörten sie die Männer noch, und oft genug schienen sie eher Kampfrufe auszustoßen als Todesschreie. Ein verzweifelter Strohhalm, an den sich die Hoffnungen der Frauen klammerten.

Alessia genügte das nicht. Die Wahrheit über den Schattendeuter war der Hauptgrund, weshalb sie mit ihrem Vater sprechen wollte, aber es war nicht der einzige. Sie machte sich entsetzliche Sorgen um ihn. Dabei verdrängte sie, so gut es ging, die Vorstellung, dass er umkommen könnte und sie selbst die Herrschaft über die Insel würde antreten müssen.

Falls die Botschaft ihren Vater wirklich erreicht hätte, wäre er dann nicht längst zurückgekehrt, um sich zu vergewissern, dass es ihr gut ging?

Aber nein, sie konnte ihm nicht verübeln, dass er in diesen Stunden bei seinen Männern ausharrte. Der Bote hatte ihm mitgeteilt, dass es Alessia den Umständen entsprechend gut ging. Vorerst musste das reichen.

Mit einem Ächzen sank sie zurück ins Kissen. „Ich will jetzt schlafen“, murmelte sie.

„Glaubt ja nicht“, argwöhnte die Amme, „dass Ihr mich reinlegen könnt. Ich habe ein Auge auf Euch, auch wenn Ihr schlaft.“

„Herrje, Lucia! Du sagst, ich soll mich ausruhen. Nun *will* ich mich ausruhen, und das passt dir auch nicht.“

„Ihr seid gerissen“, gab die Alte zurück, aber jetzt glomm gutmütiges Verständnis in ihren Augen. Sie sorgte sich um Alessia wie um eine Tochter, ganz gleich, wie unerbittlich sie sich nach außen hin gab.

Mit einem Seufzen ging sie hinaus und zog die Tür hinter sich zu. Alessia blieb allein zurück, blickte zur Decke empor und horchte, wie draußen auf dem Gang ein Stuhl gerückt wurde und Lucia sich darauf niederließ.

° ° °

Letzten Endes war es leichter, als sie befürchtet hatte.

Nachdem es längst dunkel war, hatte sich Lucia einigen Frauen angeschlossen, um zu beraten, wie sie den Männern zu Hilfe kommen konnten. Alessia hatte mit angehört, wie sie vor der Tür ihres Zimmers getuschelt hatten. Schließlich war die alte Frau mit den anderen fortgegangen. Gewiss nicht weit, vielleicht nur in eines der benachbarten Zimmer, doch das musste genügen.

Alessia hob ihr verletztes Bein mit beiden Händen vom Bett. Als sie versuchte, darauf zu stehen, war sie im ersten Moment überzeugt, nie wieder laufen zu können. Der Schmerz erwachte, als hätte er zwischenzeitlich eine Verschnaufpause eingelegt, um sie nun mit neuer und noch größerer Macht zu quälen. Mit tränenden Augen stand sie da, eine Hand am Bettpfosten, die andere auf ihren Mund gepresst, um ein Schluchzen zu unterdrücken. Irgendwann, nachdem der erste Schreck abgeklungen und die Pein zu einem wabernden, diffusen Nebel geworden war, machte sie tastend ein paar Schritte im Zimmer auf und ab. Es tat höllisch weh, nicht nur beim Auftreten. Sie versuchte, sich an all die verwundeten Sagengestalten in den verbotenen Büchern zu erinnern, aber im Vergleich zur Wirklichkeit ihrer eigenen Schmerzen verblasste jegliches Heldentum der Legenden zu Lügen aus Tinte und Papier.

Gescheitert wäre sie fast daran, sich eine Hose und ein Wams überzuziehen. Schließlich gelang es ihr, doch sie verlor zwischenzeitlich fast das Bewusstsein, und zuletzt kam es ihr vor, als hätte sie Stunden dafür benötigt. Lucia konnte jeden Augenblick zurückkehren.

Alessia brauchte eine Krücke, irgendetwas, um sich abzustützen. Vergeblich schaute sie sich in ihrer Kammer um, ein schlichtes Quartier, das ihr nur zum Schlafen diente, schmucklos, mit nichts als Bett und Kleiderkisten möbliert. Die Zeit, die ihr zur freien Verfügung stand, hatte sie zumeist im Freien verbracht, im Sattel ihres Pferdes oder zurückgezogen irgendwo am Rand der Wolke, wo man sie in Ruhe ließ und sie heimlich in den verbotenen Schriften lesen konnte.

Vorerst musste sie es ohne Krücke schaffen. Wenn sie erst im Stall war, würde es leichter werden.

Sie humpelte auf den verlassenen Korridor. Bis zum Ausgang hinaus auf den Hof war es nicht weit, aber aus dieser Richtung drangen ihr Stimmen entgegen. Sie musste einen Umweg in Kauf nehmen, durch einen Hinterausgang und von dort um das Gebäude herum. Allein der Gedanke an die Entfernung brachte sie fast dazu aufzugeben.

Leise bewegte sie sich vorwärts. Die Stimmen der Frauen waren so nah, dass sie manchmal Wortfetzen verstand. Lucias Stimme hörte sie deutlich zwischen den anderen heraus. Ein Streit war im Gange, immer wieder unterbrochen von Einzelnen, die in Tränen ausbrachen oder hysterisch aufschluchzten.

Mit einer Hand an der Wand abgestützt, die andere in den Stoff ihrer Hose gekrallt, um das verletzte Bein bei jedem Schritt anzuheben und abzusetzen, schob sich Alessia den Gang hinab. Sie hatte noch nie im Leben solche Schmerzen gehabt, aber schon bald verwandelte sich die Pein in einen sonderbaren Dämmerzustand, der ihr einerseits half durchzuhalten, der andererseits aber einer Besinnungslosigkeit gefährlich nahe kam.

Draußen herrschte Nacht. Ihr Pferd wieherte leise, als sie im finsteren Stall an seine Seite trat. Den Sattel auf seinen Rücken zu wuchten war eine zu große Herausforderung; sie versuchte es, ließ ihn aber fallen, kaum dass sie ihn gepackt hatte. Schließlich zog sie sich auf den bloßen Rücken der Stute, krallte die Hände, so gut es ging, in die Mähne und flüsterte dem Tier zu, sie ins Freie zu tragen. Das Pferd gehorchte und schien sogar Rücksicht auf ihren Zustand zu nehmen: Statt draußen sogleich in Galopp auszubrechen, wie es das oft tat, trug es sie in sanftem Trab durch das Hoftor, zwischen den kauernden Häusern der Ortschaft hindurch, hinaus auf die mondbeschienenen Wolkenhügel.

Alessia schwitzte, und manchmal überkamen sie Wellen von Schüttelfrost, aber sie hielt sich fest, lag mehr auf dem

Pferd, als dass sie saß, und gab ihm nur dann und wann mit den Fersen zu verstehen, in welche Richtung es sie tragen sollte.

Der Schein zahlreicher Feuer gloste über der Ebene, als sie den letzten Hügel überquerte. Die Männer hatten einen Wall aus Heu und Stroh in Brand gesetzt; aus allen Richtungen brachten Karren Nachschub aus den Scheunen herbei. Womöglich hielt das die Angreifer fern, denn von Weitem sah sie nirgends Kämpfe, wohl aber leblose Körper, die man nebeneinander aufgereiht hatte. An einer anderen Stelle beugten sich Gestalten über wimmernde Verletzte: Die meisten Zeitwindpriester waren hier und versorgten die Verwundeten; sogar Federico da Montefeltro, den Obersten der Priesterschaft, entdeckte sie, außerdem eine ganze Reihe Frauen, die es nicht mehr daheimgehalten hatte. Mit einem gequälten Lächeln dachte sie, dass es nun nicht mehr lange dauern konnte, ehe auch Lucia und die Mägde auftauchten.

Ein Wachtposten eilte auf sie zu und sagte, sie solle umkehren, dies hier sein kein Platz für die Tochter des Herzogs und, beim Großen Leonardo, woher denn all das Blut an ihrem Hosenbein käme. Sie hatte nicht mal bemerkt, dass die Wunde wieder aufgerissen war.

„Zu meinem ... Vater“, stöhnte sie nur, dann wurde ihr einmal mehr schwarz vor Augen.

Verschwommen spürte sie, wie mehrere Männer sie vom Pferd hoben und im weichen, taufeuchten Gras der Ebene ablegten. Jemand zerschnitt ihr linkes Hosenbein von unten nach oben und machte sich im Halbdunkel fluchend an ihrem Verband zu schaffen. Der Boden erbebte wieder. Die Insel musste noch immer weiter sinken.

Rechts neben ihr erklangen aufgebrachte Stimmen und Schritte. Dann beugte sich ihr Vater über sie. Seine linke Schulter war bandagiert, und er hatte eine scheußliche Schwellung im Gesicht. Aber selbst die Verletzung konnte nicht verbergen, wie aufgebracht er war – aufgebracht vor Sorge um sie.

Er redete auf sie ein, fragte immer wieder, wie es ihr ginge, machte ihr aber keine Vorwürfe. Das erfüllte sie mit einer gewissen Ruhe und Genugtuung. Einmal versuchte sie wortlos, den Oberkörper zu heben, um ihn zu umarmen, aber selbst dazu war sie zu schwach, und so flüsterte sie ihm nur heiser zu, er solle näher kommen, ganz nah an ihr Gesicht.

„Der Schattendeuter hat uns verraten", flüsterte sie. „Er hat uns alle verraten ... Der Aether – " Ihr ging die Luft aus wie einem Blasebalg, in den jemand ein Loch gestochen hatte.

Ihr Vater schüttelte sanft den Kopf. „Was redest du denn da?" Sein Lächeln schaute nur zur Hälfte unter der dunklen Schwellung hervor. „Er hat uns nicht verraten. Ganz im Gegenteil."

Sie sah ihn ungläubig an, während ihre Lippen eine stumme Frage formten.

„Carpi hat uns gerettet", sagte ihr Vater in beruhigendem Ton. „Oder ist gerade dabei, so wie es aussieht."

„So wie es – "

Der Herzog nickte. „Er hat Aether erzeugt, Alessia. Ihm

ist gelungen, woran alle anderen zweihundertfünfzig Jahre lang gescheitert sind. Er hat künstlichen Aether geschaffen, in seinem Laboratorium im Turm."

„Das ist ... eine Lüge", brachte sie hervor. Der festgeklebte Verband wurde von ihrer Wunde gezogen und ließ sie aufstöhnen. „Ich war dort ... Es gibt gar kein ... Laboratorium."

Ihr Vater strich ihr mit der Hand über die Wange. „Ich kann nicht glauben, wie tapfer du bist. Ich wollte zurück zum Hof, um dich zu sehen, aber" – jetzt wurde seine Miene finster von Schuldgefühlen – „ich konnte hier nicht weg. Die Männer, ich musste doch – " Er brach ab und küsste sie nach kurzem, vergeblichem Ringen um Worte auf die Stirn.

„Aether ...", begann sie erneut, ehe der Schmerz sie die Zähne aufeinanderbeißen ließ. Wer immer da an ihrem Bein fuhrwerkte, ging weit weniger sanft damit um als die alte Lucia.

„Spürst du es nicht?", fragte ihr Vater. Freudentränen traten in seine Augen. „Die Insel steigt wieder! Carpi hat es geschafft. Er und ein paar von den Inspekteuren sind oben bei den Pumpen, und sie haben genug Aether, um sie wieder in Gang zu bringen. Verstehst du, Alessia? Der Aether fließt wieder! Die Erschütterungen ..." Wieder gingen ihm für Augenblicke die Worte aus, doch diesmal gewann er seine Fassung rascher zurück. „Wir steigen wieder! Nicht mehr lange, und wir werden hoch genug sein, dass die Pumpen den Aether berühren können."

„Der Aether fließt!", brüllte jemand hinter ihm im Dunkeln, und andere nahmen den Ruf auf, wiederholten ihn lautstark und jubelten.

„Aber das ist ... unmöglich“, presste Alessia hervor. „Carpi wollte mich umbringen.“ Die letzten Worte gingen in den Hochrufen der Männer unter, und obwohl da eine neue Sorgenfalte zwischen den Brauen ihres Vaters erschien, war sie nicht sicher, ob er sie verstanden hatte. Ein Zeitwindpriester beugte sich von hinten über seine Schulter und flüsterte ihm etwas zu. Der Herzog nickte.

„Du brauchst jetzt viel Ruhe“, sagte er zu Alessia. „Deine Wunde sieht nicht gut aus, aber du wirst es überstehen.“

„Nein!“ Sie wollte ihn anbrüllen, aber stattdessen wurde nur ein schales Ächzen daraus. „Der Schattendeuter lügt. Er ist ein Verräter.“ Niemand außer ihr selbst hörte diese Worte; vielleicht waren es nur Gedanken und nichts, das sie wirklich gesagt hatte.

Ein Mann eilte herbei und überbrachte ihrem Vater eine Nachricht. Ihre Verzweiflung wurde von einem kurzen Hitzestoß durchdrungen, als sie dachte: Jetzt wissen sie es! Sie haben bemerkt, was er wirklich im Schilde führt! Sie *müssen* es doch wissen!

Aber das Lächeln ihres Vaters wurde noch breiter, als er sich wieder zu ihr herabbeugte. „Wir haben den Gipfel des höchsten Berges passiert, Alessia! Wir sind wieder frei! Und die Insel steigt weiter, immer höher ...“

Die Freudenrufe wurden jetzt ohrenbetäubend. Alessia kam es vor, als loderten selbst die Flammen des Feuerwalls auf, weit im Hintergrund, drüben am Rand. Nichts von all dem konnte wahr sein. Alles war grässlich falsch, diese unverhoffte Rettung, die plötzliche Erschaffung neuen Aethers. Lügen, nichts als Lügen.

„Wir bewegen uns wieder!“, rief jemand. „Wir treiben nach Norden.“

Nach Norden, hallte es durch ihre Gedanken, während ihr Körper wie gelähmt war. Weshalb lag Carpi und dem Aether daran, dass die Wolkeninsel wieder freikam? War es möglich, dass der Aether sie steuerte? Dass er ein Ziel für sie hatte?

Was *war* oben im Norden?

Ihr Vater lächelte. Die Männer jubelten ausgelassen.

Alessia begann zu weinen, und jeder dachte, es wäre wegen der Schmerzen. In Wahrheit aber weinte sie um ihrer aller Zukunft.

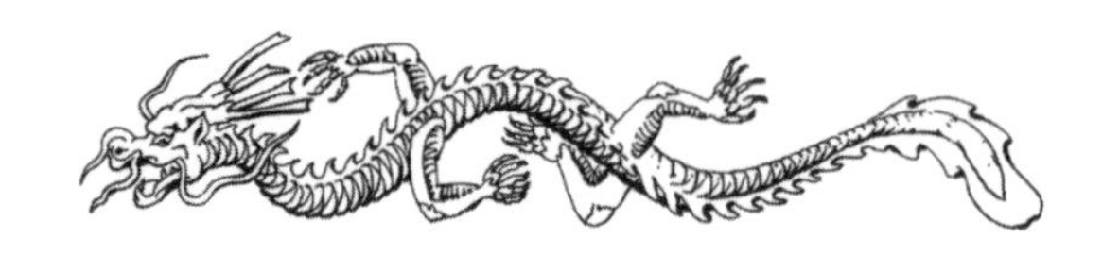

Der Schrei des Spürers

Feiqing erwachte von einem grauenvollen Pfeifen in seinen Ohren. Hinter seinen Lidern tanzten goldene Lichter und Blitze. Aber es dauerte nur wenige Herzschläge, ehe die Bilder und Töne der letzten Ereignisse zu ihm zurückkehrten.

Er war auf der Kommandobrücke des Luftschiffs gewesen, als der Spürer in seinem Geflecht aus Goldfäden plötzlich außer sich geraten war. Seine durchdringenden Schreie hatten das Schiff erschüttert, während alle auf der Brücke sich die Hände auf die Ohren pressten. Alle bis auf Feiqing, denn *seine* Hände waren gefesselt gewesen.

Er war dem Schrei des Spürers ausgesetzt gewesen, und Feiqing bezweifelte nicht, dass er ihm das stechende Pfeifen zu verdanken hatte. Nun also war er nicht nur in einem lächerlichen Drachenkostüm gefangen; noch dazu war er taub. Ganz abgesehen von der Tatsache, dass seine letzte Erinnerung an die Geheimen Händler keine war, die ihn besonders hoffnungsvoll stimmte: Sie hatten jemanden in ihm erkannt, an den er selbst sich nicht erinnern konnte. Jemanden, der es in ihren Augen verdient hatte, an einen Luftschlitten gefesselt und in den Schlund eines Drachen gestoßen zu werden.

Nein, das alles sprach nicht wirklich dafür, dass sich seine Aussichten verbessert hatten. Vielleicht war es eine gute Idee, die Augen einfach geschlossen zu lassen und sich weiterhin auf das grässliche Pfeifen zu konzentrieren. Früher oder später würde es ihn in den Wahnsinn treiben, was in Anbetracht seiner Lage nicht das *allerschlimmste* Schicksal war, das er sich ausmalen konnte.

„Feiqing“, sagte eine Stimme neben ihm. „Komm schon, ich weiß, dass du wach bist.“

Verblüfft darüber, dass er hören konnte, öffnete er die Augen und entdeckte Wisperwind. Das Lächeln der Kriegerin wirkte wie üblich ein wenig bemüht, aber immerhin: Dass sie überhaupt versuchte, ihn aufzumuntern, hielt er ihr zugute.

Er befand sich in einer Kammer mit kahlen Holzwänden. Eine Öllampe baumelte unter der Decke, schwankte leicht hin und her. Die gesamte Umgebung vibrierte kaum merklich. Wie es aussah, befanden sie sich noch immer an Bord des Luftschiffs. Seine Fesseln waren verschwunden.

„Ich dachte, ich bin taub“, brachte er hervor. Seine Stimme klang in seinen eigenen Ohren blechern, so als hörte er sie nur im Inneren seines Schädels, nicht von außen.

Noch etwas war anders als sonst.

Er lag in einem Bett, sein Kopf ruhte auf weichen Kissen. Er konnte sich nicht erinnern, wann er zuletzt in einem Bett geschlafen hatte – das musste gewesen sein, bevor ihn der Wächterdrache mit dem Fluch des Vergessens belegt hatte. Danach hatte er die Nächte im Käfig der Gaukler, schließlich mit Niccolo und den anderen im Freien verbracht.

„Hörst du auch dieses Pfeifen?“, fragte er in einem schwachen Anflug von Hoffnung.

Wisperwind schüttelte den Kopf. „Jetzt nicht mehr. Nur die ersten paar Stunden lang. Du warst dem Gekreische dieses Kerls auf der Brücke schutzlos ausgeliefert. Wahrscheinlich hält es bei dir noch eine Weile länger an.“

Feiqing setzte eine Leidensmiene auf. „Wen sonst hätte es wohl auch mal wieder schlimmer treffen können als alle anderen ...“

„Der Gildenmeister hat mir alles erzählt“, sagte sie. „Über dich.“

Er schaute sich gerade in der kargen Kammer um, als die Bedeutung dieser Worte erst durch das Pfeifen, dann auch durch sein Selbstmitleid drang. „Über mich?“, wiederholte er.

„Ja.“

Er schluckte und sagte, ohne nachzudenken: „Ich will das gar nicht wissen.“

Sie hob eine schmale schwarze Augenbraue und musterte ihn verwundert.

„Nun sieh mich nicht an, als hätte ich den Verstand verloren.“ Er hörte sich reden wie einen Fremden. Aber seine Entscheidung stand fest, so als hätte sie sich ohne sein Zutun während seiner Bewusstlosigkeit verfestigt. „Ich will nichts davon hören, wer ich einmal gewesen bin.“

Zum ersten Mal wirkte Wisperwinds Lächeln nicht gezwungen, sondern kam so sehr von Herzen, dass sie dabei sogar Zähne zeigte. Feiqing spürte, wie sie eine seiner Drachenpranken mit beiden Händen umfasste, und plötzlich erinnerte er sich wieder daran, dass sie ihn oben auf der Brücke einen *Freund* genannt hatte. Ihn, eine Witzfigur, einen Verfluchten – er war nun der Freund einer Schwertmeisterin vom Clan der Stillen Wipfel.

„Ich glaube, ich weiß, was du meinst", sagte sie leise. „Aber nur um ganz sicher zu gehen – erklär es mir."

Feiqing lag auf dem Rücken, sein klobiges Kostüm erlaubte keine andere Position, und so musste er den Kopf weit zur Seite drehen, um ihr in die Augen zu blicken. „Ich war ein Verbrecher, nicht wahr? Es spielt überhaupt keine Rolle, was ich getan habe, jedenfalls nicht für mich. Irgendetwas, das schlimm genug war, dass sie mich in dieses Kostüm gesteckt und auf einem Luftschlitten hinunter auf den Drachenfriedhof geworfen haben. Wäre ich ein Mörder, hätten sie mich sicher gleich hingerichtet. Stattdessen haben sie sich erst über mich lustig gemacht und dann wohl gehofft, dass ich trotzdem sterbe – man entweiht den Drachenfriedhof nicht ungestraft, erst recht nicht in solch einem Aufzug ... Aber das spielt keine Rolle mehr. Was ich jetzt bin, mag vielleicht ein wandelnder Witz sein, aber ich kann wenigstens dazu stehen." Er verstummte kurz und suchte nach den richtigen Worten. „Vor ein paar Wochen habe ich eine Entscheidung getroffen: Niccolo und Nugua bei ihrer Suche nach den Drachen zu helfen, so gut ich eben kann. Vielleicht war das nicht immer ganz uneigennützig, und ein großer Held wird sicher auch nicht aus mir ... Aber zumindest bin ich jetzt näher dran, einer zu sein, als jemals zuvor."

Wieder brach er ab und ließ die Worte nachklingen, weil

er sich selbst erst darüber klar werden musste, wie viel sie ihm bedeuteten. Mit einem Mal stand ihm alles deutlich vor Augen: Er hatte während der vergangenen Wochen nicht um seine Vergangenheit gekämpft, wie er die ganze Zeit geglaubt hatte, sondern um die Chance auf eine neue Zukunft.

„Ich mag früher ein Verbrecher gewesen sein ... nun, immerhin ein sehr *gebildeter* Verbrecher, nicht wahr? Aber ich kann mir nicht vorstellen, dass ich mich dabei besonders wohlgefühlt habe. Der, der ich heute bin, hätte sich jedenfalls ganz sicher *nicht* wohlgefühlt. Vielleicht weiß ich erst jetzt, wer ich wirklich sein will. Deshalb, ich meine ...“ – wieder suchte er nach Worten – „... darum kann mir meine Erinnerung gestohlen bleiben. Wahrscheinlich käme ich mir nur scheußlich vor und würde mich selbst verurteilen. Der Feiqing, der ich heute bin, kann sich zumindest im Spiegel in die Augen schauen. Alles, was ich in den letzten Wochen getan habe, war ... na ja, es *ist* das Richtige, sich gegen den Aether zu stellen, oder? Also bin ich lieber der Feiqing von heute als der von früher.“ Er räusperte sich. „Ergibt das einen Sinn?“

Wisperwind hatte ihn die ganze Zeit über mit einem Lächeln angesehen, das gleichermaßen Ernsthaftigkeit und Stolz in sich vereinte. Aber ... Stolz auf *ihn*? Der Gedanke schnürte ihm die Brust zusammen.

Sie beugte sich vor, nahm sein Rattendrachengesicht in beide Hände und gab ihm einen freundschaftlichen Kuss zwischen die Augen – hätte sie ihm stattdessen einen Dolch in die Stirn gerammt, hätte der ihn kaum unverhoffter treffen können. „Wer hätte gedacht, dass jemals so viel Tapferkeit aus dir sprechen würde“, sagte sie. „Ich habe in meinem Leben viel Mut auf dem Schlachtfeld gesehen, Männer und Frauen, die sich ohne Zögern einer hoffnungslosen Übermacht entgegengestellt haben. Aber nur selten ist mir jemand begegnet, der über sich selbst siegt, und ich glaube, unter all denen war kein Einziger, der so genau wusste, warum er es tat.“

Feiqing knurrte leise. „Ist nicht schwer, wenn man weiß, dass man eh sterben wird.“

„Du wirst nicht sterben.“

„Aber die Händler werden – “

„Sie werden dir kein Haar krümmen“, unterbrach sie ihn. „Ich habe Gildenmeister Xu und diesem Hauptmann Kangan alles erzählt über das, was der Aether plant und wie nahe er seinem Ziel bereits ist. Sie wissen Bescheid über den Tod der Xian und das Verschwinden der Drachen. Und sie haben wohl auch verstanden, wie dünn der Faden ist, an dem das Schicksal der Welt hängt. Ich habe ihnen erzählt, welche Rolle du dabei gespielt hast, das Versteck der Drachen ausfindig zu machen, damit wir sie um Hilfe bitten können, und dass du das Vertrauen eines Xian genießt ... Vielleicht habe ich das eine oder andere ein wenig übertrieben.“

Feiqing starrte sie an. „Und sie haben dir *geglaubt*?“

„Nach dem, was mit dem Spürer geschehen ist – allerdings.“

Der Spürer – natürlich! Alarmiert wollte er den Oberkörper aufrichten, doch die Wülste seines dicken Drachenbauchs waren im Weg. „Was genau ist überhaupt geschehen? Das Letzte, woran ich mich erinnern kann, ist dieser Schrei.“

Wisperwind nickte. „Ich habe nur die Hälfte von dem verstanden, was sie mir erklärt haben, aber es hat mit den Kraftadern in der Erde zu tun. Jemand oder etwas macht sich offenbar daran zu schaffen – das mag der falsche Ausdruck sein, aber darauf läuft es hinaus –, und die Spürer sind die Ersten, die es bemerkt haben.“

„Der Aether?“

Sie schüttelte den Kopf. „Diesmal nicht. Xu scheint davon auszugehen, dass es sich um eine Art Signal gehandelt hat. Oder eher um einen Hilferuf.“

Er versuchte, das beständige Pfeifen in seinen Ohren zu ignorieren und trotzdem zu begreifen, wovon sie da redete. „Jemand benutzt das *Chi* der Erde, um den Geheimen Händlern ein Signal zu geben?“ Nach allem, was sie bereits erlebt hatten, war das zwar eine eigenwillige, aber keineswegs abwegige Vorstellung.

Wisperwind nickte langsam, während sie augenscheinlich selbst Mühe hatte, sich die Dinge im Kopf zurechtzulegen. „Wir sind bereits unterwegs zu dem Ort, von dem die Signale ausgehen. Der Gildenmeister will Genaueres verraten, sobald jeder Irrtum ausgeschlossen ist.“

Er sah sie prüfend an. Es gehörte nicht viel dazu, ihre Miene zu deuten. „Und wie es der Zufall will“, fragte er gedehnt, „liegt der Ort, von dem dieses Signal ausgeht, ausgerechnet in derselben Richtung, in die wir auch wollen?“

Ihre Augen verengten sich, und zum ersten Mal sah er Verunsicherung im Blick der Schwertmeisterin. „Erstaunlich, nicht wahr?“

° ° °

Auf der Brücke der *Abendstern* begrüßte man ihn nicht, als Feiqing mit Wisperwind dort ankam, aber zumindest hielten die Geheimen Händler ihre Feindseligkeiten im Zaum. Es gab keine offenen Drohungen mehr, nur ein paar düstere Blicke. Was immer die Besatzung der Kommandobrücke beschäftigte, war offenbar von größerer Wichtigkeit als die Vergehen eines Ausgestoßenen. Und manch einer mochte sich insgeheim denken, dass die Strafe, in einem Kostüm wie diesem festzustecken, schwerer wog als alles, das sie ihm noch antun konnten.

Gildenmeister Xu, zugleich der Kapitän des Luftschiffs, schenkte ihnen kaum Beachtung, als sie die Brücke betraten. Hauptmann Kangan war nirgends zu sehen. Der Spürer saß wieder festgeschnallt auf seinem Hochsitz vorn im Bug, unweit der gelblichen Fenster, den Kopf im Gewirr der Goldstränge gefangen, die hinauf zur Decke führten. Jemand musste all jene Fäden, die während seines Anfalls zerrissen waren, entfernt oder durch neue ersetzt haben. Hätte Feiqing es nicht besser gewusst, er hätte annehmen können, dass alles wieder beim Alten war.

Und doch hing merklich Spannung in der Luft. Der Umgangston der Brückenbesatzung war gereizt, die Bewegungen der meisten Männer hektisch. Was immer sie an all den Hebeln und Rädern zu tun hatten – Feiqing vermutete, dass es mit der Justierung der Papiersegelwaben im Bauch der *Abendstern* zu tun hatte –, sie taten es mit schweißtreibender Schnelligkeit und Perfektion.

„Sagt mir jetzt die Wahrheit", verlangte Wisperwind, als sie neben den Gildenmeister trat. „Wohin fliegen wir?"

Xu warf einen schnellen Blick über ihre Schulter hinweg auf Feiqing – ein Blick, der wie zufällig den Griff des Schwertes auf ihrem Rücken streifte und in Feiqing die Ahnung aufkommen ließ, dass sie ihm nicht *alle* Argumente verraten hatte, mit denen sie die Händler dazu gebracht hatte, seine Bestrafung aufzuheben.

„Es hat sich gezeigt, dass unsere erste Vermutung die richtige war", entgegnete Xu. „Unsere Einschätzungen haben ergeben, dass – "

Wisperwind fiel ihm ins Wort: „Wohin?"

„Zu den Riesen."

Wisperwinds Schultern strafften sich. Feiqing meinte im ersten Moment, das Pfeifen habe seinen Ohren einen Streich gespielt. Jedes Kind wusste, dass die Riesen seit Jahrtausenden vom Antlitz der Erde verschwunden waren.

„Wir glauben", fuhr der Gildenmeister fort, „dass sie den Ruf an die Spürer ausgesandt haben."

„Du behauptest allen Ernstes, dass noch immer irgendwo Riesen existieren?"

„Natürlich." Der Schatten eines Lächelns huschte über Xus Züge, eine Spur von Überheblichkeit, die Feiqing schlucken ließ, weil er ahnte, wie Wisperwind sie aufnehmen würde.

Aber die Schwertkämpferin blieb beherrscht. „Die Geheimen Händler wissen offenbar mehr als alle Weisen im Reich der Mitte."

Jetzt lächelte Xu. „Wir machen unsere Geschäfte nicht mit dem Kaiserhof oder den Mandschu. Die, mit denen wir Handel treiben, leben oft im Verborgenen – sonst wären die Geheimen Händler die längste Zeit geheim geblieben, nicht wahr?"

„Wortklaubereien sind nicht der beste Weg, unsere Zeit zu verschwenden." Wisperwinds Stimme hatte einen gefährlichen Unterton angenommen.

Der Gildenmeister erwiderte ihren Blick mit seinen schwarzen Eulenaugen, dann nickte er langsam. „Wir treiben seit langer Zeit Handel mit den Riesen, wenn auch nur im Abstand von einigen hundert Jahren. Ich selbst bin nie einem begegnet und auch sonst niemand an Bord der Flotte."

Feiqing fragte sich, ob alle fünf Luftschiffe, die sie über dem Tal gesehen hatten, gemeinsam aufgebrochen waren. Vor den Bugfenstern war keines zu sehen, nur waldige Berglandschaft in der Tiefe und vorbeiziehende Vogelschwärme; doch die *Abendstern* war das Flaggschiff, und alle anderen Schiffe flogen vermutlich hinter ihr.

„Vor Tausenden von Jahren", erklärte Xu, „haben sich die Riesen selbst in einen tiefen Schlaf versetzt. Sie hatten einen guten und sogar ehrenwerten Grund dafür: Ihr Hunger war größer als das, was die Welt ihnen geben konnte.

Ein Riese wird gut und gern zweihundertfünfzig Meter groß. Kannst du dir vorstellen, Schwertmeisterin, welche Mengen an Fleisch und Pflanzen solch ein Wesen vertilgt, um bei Kräften zu bleiben? Weite Landschaften wurden zu Wüsten, weil die Riesen sie schröpften, und sie hätten die allerletzte Geißel der Welt sein können, der Grund ihres Untergangs, wenn sie ihr Dasein fortgeführt hätten wie bisher. Doch die Riesen sind keine dummen Geschöpfe, und Bösartigkeit ist ihnen fremd. Ihre Linie geht zurück auf Pangu, den Urriesen, das erste aller Lebewesen, von dem man sagt, dass er aus sich selbst die Welt erschuf. Die Riesen mögen zuletzt nicht mehr Pangus kosmische Größe besessen haben, aber in ihnen war noch immer genug von seiner unermesslichen Weisheit. Sie erkannten, dass zwar ein Riese die Welt erschaffen hatte, aber dass es auch Riesen sein würden, die sie zugrunde richteten. So entschieden sie zu schlafen – jeder von ihnen, ohne Ausnahme. Im Schlaf würden sie nur wenig Nahrung benötigen, denn sie erwachen nur etwa alle sechshundert Jahre und nur für kurze Zeit. Dann essen sie so viel, wie nötig ist, und legen sich wieder in ihrem Versteck zur Ruhe."

Wisperwind strich ihr langes Haar zurück, was einer nervösen Geste erstaunlich nahe kam. Eine Schwertmeisterin zeigte *niemals* Nervosität. Feiqing stand jetzt neben ihr, dem Gildenmeister genau gegenüber, und er beobachtete sie heimlich aus dem Augenwinkel. Was Xus Worte da heraufbeschworen, war atemberaubend, aber es verstörte Feiqing, dass Wisperwind sich so offen verunsichert zeigte. Womöglich zog sie aus all dem bereits Schlüsse, auf die er selbst noch nicht gekommen war. Und *das* verstörte ihn erst recht.

„Wie lange ist es her, seit sie zuletzt erwacht sind?“, fragte sie.

„Ich habe in den alten Schriftrollen meiner Vorfahren nachsehen müssen: dreihundertzwölf Jahre.“

„Das bedeutet“, mischte Feiqing sich ein, „der Ruf, den die Spürer aufgefangen haben, kommt fast *dreihundert Jahre* zu früh?“

Der Gildenmeister sah ihn nicht an. „Irgendetwas ist geschehen. Wenn wirklich die Riesen das Signal ausgesandt haben, und die Spürer scheinen daran keinen Zweifel zu haben, dann hat irgendetwas sie geweckt.“

„Das kann doch kein Zufall sein“, sagte Wisperwind.

„Das glaube ich auch nicht.“ Xu presste für einen Moment nachdenklich die Lippen aufeinander, bevor er fortfuhr: „Könnte der letzte Xian gefallen sein? Keiner von uns weiß, was genau dann geschehen wird. Vielleicht ist das Erwachen der Riesen nur ein erster Schritt – “

„Auf dem Weg zum Ende der Welt?“ Wisperwind atmete tief durch. „Vielleicht. Das werden sie uns selbst sagen müssen, nicht wahr?“

„Ja.“

Feiqings Herzschlag beschleunigte sich. „Das heißt, wir sind jetzt unterwegs zu ihrem Versteck?“

Xu wandte sehr langsam den Blick von Wisperwind ab und fixierte ihn. „Vielleicht ist es keine gute Idee, einen Verräter in ein Geheimnis einzuweihen, das unser Volk seit Tausenden von Jahren sicher gehütet hat.“

War er deshalb ausgestoßen worden? Weil er uralte Geheimnisse der Händler ausgeplaudert hatte? Feiqing musste sich eingestehen, dass zu viele Worte tatsächlich Teil seines Naturells waren. Aber sein Entschluss war unumstößlich: Er wollte die Wahrheit nicht hören. Mit all dem hatte er abgeschlossen, ein für alle Mal. „Verbindet mir die Augen, wenn ihr wollt. Oder sperrt mich zurück in diese Kammer ohne Fenster."

Wisperwind ging dazwischen, bevor Xu eine endgültige Vorsichtsmaßnahme ins Auge fassen konnte. „Das wird nicht nötig sein", sagte sie bestimmt. „Wie lange wird die Reise dauern?"

Die buschigen Eulenbrauen des Gildenmeisters zogen sich dichter zusammen. Schließlich aber entspannten sich seine Züge, und er wandte sich zu den Bugfenstern um. Die Landschaft dort unten sah merkwürdig krank aus, so als hätte der Aether bereits mit seinem Vernichtungswerk begonnen. Noch aber war das nur eine Täuschung des gelben Glases.

„Wenige Tage", sagte er. „Haltet euch bis dahin von der Brücke fern. Ich lasse euch rufen, sobald wir die Stadt der Riesen erreichen."

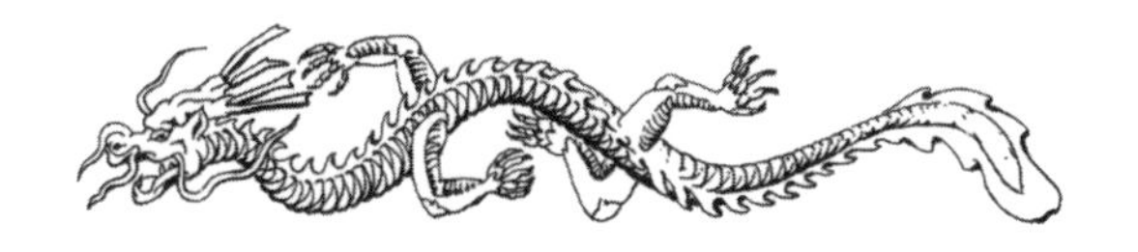

Das Bündnis

Die Flotte der Luftschiffe war dem Verlauf einer gigantischen Schlucht gefolgt, dicht unterhalb der Felskante. Im Süden erhoben sich die Ausläufer des Himalaya; aus dem Schatten der Kluft heraus hatte man nur dann und wann einen der höchsten Gipfel erkennen können, schneebedeckte Konturen wie Nebel, der über dem Horizont zu Eis und Granit erstarrt war.

Seit einigen Stunden ankerten die fünf Schiffe nebeneinander an den Ruinen der Riesenstadt, nicht oben in der Hochebene, sondern dort, wo die Trümmer der titanischen Gebäude senkrecht in die Steilwand der Schlucht gebaut worden waren und sich nach einigen hundert Metern in der Finsternis des Abgrunds verloren. Unheimliche Laute drangen aus der lichtlosen Schwärze herauf, ein geisterhaftes Brüllen und Schnaufen, begleitet vom Poltern und Donnern wie von fernen Felslawinen.

Feiqing und Wisperwind standen auf einer windgepeitschten Balustrade, die rund um den Wabenbalg der *Abendstern* verlief. Beide hatten die Hände fest um das Geländer geklammert. Feiqing hatte sein Zittern beim Anblick der unfassbaren Bauwerke nur ganz allmählich unter Kontrolle bekommen, und sogar Wisperwind war noch immer bleich um die Nasenspitze. Die Finsternis weiter unten in der Schlucht sah aus wie ein Fluss aus Pech, an dessen Ufer die fünf Wabenschiffe vor Anker lagen.

Schritte näherten sich auf dem Plankenboden der Balustrade, Stiefelabsätze, deren hohler Klang über den Abgrund hallte.

„Es ist so weit“, sagte Hauptmann Kangan, als er die beiden erreichte. Er sah beim Sprechen nur Wisperwind an, Feiqing ignorierte er. „Gildenmeister Xu lässt ausrichten, dass die Delegation bereit ist zum Aufbruch.“

Wisperwind gab Feiqing mit einem Nicken zu verstehen, dass er sie begleiten sollte.

Kangan schüttelte barsch den Kopf. „Nicht er.“

„Er gehört zu mir“, gab Wisperwind zurück.

„Ich habe meine Befehle.“

Sie musterte ihn. „Willst du allen Ernstes das Urteil eines leibhaftigen Xian in Frage stellen?“

„Ich habe diesen Xian nicht gesehen“, antwortete der Hauptmann unbeeindruckt. „Es mag ihn geben oder nicht. Und er mag Feiqing vertraut haben – oder auch nicht.“

Der Rattendrache lenkte ein. „Ich kann hier warten.“

„Nein.“ Die Schwertmeisterin sah Kangan mit einem Stirnrunzeln in die Eulenaugen. „Wir wollen doch nicht das Risiko eingehen, dass jemand einen unglücklichen Unfall erleidet, nicht wahr? Jemand, der nicht besonders beliebt ist bei den Geheimen Händlern und vielleicht ausrutschen und in den Abgrund stürzen könnte.“

Feiqing würgte einen Klumpen im Hals hinunter.

Der Hauptmann hielt dem Starren der Schwertmeisterin ein paar Sekunden länger stand, ehe er resigniert die Achseln zuckte. „Soll der Gildenmeister entscheiden. Ich bin nicht hier, um mit dir zu streiten, Clankriegerin."

Er ging voraus, und die beiden eilten in einigem Abstand hinterher. Das grimmige Zucken um Wisperwinds Mundwinkel machte auf Feiqing den unangenehmen Eindruck, dass sie es genoss, Kangan zu reizen.

„Ich *will* gar nicht mitgehen", flüsterte der Rattendrache.

„Ich weiß."

„Dann glaubst du wirklich" – er räusperte sich – „sie würden mich umbringen?"

„Nein."

„Aber du hast gesagt – "

„Wir werden in die Schlucht hinabsteigen, um den König der Riesen zu treffen", unterbrach sie ihn. „Da unten möchte ich jemanden an meiner Seite haben, dem ich vertrauen kann."

„König der Riesen?"

„Das ist es, was Xu gesagt hat."

Feiqing bekam unter seinem Rattendrachenkostüm heiße Schweißausbrüche. „Ich will aber keinen König der Riesen treffen!"

„Ach, sei still, Feiqing."

„Nein, im Ernst!"

Kangan blickte über die Schulter zurück. „Wir könnten ihn gemeinsam über die Brüstung werfen, Schwertmeisterin. Was meinst du?"

Feiqing wartete darauf, dass Wisperwind ihn erneut in Schutz nehmen würde, aber diesmal lächelte sie nur wortlos in sich hinein.

„Vielen Dank“, knurrte Feiqing. „Vielen herzlichen Dank!“

Kangan sah wieder nach vorn, während die Winde sein leises Lachen verwehten.

° ° °

Ein Gesicht wie aus Fels, viel größer als jeder Tempelgötze. Augen so schwarz wie die Nacht, verborgen im Schatten einer vorgewölbten Stirn. Ein Mundspalt, mindestens zehn Meter breit, ohne Lippen, aber mit gesplitterten Rändern wie Felskanten eines Steinbruchs.

Der König der Riesen ragte aus der Dunkelheit empor wie ein Berg, und nur vage waren hinter ihm weitere Silhouetten auszumachen, höher als die höchsten Bauwerke der Menschen, eine Armee erstarrter Giganten, die das Werk vorzeitlicher Steinmetze hätten sein können – wäre da nicht das Flüstern gewesen, das zwischen ihnen umhergeisterte wie verirrte Winde.

Feiqing schaute ehrfurchtsvoll in die Augen des Königs, Tore zu unergründlichen Felshöhlen. Falls etwas daraus seinen Blick erwiderte, zeigte es sich nicht. Keine Pupillen, auch kein Schimmern oder Glosen. Nur Leere.

Feiqing bebte am ganzen Körper. Er und die anderen befanden sich nicht am Boden der Schlucht – der lag noch immer unsichtbar in der Schwärze unter ihnen. Stattdessen standen sie auf dem Rand einer Mauer aus gewaltigen Steinquadern, Teil einer Ruine im unteren Bereich der Riesenstadt; weil die Blöcke so groß waren, hatte die Fläche oben auf der Mauer nach menschlichem Ermessen eine beachtliche Ausdehnung. Der König der Riesen mochte volle zweihundertfünfzig Meter groß sein und aufrecht am Grunde der Schlucht stehen – das Fackellicht der Delegation reichte kaum bis zu seiner Brust hinab, und das ließ zumindest erahnen, wie tief ein Sturz von hier oben sein würde. Der Mauerrand befand sich auf Höhe seines Kinns, sodass sein Riesengesicht jenseits der Steinkante hing wie ein blassgelber Mond, auf den statt Sonnenlicht zuckender Fackelschein fiel.

Hoch über ihnen erkannte Feiqing einen Spalt aus Himmelsblau: die Ränder der Klamm, in die man sie in einer schwankenden Gondel hinabgelassen hatte. Keines der fünf Luftschiffe hatte das Risiko eingehen wollen, so weit abzusinken und von den tückischen Winden gegen die Felsen geschleudert zu werden. Sie schwebten weiterhin an ihren Ankerplätzen und wirkten von hier unten kleiner als Ruderboote. Die Gondel war beim Abseilen mehrfach ins Schwingen geraten und hatte nur haarscharf die geborstenen Ränder der Ruinen verfehlt. Feiqing kämpfte auch jetzt noch gegen seine Übelkeit an.

„Ich danke euch, dass ihr gekommen seid."

Es waren die ersten Worte, die der König der Riesen von sich gab. Für ein so grobschlächtiges Antlitz und einen Mund, der aussah wie ein Felsspalt, waren sie überraschend klar formuliert. Seine donnernde Stimme wurde von einem Grollen begleitet, das aus den Untiefen seiner Riesenbrust aufstieg.

Die fünf Gildenmeister, unter ihnen Xu, verbeugten sich. Ebenso Kangan und das halbe Dutzend hochrangiger Soldaten. Wisperwind warf Feiqing einen Blick zu, darauf folgte er ihrem Beispiel und neigte ebenfalls den Oberkörper; mit seinem Kostüm hatte er allerdings Mühe, wieder hochzukommen. Ein leises Ächzen entfuhr ihm, das von den Felswänden widerhallte und einen Augenblick eisigen Schweigens zur Folge hatte. Mehrere Gesichter wandten sich mit strafenden Blicken in seine Richtung.

„'tschuldigung", krächzte er kleinlaut und wünschte sich, er könnte in seinem Drachenkostüm versinken und nie wieder daraus auftauchen.

Nach einem Räuspern wandte sich Xu an den König der Riesen. „Wir grüßen dich, Maginog, Herrscher über das Reich der Riesen."

„Es gibt kein Reich der Riesen mehr", entgegnete der König. „Schon seit vielen Zeitaltern liegt diese Stadt in Trümmern, und sie wird niemals wieder auferstehen."

Xu wechselte einen verunsicherten Blick mit einem zweiten Gildenmeister, dann sah er wieder den Riesen an. „Unsere Spürer haben euren Ruf vernommen, und wir sind herbeigeeilt, so schnell wir konnten. Leider hat die Zeit nicht ausgereicht, genügend Nahrung für dich und dein Volk aufzunehmen. Ein paar Schaf- und Rinderherden sind alles, was wir in der Eile beschaffen konnten."

Beschaffen, dachte Feiqing erbost. Die Geheimen

Händler hatten die Herden von den Hängen der Bergbauern gestohlen und ganzen Dörfern damit die Lebensgrundlage entzogen. Was die Geheimen Händler genau genommen zu Gemeinen Dieben machte. Und da fällten sie über *ihn* ein Urteil?

„Mein Volk ist hungrig", sagte Maginog, der Riesenkönig. „Aber nicht deshalb haben wir euch gerufen. Das *Chi* der Erde ist in Aufruhr, und dies ist nicht allein unser Tun."

Xu hob verwundert das Kinn. „Aber es war doch euer Ruf, den wir hörten."

„Das *Chi* ist in Aufruhr", sagte der König erneut. „Wir haben sein Beben verstärkt, damit eure Spürer es wahrnehmen können und seine Fährte zu uns zurückverfolgen. Aber der wahre Grund für das Beben liegt anderswo, nicht hier in dieser Schlucht. Wir Riesen sind aus dem Stoff der Erde gemacht, niemand ist ihr so nah wie wir, erst recht an einem Ort wie diesem. Wir sind nur die Ersten, die es wahrgenommen haben. Andere werden folgen."

Die Gildenmeister tuschelten verhalten. Feiqing fing einen Seitenblick von Wisperwind auf. Am liebsten hätte er hinausgebrüllt: *Es ist der Aether! Er trägt die Schuld daran!* Das war mehr als eine Vermutung, er war ganz sicher. Die einzige Schwierigkeit war, dass er nicht wusste, wie all das zusammenhängen mochte: die Vernichtungspläne des Aethers, die Erschütterungen der Erdkraft, selbst das Verschwinden der Drachen. *Dass* es eine Verbindung gab, daran zweifelte er nicht. Doch wo lag der Punkt, an dem sich all diese Ereignisse überschnitten?

Dies war das Rätsel, das es zu lösen galt, und etwas sagte Feiqing, dass dahinter zugleich der große Trumpf steckte, den der Aether in der Hinterhand hielt und den bislang noch niemand hatte kommen sehen.

Gildenmeister Xu ergriff erneut das Wort. „Was, wenn nicht Nahrung, erhofft ihr euch von uns? Mit welcher Ware können wir euch dienlich sein?" Selbst jetzt war Xu noch ganz Kaufmann, ein Geheimer Händler durch und durch.

„Mit Wissen", entgegnete Maginog mit dröhnender Stimme. Hinter ihm im Dunkeln hob das Flüstern der übrigen Riesen zu einem Brausen an und verebbte wieder.

„Wissen?", fragte Xu.

Ein zweiter Gildenmeister stimmte mit ein: „Welches Wissen könnten die Geheimen Händler besitzen, das den Riesen in all ihrer Weisheit fehlt?"

Das Titanengesicht des Königs beugte sich mit einem Knirschen näher heran. Noch immer war Feiqing nicht sicher, ob die Haut des Riesen nur aussah wie Gestein oder tatsächlich welches war.

„Was geschieht dort draußen in der Welt?", fragte Maginog. „Etwas Unheilvolles ist im Gange."

Die Gildenmeister wechselten Blicke.

Wisperwind schob sich zwischen den Männern nach vorn. In einer gleitenden Bewegung huschte sie an die Spitze der Delegation. Feiqing erwartete, dass Kangan einschreiten und sie maßregeln würde, doch der Hauptmann blieb, wo er war, und hob nur eine Augenbraue, eher interessiert als verärgert.

„Die Welt stirbt!", rief Wisperwind dem Riesen entgegen. „Das ist die Wahrheit und das Wissen, nach dem ihr sucht. Die Welt ist nur noch einen Fingerbreit davon entfernt unterzugehen."

Ein Rasseln ertönte aus dem schwarzen Schlund des Königs, wie ein scharfer Luftzug in tiefen Felsgrotten. Xu flüsterte Wisperwind empört etwas ins Ohr, aber sie achtete nicht auf ihn. Statt in den Pulk der Delegierten zurückzutreten, machte sie noch einen weiteren Schritt nach vorn, bis sie fast am Abgrund der Mauerkante stand.

„Wir sind hier, um Handel zu treiben", sagte Wisperwind. „Also lasst uns unsere Waren tauschen. Euer Wissen gegen unseres."

Xu wollte abermals aufbegehren, doch nun war es Feiqing, der ihn von hinten am Arm herumriss. Noch ehe Kangan reagieren konnte, fauchte der Rattendrache dem Händler entgegen: „Es ist *unser* Wissen, nicht deines, Gildenmeister. Wisperwind und ich haben es euch gebracht, und du hast kein Recht, es zu verkaufen. Lass sie mit dem König sprechen und, bei Xiwangmus göttlichen Pfirsichen, halt endlich deinen Mund!"

Kangan wagte nicht, vor den Augen des Riesenkönigs zur Waffe zu greifen, aber er zog Feiqings Hand vom Arm des Gildenmeisters und rückte zwischen die beiden. Feiqing war es einerlei; er hatte gesagt, was zu sagen war.

Der Riese verriet durch keine Regung, ob er den Streit zwischen den Menschen überhaupt wahrgenommen hatte. Seine Aufmerksamkeit galt allein Wisperwind. „Ein Tausch", sagte er dröhnend. „Wissen gegen Wissen. Ich bin einverstanden."

Sekundenlang suchte Wisperwind nach den richtigen Worten. Dann begann sie in knappen Sätzen ihren Bericht von der Bedrohung durch den Aether, vom Tod der Xian und dem Rückzug der Drachen in die Himmelsberge. Maginog hörte schweigend zu, nun wieder so starr wie ein steinernes Götzenbild. Hinter ihm in der Finsternis zuckten die Ausläufer des Fackelscheins über die Umrisse weiterer Riesen, ohne auch nur erahnen zu lassen, wie viele von ihnen tatsächlich in der Finsternis auf den Befehl ihres Königs warteten. Hunderte, möglicherweise.

Nachdem Wisperwind geendet hatte, blieb der König eine Weile lang stumm. Auch die Giganten in seinem Rücken schwiegen. Das Säuseln der Winde, die im Dunkeln um die Kolosse strichen, schien die Stille zwischen Riesen und Menschen noch zu betonen. Feiqing trat nervös von einem Fuß auf den anderen, während die Gildenmeister die Lippen aufeinanderpressten und eine Reaktion des mächtigen Maginog erwarteten.

Endlich ergriff der König wieder das Wort. „Das sind schlimme Nachrichten. Vieles hat sich verändert, seit wir zuletzt aus unserem Schlaf erwacht sind. Der Aether hat in all den Zeitaltern niemals einen eigenen Verstand besessen, und doch plant er nun das Ende der Welt. Es fiele mir schwer, das zu glauben, spräche nicht etwas dafür, von dem ihr noch nichts ahnt."

„Wissen gegen Wissen", forderte Wisperwind.

„So soll es sein." Flüstern wurde in den unsichtbaren Reihen der Riesen laut, aber es brach sofort ab, als König Maginog fortfuhr: „Ihr glaubt, die Welt würde untergehen, wenn die Bande zwischen Himmel und Erde zerreißen. Doch darin täuscht ihr euch. Ganz allein derjenige kann diese Welt auslöschen, der sie erschaffen hat. Das erste und mächtigste aller Wesen – er, der vor den Göttern da war und der die Welt aus seinem eigenen Fleisch geformt hat. Pangu, unser Schöpfer. Der Erste aller Riesen."

Wie alle anderen kannte Feiqing die Geschichte von Pangu und der Erschaffung der Welt. Er selbst hatte Niccolo während ihrer Wanderungen durch Sichuan davon erzählt. Das schien ein halbes Leben lang her zu sein.

Zuerst herrschten überall nur Dunkelheit und Chaos, hatte er damals gesagt. *Doch aus der Dunkelheit formte sich ein gewaltiges Ei, und aus diesem Ei schlüpfte Pangu, der Erste der Riesen. Dabei zerbrach es in zwei Hälften. Die reine, saubere Hälfte stieg auf und wurde zum Himmel, die unreine, schwerere Hälfte blieb liegen – das ist die Erde. Und weil Pangu befürchtete, dass beide Teile wieder eins werden könnten, stellte er sich dazwischen und stützte sie. Auf seinem Kopf trug er den Himmel, und seine Füße drückten die Erde nieder. Dadurch schuf er das Gleichgewicht aller Dinge, Yin und Yang. Achtzehntausend Jahre lang stand Pangu zwischen den beiden Hälften des Eis, und an jedem Tag ist er drei Meter gewachsen. Dadurch wurde der Abstand zwischen Himmel und Erde immer größer, und als sie schließlich weit genug voneinander entfernt waren, legte sich Pangu zur Ruhe und schlief ein.*

Er sei im Schlaf gestorben, erzählte man sich, und aus ihm entstand die Welt, wurde lebendig und einzigartig.

Sie wuchs und verselbstständigte sich, während das Wissen um Pangu in vielen Kulturen und Reichen verloren ging. Nur die Chinesen bewahrten die Wahrheit in ihren Legenden, darum waren sie die Begünstigten des Urriesen, die bevorzugten Kinder des Vaters aller Dinge.

Als Feiqing Niccolo davon erzählt hatte, da hatte er gespürt, wie der Junge von der Wolkeninsel das alles als Mythos abtat, als farbenfrohes Schöpfungsspektakel, wie es sie überall auf der Welt zu Hunderten gab. Feiqing aber war mit dieser Geschichte aufgewachsen, und Zweifel waren ihm nie in den Sinn gekommen.

Bis heute, da mit einem Mal das Schicksal der Welt davon abhängen sollte.

Während die Geheimen Händler fragende Blicke tauschten, fuhr der König der Riesen fort: „Der Tod der Xian mag verhindern, dass die Götter in den Krieg zwischen dem Aether und den Sterblichen eingreifen. Aber ich fürchte, dass der Aether weit Schlimmeres plant. Noch ist er nicht viel mehr als eine Schicht aus Drachenatem, die über dem Himmel liegt und die Schöpfung Pangus umschließt. Reicht das aus, um einen Krieg gegen das Leben selbst zu führen? Wohl kaum."

Feiqing verstand nicht, worauf Maginog hinauswollte, und auch auf den Gesichtern der Händler zeigten sich im Fackelschein erste Anzeichen von Ungeduld.

Nur Wisperwind stand weiterhin ungerührt am Rand der Titanenmauer, einen einzigen Schritt vom Abgrund entfernt, und blickte zu den Schattenaugen des Riesenkönigs empor. „Natürlich!", rief sie. „Die ganze Zeit über haben wir angenommen, der Aether sei diese vage, unfassbare Macht, die uns alle vernichten kann ... *irgendwie* vernichten kann, ohne dass wir wirklich wussten, auf welche Weise er das tun will."

„Weil euch das wichtigste Bruchstück seines Plans gefehlt hat, der eine Hinweis, auf den ihr unmöglich von selbst stoßen konntet." Der König der Riesen klang nun beinahe milde. „Ihr sagt, die Drachen haben sich in die Heiligen Grotten der Himmelsberge zurückgezogen. Dabei haben doch *sie* als Allerletzte einen Grund, vor ihm zu fliehen, denn er speist sich aus ihrem Atem: Solange die Drachen leben, lebt auch der Aether."

Ein Gildenmeister rief: „Dann müssen die Drachen sterben! Ihr Ende bedeutet auch den Untergang des Aethers!"

Heftiger Aufruhr folgte auf diesen Vorschlag, erboste Widerworte aus den Reihen der Geheimen Händler und ein unheilvolles Knurren aus dem Schlund des Riesenkönigs. Seit jeher galten die Drachen in China als heilig und unantastbar.

„Ihr täuscht euch", sagte Maginog. „Die Drachen sind nicht das Verhängnis der Welt – tatsächlich sind sie ihre Rettung! Sie haben sich nicht in die Himmelsberge zurückgezogen, um sich dort zu verstecken. In Wahrheit sind sie dorthin gegangen, um etwas zu beschützen. Etwas, das dort seit so langer Zeit begraben liegt, dass außer Drachen und Riesen kaum einer sich noch daran erinnern kann. Selbst die Xian kennen nicht das wahre Mysterium dieser Berge."

Feiqing drängte sich zwischen den Händlern hindurch,

bis er Wisperwind erreichte. Der schwarze Abgrund tastete mit Sturmfingern nach ihm, aber er ließ sich davon nicht abhalten. Plötzlich glaubte er vieles zu verstehen; das Stückwerk aus Wissenssplittern setzte sich vor seinen Augen zusammen wie ein Mosaik.

„Pangu", flüsterte er.

Er hatte nicht damit gerechnet, dass der König der Riesen ihn hören oder überhaupt nur wahrnehmen würde. Doch Maginog neigte den gewaltigen Schädel ein wenig weiter vor, um den Rattendrachen in Augenschein zu nehmen.

„In der Tat", kam es dröhnend aus seinem Schlund. „Der Vater aller Riesen, der Schöpfer der Welt ... Pangu liegt unter den Himmelsbergen begraben, und er ist es, auf den es der Aether abgesehen hat."

„Ein Körper", platzte Wisperwind heraus. „Mehr als alles andere benötigt der Aether einen festen Körper, um seinen Krieg gegen die Welt zu führen. *Das* also ist es!"

„Der Aether wird versuchen, in Pangus Leib zu fahren", bestätigte der König der Riesen. „Und die Erschütterungen im *Chi* der Erde deuten darauf hin, dass der Kampf bereits begonnen hat. Was ist ein Verstand ohne Körper? Ohne Arme und Beine, die ihm gehorchen? Und der Aether ist nicht auf *irgendeinen* Körper aus, sondern auf den größten, der je existiert hat. Auf jenes Wesen, das einst den Himmel auf seinen Schultern trug. Und wieder sind die Drachen Segen und Fluch zugleich. Ihre Magie ist vielleicht mächtig genug, Pangus Körper vor dem Zugriff des Aethers zu bewahren – doch zugleich sind sie es auch, oder besser: ihr Atem, der es dem Aether erlaubt, in die Tiefen der Himmelsberge vorzudringen. Allein ihre Anwesenheit in den Bergen schafft eine Verbindung zu den Regionen jenseits des Himmels. Der Aether kann der Spur ihres Atems folgen wie einer Fährte. Sein neu beseelter Geist wird daran hinabklettern, in die *Dongtian* der Himmelsberge eindringen und Pangus letzte Ruhestätte entweihen." Der Riese legte mit einem Knirschen den gewaltigen Kopf in den Nacken und blickte empor zu dem blauen Himmelsband über der Schlucht. „Der Aether verfolgt zwei Ziele. Das eine ist die Vernichtung der Xian. Das zweite und weitaus größere aber ist die Erweckung Pangus. Darum sollten wir in die Himmelsberge aufbrechen. Wir müssen alles tun, um den Drachen im Ringen um Pangus Körper beizustehen. Falls es dem Aether erst gelingt, den Leib Pangus unter seine Macht zu zwingen, ist unser aller Schicksal besiegelt. Ihr Menschen glaubt, wir Riesen seien groß – aber ihr ahnt nichts von der *wahren* Größe des Einen, der uns alle erschaffen hat. Pangu wird die Welt unter seinen Füßen zermalmen."

Feiqings Mund war so trocken wie die Wüste, die zwischen dieser Schlucht und den Himmelsbergen lag. In seinem Kopf schwirrten tausend Gedanken und Bilder – es war zu viel auf einmal, zu viel, das er nicht auf Anhieb erfassen, geschweige denn verstehen konnte. Zumindest eines aber hatte er sehr wohl begriffen: Es durfte dem Aether nicht gelingen, den Urriesen Pangu zu neuem Leben zu erwecken. Unter den Sohlen des Weltenschöpfers würden Gebirge bersten und Meere über die Ufer treten.

Seine Pranken reichten hoch genug, um die Sterne selbst vom Himmel zu reißen.

All die Wochen über war der Aether für sie nicht mehr als eine Idee gewesen, eine schwer zu erfassende, immaterielle Macht an einem Ort, an den keiner von ihnen jemals vorstoßen konnte. Jetzt aber stand er kurz davor, ein Gesicht und einen eigenen Körper zu erringen – den größten Körper, den die Welt jemals gesehen hatte.

Während die Geheimen Händler in aufgeregtes Palaver verfielen, erhob der König der Riesen noch einmal seine Stimme: „Der Aether kann die Drachen nicht töten, denn damit würde er sich selbst schaden. Also wird er versuchen, sie auf anderem Wege davon abzuhalten, Pangus Leichnam mithilfe ihrer Magie zu beschützen. Er wird sie angreifen – auch wenn wir noch nicht wissen, wie. Doch das *eine* wissen wir: Wenn sein Geist erst einmal in den Leib des Urriesen gefahren ist, kann ihn niemand mehr aufhalten. Wir dürfen das nicht zulassen. Das Volk der Riesen wird heute noch aufbrechen." Abermals neigte er sein tonnenschweres Haupt, doch diesmal kam es fast einer Verbeugung gleich. Feiqing erzitterte. „Es würde uns ehren, wenn die Geheimen Händler Seite an Seite mit uns in die Schlacht zögen", sagte Maginog. „Drachen, Riesen und Menschen vereint gegen die Macht des Aethers!"

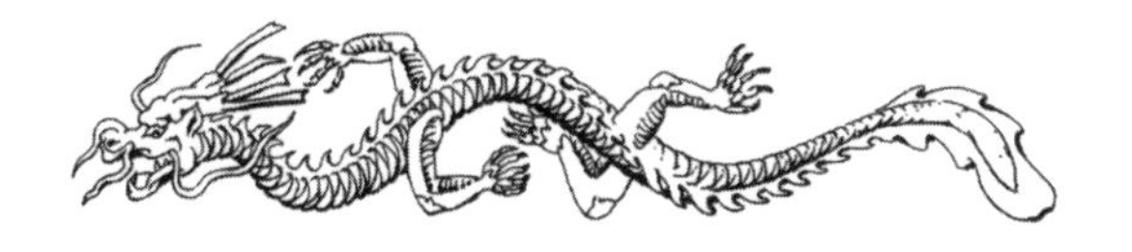

Sternenbeben

Über der Wüste sank die Sonne dem Horizont entgegen. Die trockene Hitze des Tages würde bald in die Kälte der Nacht umschlagen. Das Flimmern über den Dünen des Sandozeans sank wie gläserner Nebel dem Boden entgegen, während Abendwinde vom Purpurhimmel wehten und kühle Schlieren durch die Wüstenluft zogen.

Niccolo saß fröstelnd auf dem Rücken seines Kranichs. Auf dem Weg zu Guo Laos Versteck, um dem Unsterblichen Tieguais Schriftrolle über die Mysterien der Berge zu bringen, hatten sie einen ganzen Tag verloren. Der Vogel hatte versucht, dem Befehl seines toten Meisters allzu wörtlich Folge zu leisten: Er hatte Niccolo auf dem schnellsten Weg über das Gebirge tragen wollen, aber schon bald erkennen müssen, dass sein Reiter zwischen den schneebedeckten Gipfeln erfrieren würde. Außerdem war die Luft dort immer dünner geworden, bis Niccolo das Atmen schwergefallen und der Kranich merklich ins Trudeln geraten war. Erschöpft hatten sie kehrtmachen müssen und waren erst den östlichen Ausläufern des Gebirges über bewaldete Hänge nach Norden gefolgt, dann seinem kargen Nordrand nach Westen.

Niccolo las die Himmelsrichtungen von den Gestirnen ab, hatte ansonsten aber jegliche Orientierung verloren.

Als er unter sich endlich das Dünenmeer der Taklamakan entdeckt hatte, hatte er gehofft, dass sie die Karawanserei, in die sich Guo Lao zurückgezogen hatte, bald erreichen würden. Nun aber schien die Einöde aus sonnenbleichen Sandkuppen und gelben Schattenseen kein Ende zu nehmen.

Während der ersten Tage hatte er im Vorgebirge oft Dörfer entdeckt, meist ärmliche Ansammlungen von Bambushütten; dann waren wieder Stunden vergangen ohne eine Spur von menschlichem Leben. Er hatte gewusst, dass der Westen und Norden Chinas nur spärlich besiedelt waren – die großen Städte lagen viele Tagesreisen östlich von hier –, doch nun kam es ihm manchmal vor, als durchquerten sie eine unwirkliche Traumlandschaft, in der nichts lebte außer dem Kranich und ihm selbst.

Längst zermürbte ihn der eintönige Ritt auf dem Riesenvogel schlimmer als jede körperliche Anstrengung. Mit jeder Stunde fiel es ihm schwerer, sich auf die wirklich wichtigen Gedanken zu konzentrieren. Dabei hatte er alle Zeit der Welt zum Nachdenken, während er nichts anderes tat, als sich festzuhalten und abwechselnd nach vorn zum Horizont oder unter sich in die Tiefe zu starren.

Ein einziges Mal hatte er in der Wüste einen Zug von Nomaden entdeckt, winzige Menschenpunkte und ihre Kamele inmitten des endlosen Nichts aus Sand. Dann und wann ragten zerklüftete Felsgrate aus den Dünen wie Gerippe urzeitlicher Ungeheuer. Seine Wasservorräte gingen noch nicht zur Neige, doch am Tag setzte ihm die Hitze zu, und allein der Anblick der Wüste machte ihn durstig.

Nun aber, in der Abenddämmerung, sorgte er sich wegen der Kälte, die mit der Dunkelheit einherging. Schon jetzt rebellierte sein Körper gegen den plötzlichen Wechsel. Dazu kam, dass ihn der Kampf gegen sein Selbstmitleid und sein schlechtes Gewissen allmählich mürbe machte.

Drei Dinge beschäftigten ihn Tag und Nacht, aber immer wenn er gerade glaubte, eines davon klar genug erfassen zu können, schob sich eine andere Sorge in den Vordergrund und stürzte ihn neuerlich in Verwirrung, Furcht und Schrecken.

Es hatte lange gedauert, ehe er sich endlich eingestehen konnte, dass er sein Volk verraten hatte. Er war losgezogen mit dem Auftrag, den Atem eines Drachen einzufangen und zurück zur Wolkeninsel zu bringen. Er hatte nicht nur versagt, sondern sich sogar bewusst gegen die Erfüllung seiner Mission entschieden. Manchmal erinnerte er sich schmerzlich an die Worte Alessias, der Tochter des Herzogs: Sie hatte ihn gewarnt, dass er das Schicksal des Wolkenvolks aus den Augen verlieren würde, je länger und weiter er fort war. Damals hatte er das abgestritten. Auch darin hatte er sich geirrt.

Dann war da Nugua. Dass er nicht wusste, was aus ihr geworden war, ja, nicht einmal ahnte, wohin es sie verschlagen hatte, war furchtbar. Hatten sie und Li den Drachenfriedhof entdeckt? Gab es dort einen Weg, den Fluch der Purpurnen Hand aufzuhalten? Und was war aus Li geworden? Mondkinds Andeutung, der Aether könne ihn nicht mehr spüren, ließ Schlimmes befürchten.

Schließlich die schrecklichste Frage von allen: War Nugua überhaupt noch am Leben? Immer, wenn Niccolo sich die mögliche Antwort vor Augen führte, stieß sein Denken an eine Mauer; sein Verstand weigerte sich, die letzte Konsequenz zu akzeptieren. Die Möglichkeit, dass Nugua tot sein könnte, schnürte ihm die Kehle zu und trieb ihm Tränen in die Augen. Seine Glieder wurden schwer, sein ganzer Körper fühlte sich an wie geschmolzenes Wachs.

Obwohl er sich keine Ruhe gönnte und der Kranich längst am Rande der Erschöpfung sein musste, hatte er nicht das Gefühl, irgendetwas zu tun, das wirklich einen Zweck erfüllte. Nichts von all dem nutzte irgendjemandem. Er half weder Nugua, noch dem Wolkenvolk, und erst recht nicht –

Er schluckte. Holte tief Atem.

– erst recht nicht Mondkind.

Sie hatte sieben Xian getötet, einen vor seinen Augen. Wenn überhaupt hätte *das* seine Liebe zu ihr zerstören müssen. Doch nicht einmal die Wahrheit war stärker als der Bann, der sie aneinanderfesselte. Wen kümmerte schon, dass ein Zauber der Auslöser gewesen war? Er liebte sie, allein das zählte.

Dann war da die Wunde, die sie sich selbst mit Silberdorns Klinge zugefügt hatte. Die Götterwaffen der Lavaschmiede vermochten einen Xian zu töten. Sie hatte das gewusst, als sie sich das Schwert in die Seite gebohrt hatte. Wollte sie wirklich sterben? War das der einzige Ausweg?

Ganz gleich, in welche Richtung sich seine Gedanken bewegten, überall erwartete ihn nur noch größere Hoffnungslosigkeit. Er hätte der Retter des Wolkenvolks sein sollen, und was war nun aus ihm geworden? Er jagte auf einem Riesenkranich über diese Wüste hinweg, auf der Suche nach einem Unsterblichen, den er nicht schützen konnte, vielleicht nicht einmal wirklich schützen *wollte*, wenn es sein Tod war, der Mondkind endlich Frieden brächte.

Das Dünenmeer erstreckte sich unter ihm in alle Richtungen. Die Sonne war jetzt hinter dem Horizont verschwunden und ließ ein rotes Wabern zum Firmament aufsteigen. Auch die Wolkeninsel hatte Wüsten überquert, aber Niccolo hatte beinahe vergessen, wie klar der Sternenhimmel in solchen Gegenden war. Schon stand der Mond am Nachthimmel, hell genug, um den Schatten des Kranichs unter ihnen über den Sand huschen zu lassen. Es wurde empfindlich kalt, und Niccolo wünschte, er hätte sich in Tieguais Hütte besser ausgerüstet als nur mit einer Felljacke. Sie war nicht besonders dick und ganz sicher nicht für einen Flug und solche Geschwindigkeiten gedacht; der Nachtwind fegte durch die Nähte und legte sich wie ein Eispolster zwischen Niccolos Haut und die Jacke.

Er verengte die Augen in der Hoffnung, am westlichen Horizont mehr als nur Dünen und vereinzelte Felsformationen zu erkennen. Irgendwo, jenseits der Wüste Taklamakan, erhoben sich die Himmelsberge, aber er war Hunderte Kilometer von dort entfernt und entdeckte nicht den winzigsten Gipfel in der Ferne.

Erneut sah er ein Lager aus zehn oder fünfzehn Zelten zwischen den Dünen, ein Nomadenstamm, der die Taklamakan durchquerte. Dass die Spuren der Menschen und Kamele in die Richtung führten, aus der er selbst kam, wertete er als gutes Zeichen: Auch sie benötigten Wasser und waren deshalb wahrscheinlich unterwegs zur selben Karawanserei, die auch er suchte. Die Richtung stimmte also. Der Kranich kannte den Weg.

Weitere Stunden vergingen. Längst war die letzte Sonnenröte abgeklungen, und tiefschwarze Nacht klaffte zwischen den Sternen. Der Mondschein färbte die Wüste grau, so als wären alle Farben im Sand versickert wie Wasser nach einem Regenschauer.

Niccolo döste vor sich hin, als ihm mit einem Mal Sandkörner ins Gesicht wehten. Einen Herzschlag lang glaubte er, der Kranich stürzte ab. Er schlug die Augen auf, kniff sie aber gleich wieder zusammen, als der Sand unter seine Lider drang. Zugleich erfasste ihn ein kühler Windstoß, noch nicht sehr stark, aber er ahnte, was das bedeutete. Ein Sandsturm! Gerade das hatte ihm noch gefehlt. Er gab dem Kranich mit den Zügeln zu verstehen, er solle höher fliegen. Es wurde kälter, je weiter sie sich vom aufgeheizten Dünenmeer entfernten.

Seine Hände ballten sich um die Zügel zu Fäusten. Er schloss die Augen und beugte sich weit nach vorn, in der vagen Hoffnung, dass sie das Herz des Sturms überfliegen könnten und der Sand sie nicht zu Boden zwang. Das Schmirgeln auf der Haut wurde immer unangenehmer.

Ein plötzlicher Ruck ließ ihn auffahren. Der Kranich stieß ein helles Krächzen aus, und einen Moment lang war es, als geriete sein Flügelschlag aus dem Rhythmus. Irgendetwas hatte das Tier erschreckt.

Niccolos verkniffener Blick fächerte über die Wüste unter ihnen, aber im Mondlicht und durch die treibenden Sandschwaden erkannte er nichts. Das monotone Auf und Ab der Dünen wurde nur von den Schatten seichter Täler durchbrochen, die bei Nacht dunkler und tiefer wirkten als im sonnendurchglühten Tageslicht.

„Was ist denn los?“, fragte er den Kranich und bekam sofort Sand in den Mund. Der Vogel schwankte noch immer leicht, mal zu dieser, mal zu jener Seite, wie ein aus dem Takt geratenes Pendel, das erst wieder zu seiner alten Bahn zurückfinden musste.

Noch ein Kreischen – und plötzlich kippte der Kranich in eine so abrupte Kurve, dass Niccolo um ein Haar den Halt verloren hätte.

„*Heh!*“, stieß er aus. „Was soll denn – “

Er verstummte. Sah über die Schulter, um ganz sicher zu gehen. Und traute seinen Augen noch immer nicht recht, selbst als er den Grund für die Aufregung des Vogels erkannte.

Hinter ihnen, dort wo sie eben noch entlanggeflogen waren, strahlten zwei Bahnen aus Licht vom Himmel herab. Als Säulen aus weiß glühenden Sandkörnern standen sie schräg über der Wüste, unten am Boden breiter als hoch oben, wo sie sich scheinbar ins Endlose fortsetzten, durch die Schwärze hinauf zum –

Niccolo keuchte.

Zum Mond!

Der Kranich schrie zum dritten Mal, so als hätte er die nächste Lichtsäule kommen sehen, bevor sie überhaupt aus der Nacht herab auf sie niederstach. Völlig unvermittelt erschien sie vor ihnen, und nur ein weiteres haarsträubendes Manöver bewahrte sie davor, mitten hineinzurasen. Der Vogel warf sich nach links, die Schwingen starr ausgebreitet, und wich dem Licht im letzten Augenblick aus. Wäre es ein Baum gewesen, den er verfehlte, so hätte sein Bauchgefieder die Rinde gestreift.

Niccolo brüllte nun ebenfalls, presste die Beine um die Flanken des Kranichs und hielt sich, so gut er konnte, an den Zügeln fest. Sie waren zu lang, um ihm genug Stabilität zu geben, doch bei allen Haken und Kurven, die der Vogel schlug, schien er nie seinen Reiter zu vergessen. Der Sand peitschte in Niccolos Gesicht, und es wurde fast unmöglich, die Augen offen zu halten.

Noch ein Lichtstrahl fräste durch die Dunkelheit, wurde von den wehenden Sandwolken sichtbar gemacht und gefror zu einer diagonalen Säule. Wie Spinnenfäden spannte sich das gebündelte Mondlicht über die Wüste und blieb auch dort bestehen, wo Niccolo und der Kranich längst vorüber waren. Als er noch einmal nach hinten schaute, zählte er bereits sechs Strahlen, die vom Mond aus zur Erde fächerten, gleißende Schnitte, die das Firmament in dreieckige Kuchenstücke teilten.

Ihm blieb kaum Zeit, um über die Bedeutung dieser Erscheinung nachzudenken. Der Kranich wusste instinktiv, dass sie nicht mit dem flirrenden Mondschein in Berührung kommen durften – das war das Wichtigste. Mit atemberaubenden Schlenkern trug er Niccolo um die Lichtsäulen herum, schoss einmal sogar zwischen zweien hindurch, die plötzlich nebeneinander vor ihnen auftauchten, nah genug, um gleichzeitig beide Flügelspitzen des Vogels zu berühren; der aber kippte einmal mehr in eine seitliche Fluglage, nur für einen Augenblick, bis die Gefahr vorüber war, und doch nicht lange genug, als dass sein Reiter hätte abstürzen können. Mit einem Aufschrei fiel Niccolo zurück in seine Sitzposition, bevor er überhaupt erfassen konnte, dass er gerade den Kontakt zum Rücken des Vogels verloren hatte und für die Dauer eines Atemzuges frei neben dem Tier geschwebt hatte; wirklich klar wurde es ihm erst, als sie sich bereits wieder in der Waagerechten befanden.

Der Sand war jetzt überall. Er knirschte zwischen Niccolos Zähnen, klebte in seinen Wimpern und in seiner Nase. Die Reibung auf seinen Wangen und auf der Stirn fühlte sich trotz der Nachtkälte heiß an, aber sie war noch nicht stark genug, um ihn ernsthaft zu verletzen. Dass dies ein Sandsturm war, stand außer Frage, aber irgendetwas erschien ihm falsch daran. Erst nach einer Weile erkannte er, was es war: Der Sand kam von oben. Er trieb von Westen heran, fiel dabei aber schräg in die Tiefe wie Regen, statt waagerecht über die Dünen geblasen oder vom Boden aufgewirbelt zu werden wie bei einem gewöhnlichen Wüstensturm.

Verwirrt und halb blind blinzelte Niccolo in die Umgebung. Mindestens zehn Lichtfäden spannten sich jetzt vom Mond herab zu den Dünen, verteilt über die letzten tausend oder zweitausend Meter ihrer Flugbahn. Der treibende Sand schien in der Helligkeit zu rotieren wie Rauch, der in einem Glasrohr gefangen war.

Pures Mondlicht! Mondkind war süchtig danach, seit der Aether sie ihm ausgesetzt hatte. Selbst nachdem Niccolo ihre Worte tausendmal rekapituliert hatte, war er noch immer nicht sicher, dass er sie wirklich verstanden hatte. Das Mondlicht hatte sie abhängig gemacht – und nun zwang der Aether sie, ihm zu dienen.

Hatte er dasselbe mit ihm vor? Niccolo hatte nicht geahnt, dass er so wichtig für den Aether war, nicht einmal, dass ihr Gegner ihn überhaupt wahrnahm. Selbst jetzt, da alles dafür sprach, konnte er es nicht glauben.

Ein weiterer Lichtstrahl. Und noch einer.

Mehr Sand. *Noch* mehr Sand.

Der Kranich glitt zwischen den flirrenden Bahnen dahin wie eine Falke, der sich in den Säulenwald einer Kathedrale verirrt hatte. Immer wieder stieß er jetzt spitze Schreie aus, während Niccolo ihm Kommandos zurief, die das Tier vermutlich gar nicht hörte und auch nicht nötig hatte. Sein Flug war eine einzige Verkettung von Reflexen.

Die Lichtstrahlen kamen ihnen nun näher, standen enger beieinander. Bald überzogen sie die Wüste als majestätisches Gitter aus Mondschein, so als hätte jemand ein Sieb über den Himmel gestülpt, durch dessen Löcher das Licht zur Erde herabschien. Wann immer Niccolos Blick nach hinten fiel – und das geschah jetzt nur noch, wenn der Kranich eine besonders scharfe Kurve flog –, sah er die Welt durch ein Raster glutweißer Streben.

Ein unterschwelliges Donnern ertönte, wie von einer Flutwelle hinterm Horizont. Dann erklang ein saugender Laut, gefolgt von zwei, drei Sekunden absoluter Stille –

selbst der Sandsturm schwieg. Der wummernde Pulsschlag in Niccolos Ohren verstummte, sogar das Rauschen der Kranichschwingen. Die Wirklichkeit selbst schien für einen Augenblick von der Welt fortgerissen zu werden wie eine Schale – dann fuhr eine Erschütterung durch das gesamte Firmament, ließ die Sterne jenseits der Sandschwaden erbeben und sekundenlang nachvibrieren. Der Kranich verlor abrupt an Höhe, stürzte zehn, zwanzig Meter in die Tiefe, ehe er sich wieder fing und einen Steinwurf über den Dünen in einen schwankenden Gleitflug überging.

Der Sandsturm dünnte aus, der Körnerniederschlag wurde faserig, hörte stellenweise ganz auf, so als durchquerten sie Luftblasen inmitten des Unwetters.

„Was, zum Teufel – " Niccolo blinzelte zum Himmel empor. Die Gestirne bebten noch immer, so als sähe er sie als Reflexion auf einer zitternden Wasseroberfläche. Irgendetwas hatte den Himmel selbst erschüttert, und in jähem Entsetzen fragte er sich, ob sich Lis Warnungen in diesem Augenblick bewahrheiteten: War der letzte Xian erschlagen und das Band zwischen Himmel und Erde zerrissen worden? War es *das*, was er gerade mit angesehen hatte?

Dann bemerkte er, dass kaum noch neue Lichtsäulen erglühten. Sie schienen jetzt willkürlicher zu entstehen, nicht mehr so präzise gezielt wie zuvor. Dem Kranich fiel es leicht, ihnen auszuweichen, und Niccolo sah einige in großer Entfernung aus der Nacht herabstechen, so als hätte derjenige, der ihn damit treffen wollte, die Kontrolle über sie verloren.

Die Erklärung war ganz nahe, er spürte sie wie etwas, das unsichtbar über ihm schwebte. Der Kranich krächzte einmal mehr und verstummte. Rechts von ihnen entstand eine neue Lichtbahn, dünner als all die vorherigen, und auch die nächsten, die er weitab von ihrer Flugbahn entdeckte, schienen schmaler zu sein, kaum mehr als Rinnsale aus Licht.

Unvermittelt überkam ihn Gewissheit. Mondkind hatte ihm erzählt, dass der Aether die Macht besaß, pures Licht auf die Erde herabscheinen zu lassen – aber zu einem Preis: Er musste sich selbst Wunden zufügen, musste sich Löcher reißen, damit das Licht durch sie zu Boden fallen konnte. *Es bereitet ihm Schmerzen und es schwächt ihn*, hatte sie gesagt. Womöglich bargen Mondkinds Worte die Lösung des Rätsels. Der Aether hatte versucht, auch Niccolo süchtig nach reinem Mondlicht zu machen, aber er war ein zu großes Wagnis eingegangen. Das Netzwerk aus Lichtsäulen, das sich hinter ihnen über die Wüste spannte, waren *Verletzungen*, die sich der Aether selbst zugefügt hatte, Öffnungen und Risse in der Schale, mit der er die Welt und den Himmel umschloss. Sein maßloser Zorn über Niccolos stetes Entkommen hatte den Aether leichtsinnig gemacht. Die Erschütterung des Firmaments war nichts anderes als sein Schmerzensschrei gewesen, und nicht die Sterne waren erbebt, sondern der Aether selbst. Wie eine Glaskuppel vor dem Zerspringen.

Niccolo hielt sich vor Schwäche kaum noch auf dem Kranich. Ihm war schlecht von den waghalsigen Flugmanövern. Hinter seinen Augen drehte sich alles, und der

Sand hatte seine Haut aufgeraut. Der Aether hatte ihn gejagt – und nicht zu packen bekommen. Niccolo hatte nicht die leiseste Ahnung, wie lange die selbst geschlagenen Wunden seinen Gegner schwächen würden – aber *dass* sie es taten, daran bestand kein Zweifel.

Der Kranich flog wieder in gerader Linie nach Westen, unter einer Kuppel glitzernder Sterne, die jetzt wieder still und stabil in der Schwärze hingen. Die letzten dürren Lichtsäulen lagen nun schon Hunderte Meter hinter ihnen, und es entstanden keine neuen mehr.

Auch der Sturm blieb hinter ihnen zurück, so als sei er begrenzt auf das Gebiet, in dem das pure Licht die Dünen berührte. Es musste einen direkten Zusammenhang zwischen dem Sandsturm und dem Angriff des Aethers geben, aber Niccolo dämmerte erst ganz allmählich, dass der Sand ihn gerettet hatte. Die wirbelnden Schwaden hatten das Mondlicht überhaupt erst sichtbar gemacht; ohne sie hätte der Kranich den Strahlensäulen nicht ausweichen können. Und obwohl Niccolo verwirrt und erschöpft war, obwohl sein Magen noch immer rebellierte und sein Herz Purzelbäume schlug, begriff er, dass dies kein Zufall gewesen war. Jemand hatte ihm den Sturm *gesandt*.

Immer wieder blickte er zurück und betrachtete das Gewirr aus Lichtbahnen über der Wüste, verteilt über eine Fläche von vielen Kilometern Breite und Tiefe. Von hier aus erschien es aberwitzig, dass er daraus entkommen war, ohne mit dem Mondschein in Berührung zu kommen.

Nachdenklich tätschelte er dem Kranich den Hals. Was

wäre geschehen, wenn ihn das Licht getroffen hätte? Als Mondkind davon gesprochen hatte, war ein verträumter Glanz in ihre Augen getreten: „Es scheint hinab in deinen Verstand, erleuchtet deine Gedanken, alles, was du bist und denkst und fühlst. Nichts ist danach wie zuvor."

Nichts ist danach wie zuvor.

Gerade eben noch war ihm alles ausweglos erschienen, die Welt aschgrau und zum Untergang verurteilt, er selbst ein Verräter und hilflos in seiner Besessenheit von einer Liebe, die an Irrsinn grenzte.

Aber dieses Licht ...

Es erleuchtet deine Gedanken.

Vielleicht würde er sie *dann* verstehen, würde endlich begreifen, was in ihr vorging. Und was er tun konnte, um ihr zu helfen.

War das der Schlüssel zu ihrem Geheimnis? Und wenn nicht – käme er ihr damit nicht zumindest näher als auf irgendeinem anderen Weg, den er einschlagen konnte?

Mit den Fersen gab er dem Kranich das Signal zur Umkehr. Der Vogel krächzte widerwillig, behielt seinen Kurs aber bei.

„Bitte", sagte Niccolo. „Bring mich zurück ... Ich werde allein gehen ... Nur ich allein."

Der Vogel bockte, als Niccolo an den Zügeln riss.

„Kehr um!", befahl er jetzt schärfer, und diesmal, endlich, gehorchte das Tier. Im Gleitflug schlug es einen weiten Bogen, bis das Lichtgitter im Osten vor ihnen lag. Bald wehten ihnen wieder Sandschwaden entgegen.

Sie brauchten nicht lange, ehe sie die ersten Säulen erreichten. Niccolo ließ den Vogel in den Ausläufern des Sandsturms auf einer Dünenkuppe landen. Der Kranich legte die Schwingen an und schob Schutz suchend den Kopf unter die Federn. Unruhig und mit protestierendem Gurren ließ er zu, dass Niccolo von seinem Rücken glitt.

„Warte hier auf mich."

Mit langsamen Schritten ging er auf eine der breiteren Lichtsäulen zu. In schrägem Winkel wies sie von ihm fort Richtung Mond, an ihrem Fuß drei oder vier Meter breit. Der Sand darin bewegte sich schneller, so als wollte er empört gegen Niccolos Entscheidung protestieren. Es war ein Anblick von hypnotischer Schönheit.

Eine Mannslänge vor dem Licht blieb Niccolo stehen. Der Sandsturm wollte ihn aufhalten, fuhr unter seine Jacke, drang in seine Ohren und Nasenlöcher. Er war nicht sicher, ob er das Richtige tat. Zu vieles war bloße Vermutung, ein Zurechtlegen von Ahnungen, die vielleicht nur in seiner Fantasie einen Sinn ergaben.

Und nicht einmal das. Er war drauf und dran, dem Feind, dem er gerade erst entkommen war, freiwillig in die Arme zu laufen. Er sagte sich, dass er es tat, um mehr zu erfahren, um neue Wege zu finden im Kampf gegen den Aether.

In Wahrheit tat er es nur für Mondkind.

Gegen den Sturm gebeugt trat er ins reine weiße Licht des Mondes.

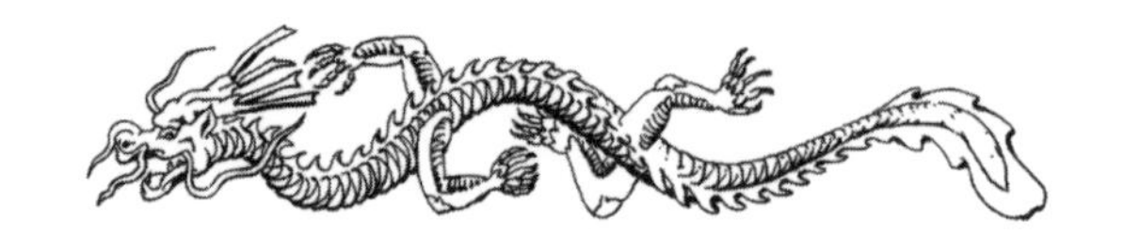

Das Herz der Wüste

Er hatte geglaubt, es würde wehtun. Trotz all der Dinge, die Mondkind gesagt hatte. Der Aether sandte dieses Licht, und der Aether war der Feind der Menschheit. Das bedeutete Schmerz. Es bedeutete Hass und Zorn und den Wunsch, mit dem Licht Schaden zuzufügen. Vielleicht zu töten.

Aber es tat nicht weh.

Niccolo trat in den Strahl aus reinem, ungefiltertem Mondlicht, und was er spürte war – nichts. Nicht die geringste Veränderung. Um ihn tanzten die Sandschwaden, aufgeregt wie ein Wespenschwarm, dessen Nest von einem Eindringling bedroht wurde. Er wandte den Blick nach oben, sah direkt zum Mond hinauf, der irgendwo am Ende dieses Tunnels aus gleißender Helligkeit und wirbelndem Sand sein musste. Seine Augen zuckten, weil Sandkörner darüber hinwegrieben, aber er widerstand dem Drang, die Lider zu schließen.

Irgendetwas würde mit ihm geschehen. Er war ganz sicher. Er stand da und wartete. Er wurde ungeduldig.

Dann spürte er es.

Es war keine Woge, die ihn erfasste. Kein Schlag, der ihn zu Boden schleudern wollte. Stattdessen begann es als langsames Ziehen, nicht einmal unangenehm, so als griffen haarfeine Fühler nach jedem einzelnen Partikel seines Körpers und zogen sie unendlich sachte nach unten. Niccolo ging in die Knie, nicht aus Schwäche, sondern weil ihn plötzlich eine Ehrfurcht erfüllte, die über schlichte Angst vor dem Erhabenen hinausging. Das Ziehen verging, und nun fühlte er sich emporgehoben, so als verlöre sein Körper jeden Kontakt zum Boden, obwohl er doch nach wie vor im Sand kniete.

Ein Teil von ihm schien dem Licht entgegenzuschweben. Etwas in ihm wollte willkommen heißen, was jetzt über ihn kam, und so eilte es darauf zu, vereinigte sich damit und kehrte erst dann in Niccolos Körper zurück.

Mit einem Mal wusste er es. Wusste genau, was Mondkind empfunden hatte.

Es war das Gefühl, das *Richtige* zu tun. Keine Selbstzweifel mehr, kein Hinterfragen der großen Zusammenhänge. Ganz klar sah er es vor sich. Was er getan hatte, was er noch tun würde – alles war richtig, war nicht länger Verrat oder Enttäuschung oder Grund zum Verzweifeln. In diesem einen Augenblick erfüllte ihn die Gewissheit, dass er niemals falsch gehandelt hatte.

Vorhin, als er dem Licht entkommen war, da hatte ihn Erleichterung erfüllt. Doch das war nichts im Vergleich zu der Euphorie, die jetzt über ihn hinwegrollte, ihn vereinnahmte und fühlen ließ, wie großartig er war, wie gerecht sein Handeln, wie zutreffend jede seiner Entscheidungen.

Etwas packte ihn von hinten.

Eine Hand krallte sich in seine Kleidung, eine andere brutal in sein Haar. Dann wurde er zurückgezerrt, hinaus

aus dem Lichtstrahl. Er verlor den Boden unter den Füßen, segelte mit einem Aufschrei durch die Luft, konnte vor lauter Sand nicht mehr atmen und prallte mit dem Kinn zuerst in den Hang einer Düne. Schlagartig war da *nur* noch Sand um ihn, so als hätte man ihn mit dem Gesicht voran in die Wüste gerammt, und einen Augenblick lang glaubte er das tatsächlich, fühlte sich gelähmt, lebendig begraben, dazu verdammt, in dieser Düne zu sterben, eingeschlossen in einem Ozean aus Treibsand.

Abermals packten ihn Hände. Er wurde herumgerollt, lag plötzlich auf dem Rücken und schlug mit den Fäusten um sich, traf auf Widerstand und bekam im Gegenzug eine schallende Ohrfeige. Schallend, weil der Sandsturm abrupt vorüber war und das Geräusch des Schlages über die Dünen hallte, als wäre es der erste Laut, der überhaupt jemals in der Leere der Taklamakan ertönt war.

„Verdammter Narr!“, schrie ihm eine Stimme ins Gesicht, so nah, dass er fremden Atem riechen konnte und das Gefühl hatte, in nichts als einen gewaltigen Schlund zu blicken, weit und schwarz wie der Himmel.

„Du dummer, kindischer, selbstgerechter Narr!“

Niccolo hörte auf, nach dem anderen zu schlagen und rieb sich stattdessen die Augen. Sie waren noch immer voller Sand, und er sah das Gesicht nur verschwommen, das da über ihm schwebte. Es hätte der menschgewordene Aether sein können, und selbst dann hätte es ihm kaum einen größeren Schrecken einjagen können.

Auf den Schrecken folgte das abrupte, schmerzhafte Gefühl, einen Fehler begangen zu haben.

„Guo Lao?“ Nur ein Krächzen. Seine Kehle fühlte sich an wie das Innere einer Sanduhr.

„Hoch mit dir!“ Er fühlte sich auf die Beine gezogen, drohte erneut in die Knie zu brechen und baumelte plötzlich an der Pranke des Unsterblichen wie eine Marionette an der Hand ihres Puppenspielers. „Reiß dich zusammen! Du kannst stehen, wenn du nur willst.“

Seine Füße berührten wieder den Boden, und ja, der Xian hatte recht. Das Stehen klappte auf einmal erstaunlich gut, und auch sein Schädel brummte schon nicht mehr gar so schlimm wie zuvor.

Mit dem Ende des Sandsturms waren auch die Lichtsäulen unsichtbar geworden. Wo sie gestanden hatten, leuchteten jetzt helle Flecken wie Pfützen aus Mondschein auf den Dünen; sie verrieten, dass das Licht nach wie vor *da* war, dass es unverändert über der Wüste stand und durch die Wunden im Schalenleib des Aethers sickerte, so als wäre es sein Blut, das hinab zur Erde troff. Nur in der Luft waren die Lichtstrahlen unsichtbar geworden, solange es keine Sandwirbel mehr gab, die sie reflektierten.

„Das war ich“, dröhnte die Stimme des Unsterblichen. „Der Sandsturm und so weiter. Konnte ja nicht ahnen, was für ein Dummkopf du bist.“

Jetzt erst drang die Anwesenheit des Xian vollends zu Niccolo durch. Vorher war er wie eine unheilvolle Präsenz gewesen, eine Macht, die sich nicht greifen ließ. Nun aber schien er schlagartig zu den Proportionen eines Menschen zusammenzuschrumpfen, obwohl er doch die ganze Zeit neben Niccolo gestanden hatte, eigentlich unübersehbar.

Es war nicht Niccolos erste Begegnung mit Guo Lao, und er sah dem Unsterblichen an, dass auch er genau wusste, wen er da vor sich hatte.

Guo Lao hatte mit Mondkind gekämpft, damals, vor einer Million Wochen in den Wäldern von Sichuan. Niccolo, Nugua und Feiqing waren dazugekommen, als Mondkind zu unterliegen drohte. Sie hatte Niccolos *Chi* angezapft und dadurch genug Kraft gewonnen, um den Xian in die Flucht zu schlagen.

„Du bist es“, sagte Guo Lao grimmig. „Dachte ich's mir.“

Der Unsterbliche war von ebenso eindrucksvoller Statur wie sein Bruder Li, ohne aber dessen Leibesfülle zu erreichen. Im Gegensatz zu Li mit seinem mächtigen Bauch schien Guo Lao nur aus Muskeln zu bestehen. Seine bunten Gewänder waren mit auffälligen Goldfäden durchwebt, die wohl selbst am Hofe des Kaisers pompös und prunkvoll gewirkt hätten. Vielfarbige Bänder flatterten an seinen Schultern wie ein in Streifen geschnittener Umhang; weitere Bänder waren um seine Arme und Beine gebunden und mit Schriftzeichen versehen, die Niccolo nicht entziffern konnte. Ein diffuses, an- und abschwellendes Glühen ging von ihnen aus.

Guo Laos riesiger Schädel war haarlos, selbst die Brauen hatte er abrasiert. Das ließ seine Augen kleiner erscheinen, tief eingesunken im Schatten einer vorspringenden Stirn.

Schon damals im Wald war der Xian einschüchternd gewesen; heute aber kam er Niccolo vor wie eine Fleisch gewordene Naturgewalt. Mochten ihn mit Li zumindest die schiere Größe und der Kahlkopf verbinden, so gab es nicht die geringste Ähnlichkeit zum sanftmütigen Tieguai. Guo Lao war ein Krieger, vielleicht der gewaltigste, der jemals gelebt hatte.

Und ich bin schuld an seiner Niederlage im Duell mit Mondkind, dachte Niccolo benommen. Er weiß es. Und er hasst mich dafür.

„Ich konnte dich in ihr fühlen“, sagte Guo Lao. Er stand vor Niccolo und schien ihn beinahe um das Doppelte zu überragen.

„In ... ihr?“ Vielleicht war es albern, sich unwissend zu stellen, aber es geschah planlos, nur ein Reflex.

„Sie verströmt dein *Chi* wie eine Bienenkönigin den Duft von Honig.“

„Dann bist du ihr begegnet?“ Niccolo verzichtete auf das ehrerbietige „Ihr“, das er anfangs bei Li und Tieguai benutzt hatte. Die Art von Respekt, die Guo Lao ihm einflößte, war ganz anders als jene, die seine beiden Xian-Brüder ausgestrahlt hatten. Schon im nächsten Moment erkannte er, dass es kein Respekt war, sondern blanke Furcht.

„Natürlich.“ Guo Lao lächelte, und vielleicht lag es an den fehlenden Augenbrauen, dass er dabei noch bedrohlicher und düsterer wirkte.

„Hast du mit ihr gekämpft?“ Die Frage klang hölzern, auch in seinen eigenen Ohren. Nach allen Regeln der Vernunft hätte es ihn erleichtern müssen, Guo Lao wohlbehalten vor sich zu sehen. Dieser Mann, dieser Gigant war das letzte Bindeglied zwischen Himmel und Erde. Wenn er starb, würde der Aether siegen. Es war ein *gutes* Zeichen, dass er noch lebte.

Aber warum verspürte Niccolo dann nichts als Angst?

„Sie ist gekommen, um mich zu töten", sagte Guo Lao. Er führte die Hand zum Mund und stieß einen schrillen Pfiff aus. Über die Düne stakste ein großer Kranich mit prächtigem Gefieder, gefolgt von dem kleineren, zerzausten Vogel, auf dem Niccolo geritten war. „Es ist ihr nicht gelungen", setzte der Xian fast beiläufig hinzu. Doch als Niccolo in seine Augen sah, fand er dort einen verzehrenden, hasserfüllten Triumph, der ihm einen eisigen Schauder über den Rücken jagte.

Guo Lao winkte Niccolos Kranich heran. Das Tier gehorchte in einer unterwürfigen Haltung, die Niccolo zornig machte. Der Vogel hätte sein Leben für ihn gegeben, aber der Xian behandelte ihn wie einen Kettenhund.

„Wo ist sie?", fragte Niccolo.

Der Xian lachte leise. „Bist du sicher, dass du sie sehen willst, Junge?"

Widerstand regte sich in Niccolo, eine Rebellion gegen die Selbstgefälligkeit des Unsterblichen, gegen diesen genüsslichen Tonfall, in dem eine Grausamkeit mitschwang, die dem weisen Tieguai und sogar Li, dem einstigen General, fremd gewesen wäre.

„Natürlich will ich sie sehen! Und das weißt du!"

„Was ich *weiß*", entgegnete Guo Lao scharf, „ist, dass ich dir gerade dein wertloses kleines Leben gerettet habe! Und dass ein wenig mehr Achtung angebracht wäre, selbst hier, an diesem Ort!"

„Bring mich zu ihr“, verlangte Niccolo, noch bevor die Worte des Xian zu ihm durchdrangen. Erst dann fügte er leiser hinzu: „Bitte.“

Guo Lao nickte. „Keine Sorge, sie wird uns nicht weglaufen.“

„Was hast du ihr angetan?“

Über dem Auge des Xian ruckte eine fleischige Falte nach oben. „Mondkind ist meine Gefangene“, sagte er schließlich. „Und sie liegt im Sterben.“

° ° °

Die Felsen erschienen wie aus dem Nichts. Im einen Augenblick war der Horizont leer, im nächsten schälten sich Steinbuckel aus der Schwärze zwischen den Sternen.

Die beiden Kraniche und ihre Reiter jagten durch die Nacht darauf zu, niedrig über die Dünen hinweg, sodass Niccolo bei jeder Kuppe fürchtete, die Riesenvögel könnten sie streifen. Das Licht, das den Sand grau färbte, war jetzt wieder gewöhnlicher Mondschein, gefiltert vom Leib des Aethers, der sich unsichtbar unter den Gestirnen über die Welt spannte.

„Ist es das?“, rief Niccolo in den Gegenwind, als die Finsternis zu Fels erstarrte.

Guo Lao gab keine Antwort, schaute sich nicht einmal um. Aber bald darauf lenkte er seinen Kranich steil nach oben, über die vorderen Felsen hinweg, und dann wieder abwärts. Niccolos Kranich folgte ihm mit letzter Kraft. Das Tier benötigte dringend eine Ruhepause.

Von oben sah Niccolo, dass die Felsen wie Spitzen einer Krone aus der Wüste ragten, annähernd rund angeordnet, in ihrer Mitte eine ebene Fläche aus Sand. Zahlreiche Zelte und einige Gebäude aus Stein waren dort errichtet worden. Die Karawanserei lag am Schnittpunkt mehrerer Nomadenrouten, die sich kreuz und quer durch die Taklamakan zogen. Irgendwo dort unten musste es Wasser geben, auch wenn Niccolo keinen See, nicht einmal einen Tümpel entdeckte. Dafür sah er beim Überfliegen des Felsenrings gehauene Rinnen zwischen den Kuppen, die miteinander verbunden waren und sternförmig ins Zentrum der Formation führten. Mit ihrer Hilfe wurde offenbar der seltene Niederschlag aufgefangen. Nirgends gab es das geringste Anzeichen von Vegetation, nicht einmal dürres Buschwerk. Er fragte sich, ob es hier überhaupt noch regnete und wie alt die Auffangrinnen waren; möglicherweise stammten sie aus einer Zeit, als die Taklamakan noch nicht so lebensfeindlich gewesen war.

Guo Lao lenkte den Kranich in einem Bogen über die Zelte und Steindächer hinweg und landete auf einem kleinen Platz vor mehreren Gebäuden, die wie Schachteln in- und übereinandergebaut worden waren und sich an die Innenseite des Felsenrings schmiegten.

Auf dem Vorplatz standen die Überreste von Händlerständen, halb zerfallene Gerüste aus Stäben und geisterhaft flatternden Planen, manche halb im weißen Sand begraben. Nirgends brannten Feuer, und aus den Zelten ertönte kein Laut; erst jetzt erkannte Niccolo, dass viele Planen nur noch an einzelnen Verankerungen befestigt waren. Die meisten hatten sich losgerissen und tanzten im kühlen Nachtwind.

„Warum ist hier niemand?"

Er hätte ebenso gut die Felsen fragen können. Guo Lao gab keine Antwort, sprang mit kraftvollem Schwung vom Kranich und löste das riesenhafte Schwert vom Sattel, das Niccolo erst jetzt ins Auge fiel. Er erkannte die Waffe – es war das Schwert Phönixfeder, eine Schwesterklinge von Jadestachel und Silberdorn, geschaffen in den Schmiedefeuern der Lavatürme.

Der Xian legte es sich über die Schulter wie eine Holzfälleraxt und wandte sich einer Tür zu, die ins Innere der verschachtelten Gebäude führte.

„Komm!", rief er.

Niccolo rutschte mehr von seinem Kranich, als dass er abstieg. Der Boden schien unter seinen Füßen zu schwanken, aber die Sorge um Mondkind hielt ihn aufrecht, und er eilte, so schnell er konnte, hinter dem Unsterblichen her. Noch immer wusste er nicht, was hier geschehen war. Mondkind war ihm zuvorgekommen; womöglich hatte ihr Kranich den Weg über die Berge genommen und dabei einen oder zwei Tage eingespart. Was dann passiert war, blieb ein Rätsel.

Guo Lao gab Niccolo keine Antworten auf seine Fragen. Schon einmal war Mondkind ihm beinahe unterlegen. Damals hatte sie keine Waffe besessen, die den Xian hätte vernichten können. Jetzt aber trug sie Tieguais Klingenfächer, obgleich auch er ihr offenbar keine Hilfe im Kampf gegen den letzten Xian gewesen war.

Guo Lao ging voran ins Haus. Sein Rücken war mehr als zweimal so breit wie Niccolo, bei jeder Bewegung spannten sich Muskelberge unter dem seidenen Wams. Das Schwert auf seiner Schulter war zu groß und schwer für einen Sterblichen, geschmiedet allein für dieses Ungetüm von Krieger. Die Klinge war auf einer Seite gerade, auf der anderen gerundet; blankgezogen sah Phönixfeder eher aus wie ein riesenhaftes Hackmesser, ohne die Eleganz Silberdorns, das Niccolo noch immer auf dem Rücken trug, selbst wenn es ihm hier nutzlos erschien. Die wenigen Tage, in denen Tieguai versucht hatte, ihn den Umgang mit der Götterklinge zu lehren, schienen ein halbes Leben zurückzuliegen. Ohnehin wäre nie ein echter Schwertkämpfer aus ihm geworden.

„Sprich mit mir", verlangte Niccolo von Guo Lao, während der ihn durch leere, dunkle Räume und schmale Korridore führte, die der Xian mit seinen Schultern zu sprengen schien. „Was ist hier geschehen? Warum sind hier keine Menschen?"

„Ich habe sie fortgeschickt", antwortete der Unsterbliche wortkarg.

„Aber sie brauchen Wasser, oder?"

„Sie werden anderswo welches finden."

In dieser Wüste?, dachte Niccolo. „Haben sie sich das einfach so gefallen lassen?"

„Die meisten. Nicht alle."

Er fragte nicht weiter. Mondkind war im Augenblick alles, das für ihn zählte. Seine Hand berührte die Wölbung seines Wamses; darunter steckte die Schriftrolle, die Tieguai ihm für Guo Lao anvertraut hatte. Er konnte sich nicht dazu durchringen, sie dem Xian zu übergeben, solange er nicht genau wusste, was mit Mondkind geschehen war und was Guo Lao im Schilde führte.

Die meisten Kammern, an denen sie vorüberkamen, waren Lagerräume für die Waren der durchreisenden Händler. Gegen Bezahlung hatten sie die kostbare Fracht ihrer Kamelkarawanen für die Dauer ihres Aufenthalts einschließen können. Außerdem gab es Schlafräume, angefangen von kargen Sälen für Knechte und Gesinde, bis hin zu komfortableren Quartieren für die reicheren Reisenden. In vielen herrschte Durcheinander, so als hätten die Gäste der Karawanserei überstürzt aufbrechen müssen. Nahezu alle Türen standen offen. Guo Lao hatte keine Zeit verschwendet, nachdem er diesen Ort als Versteck ausgewählt hatte.

„Wie hat sie dich gefunden?"

„Ich habe sie gerufen", gab der Xian zurück.

„Was?"

„Der Sandsturm vorhin ... Glaubst du, der Aether würde so etwas nicht bemerken?" Guo Lao lachte heiser. „Nachdem ich hier untergeschlüpft war, habe ich ein ziemliches Spektakel veranstaltet, um ihn spüren zu lassen, wo ich stecke. Es hat nicht lange gedauert, ehe er das Mädchen hergeschickt hat."

„Du *wolltest* mit ihr kämpfen?"

Erstmals blieb der Xian stehen und drehte sich zu Niccolo um. Der erstarrte auf der Stelle und hielt zwei Schritte Abstand. Die Miene des Unsterblichen war grimmig, das Feuer in seinen Augen eiskalt. „Damals im Wald hätte ich sie getötet, wenn du nicht dazwischengekommen wärst. Tieguai wäre noch am Leben. Und Li. Ich hätte –“

Niccolo fiel ihm ins Wort. „Li ist tot?“ Die Befürchtungen, die ihn schon seit Mondkinds mysteriöser Andeutung gequält hatten, überkamen ihn jetzt mit aller Macht.

Der Xian verzog das Gesicht. „Ich weiß nicht, was aus ihm geworden ist“, gestand er leise. „Ich kann ihn nicht mehr spüren. Die Präsenz meiner Brüder und Schwestern war jahrhundertelang wie Kerzenflammen in meinem Verstand. Ich habe gesehen, wie sie ausgebrannt sind, eine nach der anderen. Lis Flamme dagegen loderte höher und verschwand von einem Moment zum nächsten. Ich bin nicht sicher, ob Mondkind ihn umgebracht hat oder ob etwas anderes ihn ...“ Er verstummte kurz, ehe er nach einem Atemholen fortfuhr: „Ob etwas anderes ihn besiegt hat.“

Niccolo war sicher, dass auch Mondkind nicht wusste, wohin Li verschwunden war. Doch um Zeit zu gewinnen, sagte er: „Warum fragst du sie nicht einfach?“

Guo Lao ballte die rechte Hand zur Faust, so hart, dass die Gelenke knirschten. „Warum bist du wohl hier, Junge?“

Niccolo starrte ihn an – und begriff. „Sie spricht nicht mit dir? Deshalb hast du mir diesen Sandsturm geschickt? Weil du mich brauchst?“

„Oh, sie hat gesprochen“, gab der Xian zurück. „Eine Weile lang jedenfalls. Dann nicht mehr.“

Niccolo kämpfte mit seinen Gefühlen. Er war aufgebrochen, um diesen Mann zu retten – *So wie Tieguai?*, stichelte eine böse Stimme in seinem Inneren –, aber stattdessen war er nun drauf und dran, sich auf Guo Lao zu stürzen, ganz gleich, wie ausweglos solch ein Kampf gewesen wäre.

„Was hast du ihr angetan?" Er stellte diese Frage jetzt zum zweiten Mal, aber diesmal kam sie so verbissen über seine Lippen, dass der Xian mit neu erwachtem Interesse eine haarlose Braue hob.

„Sie hat dein *Chi* in sich aufgenommen, Junge. Das war grausam von ihr. Ich weiß, was du für sie empfindest. Aber du solltest das nicht mit wahrer Liebe verwechseln."

„Was weiß einer wie du über wahre Liebe?"

Der Xian bohrte seinen Blick in Niccolos, bis dieser beinahe körperlichen Schmerz empfand. Er wollte sich dagegen sperren, wollte standhalten, doch zuletzt riss er geschlagen den Kopf zur Seite und wich den Feueraugen des Unsterblichen aus.

„Mondkind ist hergekommen, um mich zu töten", knurrte Guo Lao, und es war, als wehte mit seiner Stimme ein Eishauch durch den Korridor. „Du weißt, was mein Tod für die Welt bedeutet, nicht wahr? Ich kann Li und Tieguai an dir spüren, Junge, und sie haben dir vermutlich einiges erzählt über die Bedeutung der Xian. Ich bin das letzte Bindeglied zwischen dem Himmel der Götter und dieser Welt. Und solange das so ist, *bin* ich die Welt!"

Niccolo blickte auf, und nun sah er in der Miene des Xian noch etwas anderes, hundertmal Gefährlicheres als die

Aussicht auf Gewalt und Schmerz. Er entdeckte einen Wahn, der erschreckender war als die abstrakte Bedrohung durch den Aether. Guo Laos Irrsinn war greifbar wie eine Schwertklinge.

Dieser Mann hätte *gut* sein müssen. Weise und wohlwollend wie Tieguai, entschlossen und großherzig wie Li. Er war von den Göttern berührt und zu einem ihrer Statthalter auf Erden ernannt worden. Doch statt einer Lichtgestalt erkannte Niccolo vor sich nun ein Wesen, das nur einem einzigen Herrn zu Diensten war – sich selbst.

Die Götter mussten sich in der Tat weit von den Menschen zurückgezogen haben, um solch eine Wandlung zu dulden. Zum ersten Mal fragte sich Niccolo, welcher Art die Verbindung zwischen Erde und Himmel wohl war, für die eine Kreatur wie Guo Lao einstand. Und was *wirklich* geschehen würde, wenn sie zerriss.

Er schluckte, bevor er langsam und bedächtig zum dritten Mal dieselben Worte aussprach: „Was hast du ihr angetan?“

„Ich hätte sie längst getötet, wenn ich wüsste, was aus Li geworden ist. Solange sie mir darauf keine Antwort gibt, bleibt sie am Leben. Und du, mein Junge, wirst sie zum Reden bringen.“

„Ich würde ihr niemals schaden! Niemals!“

Guo Lao lachte leise. „Ich bezweifle, dass du ihr *noch* größeren Schaden zufügen könntest. Sie ruft nach dir, verstehst du? Jetzt, in diesem Moment, weint sie Tränen um dich, weil du nicht bei ihr bist. Sie wird dir keinen Wunsch ausschlagen. Auch nicht den, die Wahrheit zu sagen.“

Niccolos Beherrschung bekam weitere Risse. Ehe er irgendetwas ungeheuer Dummes tun konnte, drängte er sich an dem Xian vorbei und lief weiter den Gang hinunter. „Bring mich zu ihr."

Der Unsterbliche lachte noch immer. Bald übernahm er wieder die Führung, bog in einen breiten, gehauenen Korridor und ging schließlich einen abwärtsführenden Tunnel hinunter. Sie bewegten sich jetzt tiefer ins Innere der Felsformationen, in deren Herzen die Karawanserei auf den Überresten einer viel älteren Siedlung errichtet worden war. Diese Tunnel hatten keine Händler und Nomaden in das Gestein getrieben; für deren Zwecke waren Häuser und Zelte vollkommen ausreichend. Dies hier waren Spuren aus einer Zeit, als selbst die Xian noch jung gewesen waren.

Zuletzt kamen sie in eine höhlenartige Kammer. Der Boden war mit Sand bedeckt, was bedeuten mochte, dass es Öffnungen zur Wüste gab, künstlich angelegte Luftschächte oder natürliche Risse im Gestein; auch der Rauch des Feuers, das in der Höhlenmitte brannte, musste auf irgendeinem Weg ins Freie abziehen. Im Flammenschein sah Niccolo die Schwaden diffus nach oben steigen, aber das Licht reichte nicht weit genug, um die Decke der Höhle zu erhellen. Sie mochte zwanzig oder auch hundert Meter über ihnen liegen.

Rundum an den Wänden waren Ketten befestigt, so alt, dass sie sogar im trockenen Wüstenklima verrostet waren. Sie stammten wahrscheinlich noch aus den Zeiten, als es hier geregnet hatte und Wasser durch die Rinnen auf den Felskuppen geflossen war. Schon damals war dies hier ein Verlies gewesen.

Ein leises Wimmern ertönte. Niccolo schenkte Guo Lao einen entsetzten Blick, aber der Xian verzog keine Miene, blieb neben dem Eingang stehen und wies stumm zum anderen Ende der Höhle. Niccolo lief los und umrundete das Feuer.

Jenseits der Flammen, zwanzig Schritt tiefer im Halbdunkel der Grotte, fand er sie.

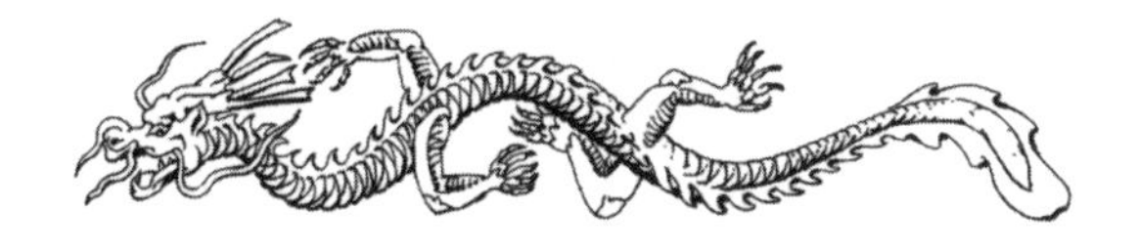

In Ketten

Mondkind lag auf der Seite, mit Ketten an Armen und Beinen. Sie weinte leise, und die Tränen vermischten sich mit Blut, das aus ihrem Mundwinkel in den Sand tropfte. Sie versuchte, den Kopf zu heben. Ihre dunklen Augen spiegelten das Feuer – und Niccolos schwarze Silhouette vor den Flammen.

Durch Tränenschleier blickte er auf sie herab. Er konnte die pulsierende Ader an ihrem Hals nicht mehr sehen, so als hätte ihr Herz bereits aufgehört zu schlagen. Wortlos fiel er vor ihr auf die Knie, hinab in den blutgetränkten Sand, und strich ihr sanft über das Haar und die milchbleiche Haut.

„Niccolo ..."

In ihrer Seite klaffte eine Wunde und färbte die Seide dunkelrot. Niemand musste Niccolo erklären, was für eine Verletzung das war. Sie hatte sich Silberdorn in den Leib gestoßen, seine eigene Klinge, vor seinen Augen, und das Götterschwert hatte vollbracht, wozu es geschmiedet worden war: Es hatte einer angehenden Xian eine tödliche, unheilbare Wunde beigebracht.

Er hatte sich getäuscht, als er im ersten Moment angenommen hatte, Guo Lao hätte Mondkind so zugerichtet. Der Unsterbliche hatte sie besiegt und hier unten in Ketten gelegt. Aber diese Verletzung war ihr eigenes Tun und ihre Niederlage womöglich nichts anderes als ein verzweifelter Plan, ein letztes Aufbegehren gegen die Allmacht des Aethers.

„Ich bin jetzt bei dir", flüsterte er hilflos.

Ihr Kopf blieb auf der Seite liegen. Aber in ihren Augen war noch immer Leben, als sie zu ihm aufblickten. Ihr Atem rasselte, und er spürte, wie Zuckungen durch ihren Körper liefen, die sie nicht mehr kontrollieren konnte.

„Ich hole dich hier raus", flüsterte er unter Tränen, als sie ihre Hand in seine schob. Ihre Finger fühlten sich kalt an, und sie waren nass vom Blut aus ihrer Wunde.

Noch einmal schien sie seinen Namen auszusprechen, er konnte nicht sicher sein, und vielleicht war es auch nur Wunschdenken.

„Du wirst nicht sterben." Er legte alle Entschlossenheit in seine Stimme, die er aufbringen konnte. Viel war es nicht.

Hinter ihm erklangen die Schritte des Xian. „Frag sie nach Li."

Niccolo blickte nicht auf und verriet durch keine Regung, dass er Guo Lao gehört hatte. Was interessierte ihn in diesem Augenblick das Schicksal der Xian. Oder das Schicksal der Welt.

Guo Lao war noch immer ein halbes Dutzend Schritte entfernt, irgendwo zwischen ihnen und dem Feuer. Er war stehen geblieben, obwohl Niccolo bezweifelte, dass das mit Respekt oder gar Mitgefühl zu tun hatte.

„Junge", sagte der Xian, „frag sie nach meinem Bruder Li!"

„Sie ... sie kann nicht sprechen." Seine Unterlippe zuckte. Er wandte den Blick nicht von ihren Augen ab. Es war grausam und paradox: Ihr Schweigen schützte sie vor der Rache des Unsterblichen. Solange Guo Lao annahm, sie wüsste mehr über Lis Schicksal, würde er sie nicht töten.

Hinter ihm erklang ein Flüstern, das wie eine Beschwörung klang, und dann rauschte eine Woge aus Wärme über ihn hinweg, durch ihn hindurch, und erreichte auch Mondkind. Einen Moment lang wölbte sich ihre eingesunkene Seite wieder nach außen, ihr Atem ging ruhiger und regelmäßiger, und ihre Finger spannten sich.

Niccolos Kopf ruckte herum. Der Xian ließ beide Arme sinken und öffnete die Augen. „Du kannst sie heilen!", entfuhr es Niccolo fassungslos. „Du kannst sie wieder gesund machen, und du tust es nicht!"

Guo Lao schüttelte den Kopf und kam noch zwei Schritte näher. „Nein, das vermag ich nicht. Aber ich kann ihr einen kurzen Augenblick der Kraft schenken, wie ein tiefes Durchatmen. Das muss reichen, damit sie dir die Wahrheit sagen kann." Er deutete mit einem Nicken auf das sterbende Mädchen. „Frag sie! Jetzt!"

Niccolo wischte sich mit der flachen Hand Tränen aus den Augen, nicht weil er sich ihrer schämte, sondern weil er das Gesicht des Xian sehen wollte, jede Einzelheit seiner Mimik. „Du lügst! Du hast die Macht, sie zu retten!"

„Nein." Einen Moment lang klang der Xian müde, so als wäre er nicht nur Niccolos Widerworte leid, sondern dies alles hier. Er liebt die Welt nicht, dachte Niccolo. Und er liebt die Menschen nicht. Im Grunde ist ihm gleichgültig, was aus all dem wird.

Und du selbst?, raunte es in ihm. Kümmert es dich denn? Oder ist *sie* das Einzige, das für dich zählt?

Er blickte wieder auf Mondkind hinab, streichelte sanft ihre Wange. „Sie muss hinaus ins Mondlicht. Das würde ihr neue Kraft geben."

Guo Lao war mit einem Mal direkt hinter ihm. Kein Schritt war zu hören gewesen. Vielleicht hatte er die letzten Meter im Federflug zurückgelegt. Seine Pranke krallte sich schmerzhaft in Niccolos Haar und riss brutal seinen Kopf zurück.

„Stell die Frage!", fauchte er ihn an.

„Versprich mir, dass du sie ins Mondlicht bringst", presste Niccolo unter Schmerzen hervor. Aber er setzte sich nicht zur Wehr. Eine leise Hoffnung flackerte in ihm, und er brauchte Guo Lao, damit sie sich erfüllte. „Dorthin, wo du mich gefunden hast. Vielleicht ist das Licht noch da. Wir müssen sie dorthin bringen. Wenn du mir dein Wort gibst, werde ich deine Frage stellen."

Der Xian stieß ein zorniges Fauchen aus. „Du stellst mir Bedingungen, kleiner Junge?"

Niccolo gab keine Antwort. Das war nicht nötig. Er wartete ab.

Die Hand wurde zurückgerissen, sein Haar kam wieder frei.

„Versprich es mir", verlangte er noch einmal.

Guo Lao blinzelte ihn wutentbrannt an.

„Warum?", fragte Niccolo. „Warum liegt dir so viel

daran, die Wahrheit über Li zu erfahren? Wirklich aus Sorge um ihn? Oder weil du wissen willst, ob du tatsächlich der Letzte der Acht bist?“ Noch während er sprach, dämmerte ihm eine Erkenntnis, die ihn gleichermaßen mit schalem Triumph und mit Entsetzen erfüllte. „Wärest du wirklich der einzige überlebende Xian, die letzte Verbindung zwischen Menschen und Göttern, dann würde dich das noch mächtiger machen, nicht wahr? Noch unentbehrlicher. Ist es das, Guo Lao? Noch mehr Macht? Musst du deshalb Gewissheit haben, dass Li tot ist?“

Er sah den Schlag nicht kommen, aber die Hand des Xian traf ihn mit solcher Kraft, dass er von Mondkinds reglosem Körper fortgerissen und mehrere Meter weit über den Sand geschleudert wurde. Stöhnend blieb er dort liegen. Seine Wangenknochen fühlten sich an wie zersplittert, aber schon ließ der Schmerz wieder nach. Der Kraftzauber, den Guo Lao vorhin auf Mondkind geworfen hatte, hatte auch ihn berührt und verlieh ihm neue Stärke.

„Du bist ein Narr“, sagte der Unsterbliche. Er stand jetzt zwischen Niccolo und Mondkind und hatte ihr den Rücken zugewandt. „Wäre es Macht, auf die ich aus wäre, dann hätte ich mich auf die Seite des Aethers gestellt.“

„Vielleicht hast du deine eigene Seite“, stöhnte Niccolo, als er sich langsam auf alle viere erhob.

„Meine Mittel mögen dir nicht gefallen, aber was ich tue, tue ich für diese Welt. Ich bin eine Verpflichtung eingegangen, damals, als ich den Weg des Tao bis zu seinem Ende ging und zum Xian wurde. Eine Verpflichtung, an die ich mich halten werde. Du solltest vorsichtig sein mit deinen Anschuldigungen."

Eine Seidenbahn schoss nach vorn und bohrte sich wie ein Messer durch die Wade des Xian. Die Spitze schnitt durch Haut und Muskeln, schrammte mit einem hässlichen Laut an den Knochen entlang. Einen Sekundenbruchteil später erschlaffte die Seide.

Guo Lao sprang mit einem Aufschrei vor, riss dabei das Bein los und schwang das Schwert von der Schulter. Phönixfeder steckte in der Scheide, doch ein Schlag mit der gewaltigen Waffe würde auch so ausreichen, um Mondkinds Schädel zu zerschmettern. In einem Halbkreis sauste das Schwert nieder.

„*Nein!*", brüllte Niccolo.

Guo Lao erstarrte. Eine Handbreit über Mondkinds Kopf verharrte die Waffe zitternd in der Luft. Der Xian schnaufte abfällig, dann spuckte er in den Sand und zog Phönixfeder fort. „Ach, verdammt", knurrte er, stützte sich auf das Schwert und versuchte, in sicherem Abstand zu Mondkind mit dem verletzten Bein aufzutreten.

Niccolo kam eine Idee.

Während Guo Lao noch mit seiner Verletzung beschäftigt war, bewegte sich Niccolo auf das Feuer zu, erst auf Händen und Knien, dann stolpernd auf den Beinen. Sein Kopf schmerzte, sein ganzes Gesicht schien im Rhythmus seines Herzschlags zu pulsieren. Doch der Kraftzauber des Xian wirkte noch nach; auch die heilende Macht Silberdorns auf seinem Rücken begann allmählich Wirkung zu zeigen.

Seine Hand kroch unter sein Wams und packte die Schriftrolle, die Tieguai ihm gegeben hatte. Ganz kurz fragte er sich, ob dies nun sein nächster Vertrauensbruch, sein nächster Verrat an einem Freund war.

Er erreichte das Feuer. „Guo Lao!"

Der Unsterbliche hob den Blick von seinem blutenden Bein und sah Niccolo mit neu erwachtem Interesse an. „Was ist das?", fragte er.

Niccolo hielt die Schriftrolle am ausgestreckten Arm über das Feuer. Er musste achtgeben, dass keine der Flammen sie versehentlich erwischte, konnte das Papier aber nur aus dem Augenwinkel im Blick behalten. Stattdessen sah er zu Guo Lao und der keuchenden Mondkind hinüber.

„Tieguai hat mir das für dich gegeben."

Der Xian stützte sich noch immer mit links auf das Schwert, aber seine Rechte ballte sich einmal mehr zur Faust. „Und du willst es verbrennen?"

„Gib mir dein Wort, dass du mir helfen wirst, sie hinaus ins Mondlicht zu bringen. Dafür verspreche ich dir, dass sie mir alles über Li sagen wird. Alles, was sie weiß. Und du bekommst die Schriftrolle."

„Was steht darin?"

„Er sagte, er habe darauf seine" – Niccolo räusperte sich – „seine Einsichten in das Wesen der Berge niedergeschrieben." Genau das waren Tieguais Worte gewesen, und Niccolo erwartete, dass Guo Lao ihn auslachen würde. Ganz andere Dinge beschäftigten sie: das Ende der Welt, Lis Schicksal, Mondkinds Leben oder Tod.

Einsichten in das Wesen der Berge. Es war lächerlich.

Guo Lao verengte die Augen. Er drückte den Rücken durch und ließ sogar das Schwert los. Unbeachtet und mit einem Laut, der beinahe empört klang, kippte das Götterschwert in den Sand.

Die Stimme des Unsterblichen war ein leises, unterschwelliges Grollen. „Er hat also wirklich etwas herausgefunden?"

„Ja", bluffte Niccolo und hatte nicht die geringste Ahnung, wovon der Xian redete.

„Mein Junge", sagte Guo Lao, und er sprach nun viel ruhiger und sehr betont, „weißt du, was du da in deiner Hand hältst?"

„Natürlich."

Der Xian beobachtete ihn abschätzend. „Du hast keinen blassen Schimmer, nicht wahr?"

Niccolo wusste nicht recht, was er tun sollte. Doch im selben Augenblick stieß Mondkind ein leises Stöhnen aus, das ihm in Erinnerung rief, dass ihnen die Zeit davonlief. Er ließ den Arm einige Fingerbreit sinken. Die Flammen leckten nach dem Papier.

„Hast du es gelesen?", fragte Guo Lao.

„Ich ... habe es versucht", gestand Niccolo. „Während des Fluges hierher. Mehr als nur einmal. Aber es ist in Schriftzeichen geschrieben, die ich nicht entziffern kann."

Der Xian nickte langsam. „Natürlich nicht. Kein gewöhnlicher Mensch vermag das."

„Gibst du mir nun dein Wort?"

Guo Lao verzog einen Mundwinkel. „Du würdest die Rolle nicht verbrennen. Um Tieguais willen."

„Lass es nicht darauf ankommen."

„Ich könnte dir mein Versprechen geben und euch später trotzdem beide töten."

Daran hatte Niccolo auch schon gedacht. Aber trotz all seiner Zweifel an Guo Lao und dessen Motiven sagte er sich noch immer, dass dies ein Xian war. Ein Diener der Götter! Er würde doch nicht zwei Wehrlose ermorden wie ein dahergelaufener Strauchdieb.

Nein, widersprach er sich selbst, falsch! Ganz sicher sogar würde er das tun, falls er sich irgendeinen Vorteil davon verspräche.

Aber Niccolo blieb keine andere Wahl. „Dein Wort!", verlangte er.

Guo Lao schnaubte abfällig, sah erneut auf das sterbende Mädchen hinab, dann nickte er knapp.

Niccolo atmete auf und zog nach kurzem Zögern den Arm zurück. Er ließ den Xian nicht aus den Augen, während er mit schleppenden Schritten auf Mondkind zuging.

Guo Lao verstellte ihm den Weg. „Die Schriftrolle!"

Niccolo gab sie ihm. Er trat um den riesigen Krieger herum und beugte sich über Mondkind. „Wir bringen dich hier raus." Plötzlich spürte er Silberdorn in der Scheide auf seinem Rücken zucken. Das Schwert hatte seit Langem kein Eigenleben mehr gezeigt, aber jetzt bebte es, als hätte es Blut geleckt. Da begriff Niccolo.

Er zog die Klinge aus der Scheide und dachte, dass sie nun also doch noch einen Zweck erfüllen würde. Viermal ließ er sie niedersausen, und viermal zersprangen unter sprühenden Funken die Ketten an Mondkinds Gliedern.

„Das ist eines der Schwerter meiner Schwester He Xiangu", stellte Guo Lao hinter ihm fest. Niccolo schloss einen Moment lang die Augen und bereitete sich innerlich auf einen Angriff vor. Er hatte dem Xian nichts mehr entgegenzusetzen.

„Ja", murmelte er.

Guo Lao zögerte einen Augenblick mit der Antwort. „Dann bewahre es gut", sagte er schließlich.

Als Niccolo zurücksah, entrollte der Xian gerade das Papier und überflog es mit ungläubiger Miene. „Dann ist es wahr", flüsterte er.

Niccolo hatte dafür jetzt keine Zeit. „Du musst uns helfen. Du hast es versprochen!"

Guo Lao las noch ein kleines Stück weiter, dann stöhnte er leise, rollte das Papier zusammen und schob es unter sein Wams. „Aus dem Weg", befahl er.

„Du wirst ihr nichts antun?"

Guo Lao schob ihn mit verächtlicher Geste beiseite. „Willst *du* sie etwa tragen?"

Niccolo schüttelte betreten den Kopf. Er hatte kaum noch die Kraft, sich auf den Beinen zu halten.

Der Xian schob die Hände unter Mondkind und hob sie ohne sichtbare Anstrengung vom Boden. Ihr Kopf baumelte von seinen Armen herab, ihre Beine pendelten leblos. Zähe Blutfäden zerplatzten, als Guo Lao sich in Bewegung setzte.

„Das wird sie nicht retten", sagte er finster, als er am

Feuer vorbei auf den Ausgang der Höhle zuschritt. Niccolo folgte ihm durch steinerne Gänge und Treppenhäuser nach oben.

Als sie ins Freie traten, ging die Sonne auf und vertrieb den Mond vom Himmel.

° ° °

Es wurde noch einmal ein Wettlauf mit der Zeit, doch zuletzt blieben sie Sieger. Der Mond drohte zu verblassen und mit ihm die Lichtkreise, die durch die Wunden des Aethers auf das Dünenmeer fielen. Als die beiden Kraniche landeten und Guo Lao das reglose Mädchen ins Licht trug, waren die hellen Flecken im Sand kaum mehr zu erkennen.

Niccolo spürte ein seltsames Prickeln und Ziehen. Er kannte den Grund. Er war jetzt ebenso süchtig wie Mondkind. Guo Lao mochte glauben, dass er ihn gerettet hatte, indem er ihn gerade noch rechtzeitig aus dem Licht gezogen hatte. Doch Niccolo wusste es besser. Die Sehnsucht nach dem reinen Mondschein war jetzt ebenso in ihm verankert wie in Mondkind. Er fragte sich, ob und wann der Aether ihm seine Bedingungen stellen würde. Und auf welchem Wege. Was würde in einem Monat mit ihm geschehen, wenn er sich dem Licht nicht abermals aussetzte?

Er würde Antworten auf diese Fragen erhalten, früher oder später. Und, überhaupt – in einem Monat mochte viel geschehen. Vielleicht war die Welt dann bereits untergegangen. So wie die Wolkeninsel. Schlagartig überkam ihn ein solches Zittern beim Gedanken an seine Heimat, an Alessia und die anderen, dass er auf den letzten Metern beinahe zusammengebrochen wäre.

Guo Lao legte das Mädchen in den fahlen Kreis aus Mondlicht.

Die Veränderung setzte im selben Augenblick ein, als das Licht Mondkinds Haut berührte. Niccolo stand gebeugt außerhalb des Scheins, die Arme auf die Oberschenkel gestützt. Silberdorn auf seinem Rücken verlieh ihm Kraft, aber sie reichte gerade aus, ihn aufrecht zu halten. Die Klinge verhielt sich jetzt ruhig, zog weder in Mondkinds, noch in Guo Laos Richtung. Im Augenblick verspürte er selbst dem Xian gegenüber nichts als diffuse Dankbarkeit.

Ihr Körper erstrahlte, als sei ein viel grelleres, loderndes Licht darauf gefallen. Niccolo kniff die Augen zusammen, kämpfte aber gegen den Drang an, den Blick abzuwenden. Verschwommen sah er, wie ihre gleißenden Umrisse zerflossen, sich wieder bündelten und dabei erneut ihre Silhouette bildeten: den schlanken Körper eines liegenden Mädchens, ein Bein angewinkelt, das andere ausgestreckt, die Arme vor der Brust zusammengekrampft.

Mit geschlossenen Augen ruhte sie auf der Seite, eine Wange im Sand, während ein Blutfaden aus ihrem Mundwinkel tränte. Das weiß glühende Licht um sie herum ebbte ab und erstarrte wieder zu einer Flut aus weißer, blutgetränkter Seide.

Sonnenstrahlen stachen über die Kuppen der umliegenden Dünen, berührten als Ersten Guo Lao, dann Niccolo und Mondkind. Das Blut aus ihrer Wunde schien sich über den Himmel zu ergießen, als aus dem morgendlichen Violett ein flammendes Rot wurde. Die Lichtflecken auf dem Sand lösten sich endgültig auf. Die Sterne waren längst verblasst, der Mond trieb leichenblass auf einem Ozean aus rotem Feuer.

Guo Lao blickte auf Mondkind hinab. Seine Züge waren leer, ohne jede Gefühlsregung. „Ich habe dir gesagt, dass das Licht sie nicht retten kann.“

Niccolo wusste selbst nicht, was er erwartet hatte. Hilflos sah er zu, wie die Seidenbahnen in Bewegung gerieten, sich unter Mondkinds Körper durch den Sand gruben, sie einwickelten und sich zu einem weiten Gewand verflochten. Andere Bahnen machten sich daran, die Wunde zu verschließen, aber das hatten sie bereits vor Tagen versucht, als sie sich die Verletzung zugefügt hatte. Auch die Seidenmagie war machtlos gegen die Klinge des Götterschwertes.

Niccolo legte all seine Verzweiflung in einen zornigen Schrei. Er riss Silberdorn aus der Rückenscheide und schleuderte es ziellos von sich. Rotierend flog die Klinge davon und grub sich in einen Dünenhang. Bis zum Griff verschwand sie im Sand und blieb stecken.

Guo Lao wollte darauf zugehen und das Schwert an sich nehmen, doch da schoss es bereits aus eigener Kraft in einer Staubexplosion himmelwärts, wurde für einen Augenblick vor dem leuchtenden Rot des Sonnenaufgangs unsichtbar – und raste dann wie ein silbriger Blitz auf Niccolo herab. Ein heftiger Ruck warf ihn fast nach hinten, als das Schwert in die Scheide zurückkehrte wie eine Taube in den Schlag ihres Herrn.

Guo Lao stieß ein verblüfftes Keuchen aus, machte aber keine Anstalten mehr, die Waffe an sich zu bringen.

Niccolo beugte sich über Mondkind und hob sie aus dem Sand. Mit einer schleppenden Bewegung richtete er sich auf. Blut sickerte in seine Kleidung. Ihr Kopf sackte nach hinten, das schwarze Haar reichte hinab bis zum Boden. Ihre Augen waren fest geschlossen.

„Wir müssen doch irgendetwas tun!", brüllte er den Xian an.

„Sie hat meine Brüder und Schwestern getötet. Was erwartest du von mir?"

Niccolo ließ ihn stehen und lief hinüber zu seinem Kranich. Mit einem Stöhnen legte er Mondkind bäuchlings über den Rücken des Tiers und wollte sich hinter sie schwingen, als Guo Lao ihn an der Schulter zurückhielt.

„Warte!"

Niccolo wirbelte herum. Er war viel zu wütend, als dass es ihn hätte überraschen können, wie schnell das Götterschwert mit einem Mal in seiner Hand lag. Es fühlte sich gut an, sehr leicht und seltsam angespannt wie eine Bogensehne. Die Klinge spürte, auf wen sich sein Zorn richtete, und jetzt gierte sie nach dem Blut seines Feindes.

Guo Lao sah ihn ruhig an. Seine Rechte lag um Phönixfeders Griff, aber er zog das mächtige Schwert nicht aus der Scheide. „Willst du zu Ende bringen, was ihr nicht gelungen ist?", fragte er leise.

„Ich … ich will nur, dass sie lebt. Dass sie gesund wird."

„Hast du ihr diese Wunde zugefügt?"

„Nein, das hat sie selbst getan."

Der Xian nickte bedächtig. „Weil sie sterben will, Junge. Mag sein, dass sie bereut, was sie getan hat – auch wenn es dazu viel zu spät ist. Die Schuld, die sie auf sich geladen hat, ist groß. Viel größer, als du vielleicht ahnst. Sie hat den Zorn der Götter auf sich – "

Niccolo fiel ihm barsch ins Wort. „Wo *sind* denn deine Götter, Guo Lao? Wo sind sie jetzt, in diesem Augenblick? Der Aether steht kurz vor dem Sieg, und was tun sie? Nichts. Rein gar nichts."

„Du vergisst, dass ich ihr Statthalter bin. Der letzte, wie es scheint. Wenn sie handeln, dann handeln sie durch mich."

„Ja", bestätigte Niccolo mit einem bösen Lachen. „Natürlich."

Er drehte sich um und wollte hinter Mondkinds leblosen Körper auf den Kranich steigen, aber Guo Lao hielt ihn auch diesmal auf.

„Unsere Abmachung", erinnerte er ihn.

„Sie ist bewusstlos. Ich würde sie fragen, wenn sie mir eine Antwort geben könnte."

Der Xian schob Niccolo beiseite. „Steck das Schwert weg, Junge. Du siehst albern damit aus." Er legte beide Hände um Mondkinds Gesicht, als wollte er ihren Schädel zwischen seinen Pranken zerquetschen. Niccolo war drauf und dran, ihm in den Arm zu fallen, aber Guo Lao sagte: „Ich kann sie nicht heilen, aber ich kann ihr noch einmal etwas von meiner Kraft geben. Und diesmal, Junge, wirst du sie nutzen, um mir meine Antwort zu beschaffen." Die letzten Worte sprach er mit einer solchen Entschiedenheit, dass Niccolo fest die Lippen aufeinanderpresste und abwartete.

Ein Stoß fuhr durch den riesigen Körper des Xian. Mit einem Grollen warf er den Kopf in den Nacken und stemmte sich mit beiden Füßen in den Sand, so als wollte ihn eine unsichtbare Hand nach vorne reißen. Ein Knirschen erklang, als er die Zähne mit aller Macht aufeinanderbiss; es klang, als müssten sie jeden Augenblick unter dem übermenschlichen Druck seiner Kiefer nachgeben. Er begann zu zittern, eine Bewegung, die auf Mondkind übergriff, während der Kranich unter ihr ein nervöses Schnarren ausstieß. Niccolo legte eine Hand an das Gefieder des Vogels, um ihn zu beruhigen, aber Augen hatte er nur für Mondkind.

Ihre Lider erbebten, dann drangen Tränen darunter hervor, ein stetes Rinnsal, das vom Nasenrücken hinab in den Sand tropfte. Die Seidenbänder begannen einen wirbelnden Tanz, umfassten sie selbst, den Xian, sogar Niccolo; ihre Enden wirbelten um sein Gesicht und strichen leicht wie Blütenblätter darüber hinweg. Plötzlich richteten sie sich senkrecht zum Himmel auf, als wäre ein starker Luftzug unter Mondkind aus dem Boden gefahren und hätte die Seide aufwärtsgeblasen. Guo Lao knurrte mit verkniffener Miene, in seinen Augen war nur noch geädertes Weiß zu sehen. Niccolo wollte ihn schon von Mondkind fortstoßen, als die rätselhaften Kräfte mit einem Mal in sich zusammenfielen. Die Seidengewänder sackten ungeordnet auf Mondkind herab. Guo Lao prallte zurück und riss Niccolo mit sich. Der Kranich stieß einen hohen Schrei aus, breitete die Schwingen aus und schlug mehrfach damit auf und nieder, ohne sich in die Luft zu erheben.

Mondkind hing noch immer mit dem Bauch nach unten auf dem Rücken des Vogels, aber jetzt hob sie den Kopf, ihr Gesicht eine schmerzerfüllte Grimasse.

„Niccolo?" Ihre Stimme klang brüchig.

Er eilte zu ihr, schlitterte vor ihr im Sand auf die Knie und ergriff ihre Hand.

„Dein Versprechen!", keuchte Guo Lao. Der Xian stand vornübergebeugt da wie nach großer körperlicher Anstrengung. Schweiß glänzte auf seinem kahlen Schädel, rann an seinen Unterarmen hinab und tropfte von seinen Fingern.

Das Ultimatum des Xian lief ab. Niccolo begriff, dass er nicht mehr Zeit herausschlagen konnte. Er musste sich zu den Worten zwingen, die er Mondkind ins Ohr flüsterte. „Guo Lao glaubt, dass du weißt, was aus Li geworden ist."

Ihr Blick flackerte. Aber immerhin war wieder Leben in ihr, ein ganz schwacher Hauch. „Ich ... weiß nicht."

„Was sagt sie?" Der Xian kam langsam näher. Er schien kaum genug Kraft aufzubringen, um seine Füße bei jedem Schritt aus dem Sand zu befreien.

„Sie weiß es nicht."

„Sie lügt!"

Niccolo schloss seine Hand noch fester um Mondkinds Finger. Das Leid in ihrer Miene floss auf ihn über, hüllte ihn ganz und gar ein. Ihre Lippen zitterten. In ihren Mundwinkeln hatten sich Blutkrusten gebildet, die jetzt zu dunklen Schüppchen zerfielen. „Ist ... verschwunden", raunte sie tonlos.

„Sie hat keine Ahnung, wo er steckt!", fauchte Niccolo den Xian an, der jetzt nur noch einen Schritt entfernt war.

Guo Lao stand da wie ein schwankender Turm, ungeheuer groß und stämmig und doch mit einem Mal auf seltsame Weise verletzlich. Er hatte mehr Kraft auf die sterbende Mondkind übertragen, als für ihn selbst gut war. Dafür verlangte er mehr als ein gehauchtes Leugnen.

„Wo ist Li?", fuhr er das Mädchen an.

„Das solltest ... du selbst wissen", gab sie zur Antwort. „Ich habe ihn nicht getötet. Nicht einmal ... mit ihm –" Sie brach ab.

„Du hörst doch, was sie sagt!" Niccolo spürte, wie kalt ihre Hand war. Er wagte nicht, sie loszulassen. *Konnte* es auch gar nicht. Denn in diesem Augenblick tat sie etwas, das sich im einen Moment erschreckend, im nächsten schon vertraut anfühlte.

Die Spitzen ihres Zeige- und ihres Mittelfingers schoben sich an seinem Handballen hinab, stießen vor wie zwei winzige Schlangenköpfe und legten sich fest auf seine Schlagader. Plötzlich hörte er seinen eigenen Herzschlag. Das erste Pochen hallte wie ein Paukenschlag in seinen Ohren und riss ihn aus seiner Verzweiflung. Es war, als wäre da etwas in ihm, das ihn wachrüttelte, sein eigener

Puls, der sich nun durch ihre Fingerspitzen auf sie übertrug. In seiner Brust machte sich etwas Fremdes breit, das nicht dorthin gehörte, schlängelte sich um sein Herz, presste es zusammen.

Sein *Chi* reichte nicht aus, um sie zu heilen. Nicht einmal annähernd. Aber es gab ihr die Kraft, den Kopf hochzureißen, Guo Lao mit wild funkelnden Augen anzustarren und zu brüllen: „Ich habe deinen Bruder Li nicht getötet! Ich bin ihm nicht mehr begegnet, seit ich ihn am Ufer des Lavasees gesehen habe! Und jetzt, Xian, kehre zurück in deine Felsenhöhle, denn ich will nicht mehr gegen dich kämpfen."

Guo Lao starrte sie an, und für einen Moment wirkte er tatsächlich überrascht. Dann schoss seine Pranke vor und wollte Niccolo von ihr fortreißen, um den Fluss des *Chi* zu unterbrechen, das sie ihm abzapfte. Doch da fegte ein Sturm aus Seide über ihre Schultern hinweg auf den Xian zu, hüllte ihn ein, hob ihn in einer ungeheuerlichen Kraftanstrengung vom Boden und schleuderte ihn davon wie eine Puppe. Niccolo konnte den Kopf nicht schnell genug drehen, um dem Flug des Unsterblichen zu folgen. Aus dem Augenwinkel meinte er ihn hinter der nächsten Düne verschwinden zu sehen.

Die Finger an seinem Herzen zogen sich zurück, im nächsten Augenblick auch die an seiner Schlagader. Jetzt ruhte ihre Hand wieder kraftlos in seiner, nicht mehr ganz so kalt wie zuvor und doch kaum noch von eigenem Leben erfüllt.

Niccolo kämpfte gegen einen Sog aus Schwärze an, der

ihn hinüber in die Bewusstlosigkeit ziehen wollte. Aber er wusste auch, dass er sie dann verlieren würde, ganz gleich, ob er Stunden oder nur Minuten ohnmächtig wäre. Er musste sich zusammenreißen, stärker sein als jemals zuvor, für sich selbst, aber mehr noch für sie.

Benommen sah er über die Schulter zu der Dünenkuppe, ohne dort ein Anzeichen des Xian zu entdecken. Schwankend kämpfte er sich auf die Beine und schaffte es irgendwie, sich hinter Mondkind auf den Kranich zu ziehen. Sie lag auf dem Bauch, quer über den Vogel hinweg, aber noch wogten und wellten sich die Seidenbänder, und das schien ihm ein Zeichen dafür zu sein, dass noch Leben in ihr war, vielleicht genug, um noch eine Weile länger durchzuhalten. Er gab sich Mühe, nicht den roten Fleck an ihrer Seite anzusehen, geformt wie ein großer Schmetterling, dessen einer Flügel über ihren Rücken reichte, während der andere unter ihrer Brust verschwand. Zahllose Lagen hauchfeiner Seide bedeckten jetzt wieder die Verletzung; sie mochten vielleicht den Blutfluss mindern, nicht aber die Wunde heilen.

Niccolo ergriff über ihren schmalen Leib hinweg die Zügel des Kranichs und gab ihm mit den Fersen das Signal zum Aufbruch. Der Vogel, selbst noch verstört von dem, was da gerade in seiner unmittelbaren Nähe geschehen war, erhob sich taumelnd in die Luft, schlug erst viel zu schnell, beinahe panisch mit den Schwingen, ehe er zu einem ruhigen, beherrschteren Rhythmus fand.

Sie stiegen fast in gerader Linie aufwärts, sahen Guo Laos Kranich unter sich kleiner werden, die Blutflecken im

Sand, die verblassenden Schatten der Nacht in den Dünentälern.

Jenseits der nächsten Kuppe erhob sich eine Gestalt aus dem Sand. Staubfontänen rieselten von ihren massigen Schultern herab, als sie sich aufrichtete und den Flüchtenden nachblickte.

Niccolo war bereits viel zu weit entfernt, um Guo Laos Gesicht zu erkennen, aber er sah noch, wie sich der Koloss in Bewegung setzte, erst behäbig, merklich angeschlagen, dann immer schneller. Mit stampfenden Schritten lief er die Düne hinauf und brachte dabei den halben Hang zum Einsturz. Sandmassen schlitterten ihm als riesige Scholle entgegen, verminderten sein Vorankommen, vermochten ihn aber nicht aufzuhalten. Wenn er erst über die Erhebung hinweg war, würde es nicht mehr lange dauern, eher er seinen Kranich erreichte.

Bald überflogen Niccolo und Mondkind die Felsenkrone der menschenleeren Karawanserei, aber der Kranich trug sie weiter nach Westen. Wohin? Niccolo wusste es nicht. In ihrem Rücken stieg die Sonne höher, verwandelte das Rotbraun der morgendlichen Wüste allmählich in das Glutgelb des Tages.

Noch etwas stieg im Osten empor, ein schwarzer Punkt zwischen den Dünen. Niccolo sah ihn beim Blick nach hinten, bevor er mit der Sonne verschmolz und in ihrem Gleißen unsichtbar wurde.

Guo Lao hatte die Verfolgung aufgenommen.

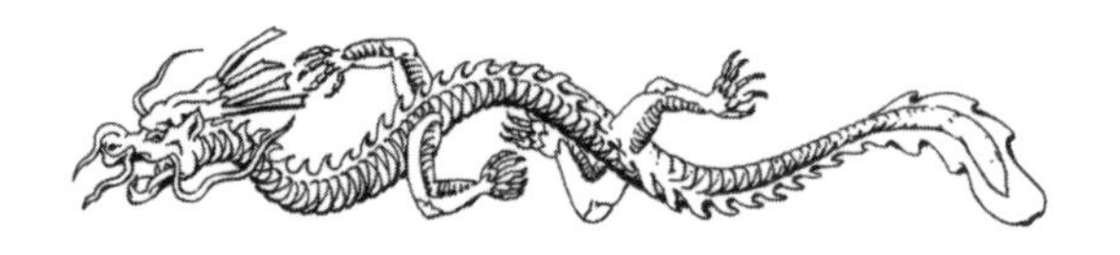

Die Himmelsberge

Mondkinds Seidenbänder lagen um Niccolos Oberkörper und klammerten sich mit letzter, verzweifelter Kraft an ihm fest.

Der Xian war noch immer hinter ihnen, ein dunkler Fleck über dem östlichen Horizont. Die Sonne hatte längst ihren höchsten Punkt überschritten und sank nun dem Westen entgegen.

Zu Niccolos Erstaunen hatte der erschöpfte Kranich während der vergangenen Stunden seine Richtung geändert, ganz allmählich und in einem weiten Bogen. Er flog jetzt nach Norden. Erst hatte Niccolo geglaubt, er weiche einem der Sandstürme aus, die sie immer wieder einmal in der Ferne toben sahen und von denen er nie ganz sicher war, ob nicht Guo Lao sie heraufbeschwor.

Nicht lange nach ihrer Flucht vor dem Xian hatte Mondkind den Kopf gehoben – nicht in Niccolos Richtung, sondern nach vorn, zum Kopf des Kranichs. Sie hatte ihm etwas zugeraunt in einer Sprache, die Niccolo nicht verstand. Daraufhin war der Vogel auf einer Dünenkuppe gelandet, und Mondkind hatte mühevoll ihre Position gewechselt – sie lag jetzt nicht mehr vor Niccolo, sondern saß hinter ihm, lehnte sich an seinen Rücken und hatte die Hände an seine Hüften gelegt. Der Vogel war sofort wieder abgehoben. Sie hatten kaum eine Minute verloren, und doch war ihnen der Xian merklich näher gekommen.

Das war jetzt mehrere Stunden her, und Mondkind saß noch immer an seinen Rücken geschmiegt, hatte den Kopf an seine rechte Schulter gelegt und schien zu schlafen.

Bislang hatte er gezögert, ihr das Schwert zu geben, damit seine Heilkraft auf sie wirken konnte. Zum einen war dies die Klinge, mit der sie sich verletzt hatte. Zum anderen traute er Silberdorn nicht; nach Tieguais Tod hatte die Götterklinge nach Mondkinds Blut gelechzt wie ein lebendes Wesen. Allmählich aber erschien ihm die Chance, sie durch das Schwert zu retten, bedeutender als alle Einwände. Hätte sie es sich ein zweites Mal in den Leib rammen wollen, hätte sie das längst tun können: Das Schwert hing über seinem Rücken, genau zwischen ihnen beiden, nun wieder so leblos wie eine gewöhnliche Waffe. Sie hätte nur danach greifen müssen.

„Mondkind“, sagte er, „du musst das Schwert nehmen und dir umhängen. Wenn es dich als Besitzerin akzeptiert, kann es dich vielleicht heilen.“

„Nicht eine Wunde, die es ... selbst geschlagen hat“, flüsterte sie.

„Trotzdem – versuch es.“ Er nahm eine Hand von den Zügeln und begann umständlich, sich das Schwert am Rückengurt über den Kopf zu ziehen. Er spürte, wie Mondkind es an sich nahm, damit hantierte und sich wenig später wieder an ihn lehnte. Jetzt, da Silberdorn nicht mehr zwischen ihnen war, fühlte er sie noch deutlicher, so als fügten sich ihre Körper zu einem einzigen zusammen.

Lange Zeit herrschte abermals Schweigen. Er hoffte, dass sie wieder eingeschlafen war und dies ein Zeichen dafür war, dass Silberdorns Heilkräfte wirksam wurden. Dann und wann überkam ihn die eisige Furcht, sie könnte dort hinten gestorben sein, aber wenn er sich konzentrierte, konnte er ihren Herzschlag spüren, das sanfte Wummern in ihrer Brust, und dann wusste er, dass sie noch bei ihm war, dass sie lebte und noch nicht alles verloren war.

Einmal, als sie etwas murmelte, das er nicht verstand, fragte er: „Weißt du, wohin uns der Kranich bringt?"

Er spürte ihren Versuch eines Nickens an seiner Schulter. „Himmelsberge", murmelte sie. „Habe ihm ... befohlen, uns ..." Sie verstummte, setzte abermals an: „Müssen die *Dongtian* erreichen ... die Heiligen Grotten der Himmelsberge ... solange der Aether geschwächt ist. Sind dort vorerst ... sicher."

Die Sonne ging unter, ein lodernder Feuerball links von ihnen im Westen. Einmal mehr schlug die Tageshitze der Wüste in Kälte um. Als Niccolo zurückblickte, war der Himmel hinter ihm bereits so dunkel, dass Guo Lao nicht mehr zu sehen war.

Die letzten Strahlen streuten Glut über die Einöde und fielen auf eine Kette schartiger Spitzen, so zerklüftet und steil, dass sie im Rotgelb des Sonnenaufgangs wie erstarrte Flammen aussahen. So hell reflektierte kein Fels das Licht. Was sie dort vor sich sahen, in einem absurden, unwirklichen Widerspruch zur Wüste, waren schneebedeckte Berggipfel.

„Mondkind!“ Er nahm eine Hand vom Zügel und berührte ihre Rechte an seiner Hüfte. Ihre schlanken Finger kamen ihm noch dünner vor, beinahe knochig. Sie waren entsetzlich kalt. „Siehst du das?“

Sie hob die Wange von seiner Schulter, aber ihr Kopf sank sofort wieder zurück. „Ja“, sagte sie mit der leisen Melodie eines ersterbenden Lächelns, „das ist das Tien-Shan-Gebirge – die Himmelsberge.“

Bald brach endgültig die Nacht herein, und das Licht des Mondes – aethergelb gefärbt und unrein – reichte nicht mehr aus, die fernen Gipfel den Schatten zu entreißen.

Plötzlich wuchs Schwärze wie eine himmelhohe Mauer vor ihnen empor, ein kolossaler Wall aus Finsternis, in der Niccolo erst ganz allmählich Unregelmäßigkeiten ausmachte. Da waren Felstürme, Schwindel erregende Gesimse und Hänge, turmartige Steinstrukturen, mächtige Buckel und scharfkantige Grate. Und darüber, dahinter, ohne jede Tiefe und seltsam flach in der Dunkelheit – Gipfel und knochenbleiche Gletscher.

° ° °

Aus der Kälte der Wüstennacht glitten sie hinauf in die Eisluft des Hochgebirges.

„Niccolo!“

Mondkinds Stimme war so schwach wie zuvor, keine Spur von Heilung oder nur dem Hauch einer Besserung. Einen Moment lang konnte er an nichts anderes denken, ehe ihm bewusst wurde, dass ihr Ruf ein Alarm war.

„Er ist jetzt ganz nah“, stöhnte sie.

Er schaute über die Schulter, sah aber nur den Fächer aus Mondkinds flatterndem Haar, durchwoben von weißen Seidenbahnen. „*Wie* nah?“, fragte er.

„Ich ... spüre ihn.“

Verzweifelt hieb er dem Kranich die Fersen in die Flanken. Es tat ihm gleich darauf leid – der Vogel gab seit Stunden, ja seit Tagen sein Bestes –, aber vor Müdigkeit und Angst um Mondkind hatte Niccolo Mühe, klar zu denken.

Sie raunte wieder etwas in jener fremden, rätselhaften Sprache, in der sie schon zuvor zu dem Tier gesprochen hatte. Niccolo glaubte, dass es im fauchenden Gegenwind nicht bis zum Kranich vorgedrungen war, doch mit einem Mal schlugen seine Schwingen schneller, der Vogel stieg auf und schoss über einen Bergrücken hinweg. Gleich dahinter öffnete sich ein lang gestrecktes Tal, durch das sich ein schmutzig grauer Gletscherstrang wälzte.

„Über dem Eis kann er uns sehen!“, rief Niccolo.

„Und wir ihn“, gab Mondkind zurück, aber das letzte Wort war nur ein Ächzen. Er spürte, wie sie gegen seinen Rücken sackte und ihr Gesicht an seinem Oberarm hinabglitt. Die Seidenbänder hielten sie, doch ihre eigene Kraft war endgültig aufgebraucht.

„Mondkind!“

Keine Antwort.

„Bitte“, flehte er verzweifelt, „du musst noch durchhalten. Nur noch ein wenig!“ Er redete Unsinn und wusste es. Noch ein wenig? Er hatte keine Ahnung, wie weit es bis zu diesen verfluchten Grotten war. Die Himmelsberge mochten sich über Tausende Kilometer hinziehen, und womöglich lag der Zugang zu den *Dongtian* an ihrem anderen Ende.

Er schaute zurück, als ihm bewusst wurde, was Mondkind da eben gesagt hatte. Tatsächlich – über dem breiten Band aus Schnee und Eis konnte er ihren Verfolger jetzt deutlich sehen. Die schwarze Silhouette des Unsterblichen auf seinem Kranich war jetzt keine zweihundert Schritt mehr entfernt.

Ihr eigener Vogel setzte zu einem Sturzflug an, noch immer mit unfassbarer Geschwindigkeit, und Niccolo dämmerte, dass der Kranich gerade sein Letztes gab. Er würde diese Anstrengung nicht lange durchhalten. Das Tier war bereit, für sie zu sterben, und womöglich war es genau das, was Mondkind von ihm verlangt hatte: seine allerletzten Reserven, ein verzweifeltes Klammern an nichts als eine vage Hoffnung.

Der Kranich schoss hinab in ein Labyrinth aus Eisspalten. Nachtschatten flossen durch die verästelten Risse wie Teer. Der Vogel stieß in die Finsternis hinab. Für Niccolo versank die Welt in Dunkelheit. Er sah nichts mehr, spürte nur noch den eisigen Wind, der ihnen entgegenschlug, und manchmal die Nähe einer zerklüfteten Wand, das Vorüberzischen einer Kante, wenn der Kranich sich auf die Seite legte und scharf nach rechts oder links bog. Sie wussten jetzt, wie nahe Guo Lao ihnen gekommen war, und nun ging es nur noch darum, ihn in diesem Irrgarten aus Eis und Fels und Schwärze abzuhängen.

Er rief noch einmal Mondkinds Namen, aber sie reagierte nicht. Plötzlich zweifelte er, dass sie selbst bei dieser waghalsigen Geschwindigkeit schnell genug sein konnten.

Mondkind würde sterben. Egal, wie lange die Kraft des Götterschwertes oder ihre Flucht auf dem Kranich es hinauszögern konnten – am Ende dieses Ritts durch die Einöde der Himmelsberge stand nichts als der Tod.

Der Kranich stieg steil nach oben. Die Seidenbänder spannten sich, als Mondkind nach hinten zu stürzen drohte. Auf einmal waren sie wieder im Freien, oberhalb des Eislabyrinths, und der Vogel legte sich zurück in die Horizontale. Keine zwanzig Meter über dem zerfurchten Boden jagten sie dahin, jetzt auf einen schroffen Felshang zu, schwarz und grau gesprenkelt, durchzogen von Adern aus verharschtem Schnee.

Niccolo schaute sich um. Guo Lao war noch näher gekommen, jetzt keinen Steinwurf entfernt, wie ein Schatten, den sie selbst auf das Eis am Fuß des Berges warfen. Beinahe wünschte sich Niccolo, dass der Xian ihm etwas zurufen würde, eine Drohung, irgendetwas, das ihn von einer übermenschlichen Gefahr wieder zu einem Verfolger aus Fleisch und Blut machen würde. Stattdessen aber saß er ihnen wie ein schwarzer Geist im Nacken, ein Wesen aus einem Albtraum.

Der Kranich stieß ein krächzendes Wimmern aus, als er seine beiden Reiter den Berg hinauftrug, über einen engen Pass hinweg, dann wieder hinab in einen neuen Abgrund. Es musste Tausende solcher Klüfte in diesen Bergen geben, bodenlose Schluchten und Talkessel, in die niemals ein Mensch seinen Fuß gesetzt hatte. Niccolo bezweifelte, dass er selbst bei Tageslicht Spuren einer Besiedlung entdeckt hätte. Diese Berge mochten ebenso gut das Ende der Welt sein, eine lebensfeindliche Ödnis im unerbittlichen Griff des ewigen Eises.

Der Vogel bog um weitere Kehren aus Granit, jagte an Steilwänden vorüber, rauschte durch Spalten, die kaum breiter waren als die Spannweite seiner Schwingen. Bald sahen sie eine weitere Felsklamm, eng und lang gestreckt, an deren Ende eine senkrechte Granitwand emporwuchs, überschattet von einem Gipfel, der gut und gern die Hälfte des Sternenhimmels verdeckte.

Im unteren Teil der Felswand, dort, wo ihr Fuß in eine unwegsame Schräge aus Geröll und scharfkantigen Gesteinsbrocken überging, zeichnete sich ein senkrechter Spalt ab, mindestens hundert Meter hoch. Von Weitem sah es aus, als würde der Schatten eines riesenhaften Fingers auf den Fels geworfen. Im Näherkommen aber entdeckte Niccolo, dass es kein Schatten war und auch kein natürlicher Riss im Gestein.

Es war ein Tor, hoch genug, um den Turm einer Burg aufzunehmen, und dabei keine zwanzig Meter breit.

Mit tränenden Augen sah er sich um. Mondkinds Haar wirbelte rabenschwarz in ihrem Rücken, die Seidenbänder folgten ihnen als zerfasernder Schweif.

Die Nacht hinter ihnen war leer.

Guo Lao war verschwunden.

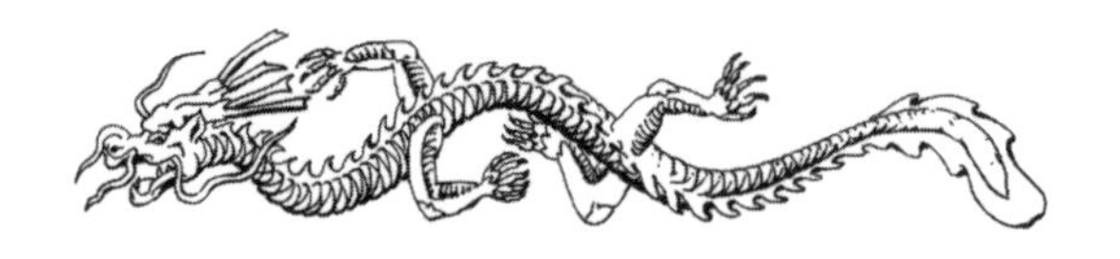

Drachengold

Im ersten Moment glaubte Niccolo, dass er sich irrte. Der Xian konnte nicht einfach fort sein.

Doch nichts regte sich in den Klüften und Kerben zwischen den Bergen. Kein Anzeichen ihres Verfolgers, nicht die leiseste Spur von Leben. Nur Stein, nur Eis, nur nachtschwarze Leere.

Der Kranich schrie auf, so schrill, dass Niccolo zusammenfuhr und wieder nach vorn wirbelte. Zugleich stellte der Vogel seine Schwingen gegen den Wind und geriet ins Taumeln, während er schlagartig langsamer wurde und darüber rapide an Höhe verlor.

Sie waren noch zweihundert Schritt von dem hohen Tor in der Felswand entfernt. Unter ihnen erkannte Niccolo jetzt eine geschlängelte Treppe, die vom schrundigen Talgrund zwischen den Geröllhaufen aufwärts zum Eingang der Grotte führte. Wo sie begann, war von hier aus nicht zu erahnen; ebenso wenig, wer sie einstmals in den Fels geschlagen hatte.

Vor der schwarzen Öffnung schwebte ein heller Punkt in der Luft, tanzte mit gemächlichem Schwingenschlag auf und nieder. Der Xian hielt das Schwert Phönixfeder blankgezogen in der Rechten, seine Linke streichelte sanft den Hals seines Kranichs.

Niccolos Vogel fing sich, bevor sie dem Boden zu nahe kommen konnten. Er hätte wohl umdrehen und abermals fliehen können, doch Mondkinds letzter Befehl hatte dem Tier zu viel abgefordert. Die irrwitzige Jagd war hier und jetzt zu Ende, eine Fortsetzung ihrer Flucht würde es nicht geben. Guo Lao hatte ihnen den Weg abgeschnitten, weil er von Anfang an gewusst haben musste, welches Ziel sie hatten. Vielleicht hatte er Glück gehabt. Vielleicht kannte er sich auch einfach nur besser in diesen Bergen aus als der Kranich des toten Tieguai.

„Es ist vorbei“, rief er Niccolo zu, als der Kranich sie taumelnd zurück auf eine Höhe mit dem Xian brachte. „Ihr hättet uns allen große Mühsal erspart, hättet ihr eure Niederlage früher eingesehen.“

„Du wirst ihr kein Haar krümmen!“, rief Niccolo ihm entgegen. Die Distanz zwischen ihnen betrug keine dreißig Meter mehr. Nah genug, um selbst im Schatten der Berge die verbissenen Züge des Xian zu erkennen.

„Du hast gewusst, dass ich sie nicht gehen lassen kann“, erwiderte Guo Lao. „Sie hat sieben Xian ermordet.“

„Nicht, weil sie es wollte.“

„Spielt das eine Rolle? Sie ist kein Kind mehr, Junge, und sie hat genug Verstand, um zu begreifen, was sie getan hat. Und dass es nur eine einzige Strafe dafür geben kann.“

Plötzlich regte sich Mondkind in Niccolos Rücken, hob den Kopf und blickte über seine Schulter hinüber zu dem Unsterblichen. „Du wirst kein Schwert mehr brauchen, um mich zu töten, Guo Lao!“, rief sie mit neu erwachter

Klarheit. Womöglich schenkte ihr Silberdorn tatsächlich Kraft. Oder aber sie schöpfte aus denselben letzten Reserven, die es auch dem Kranich ermöglicht hatten, sie beide hierher zu tragen. „Ich werde sterben“, stellte sie mit einer Sachlichkeit fest, die Niccolo einen Schauder über den Rücken jagte, „so oder so.“

„Das wirst du nicht“, zischte Niccolo über die Schulter.

„In einem zumindest hat er recht“, sagte sie. „Es endet jetzt. Es ist vorbei.“

„Nein!“ Niccolos Hand zuckte zu seiner Schulter, um Silberdorn aus der Scheide zu reißen; aber er hatte nicht bedacht, dass jetzt Mondkind die Waffe trug. Seine Finger griffen ins Leere.

Mit ruhigen, beinahe sanften Schwingenschlägen glitt der Kranich des Xian auf sie zu. „Würdest *du* sie gehen lassen?“, fragte Guo Lao.

Niccolo zerrte die Zügel herum, damit ihr Kranich den Unsterblichen umrunden konnte, doch der Vogel war zu schwach, um darauf zu reagieren. Er verdrehte nur den Kopf, während sein Flügelschlag aus dem Rhythmus geriet und sie einmal mehr beinahe abgestürzt wären.

„Lass ihn“, bat Mondkind. Eine tiefe Müdigkeit sprach jetzt aus ihrer Stimme, weniger Schwäche als ein Tonfall, der sagte: *Ich bin es leid.*

Guo Lao war jetzt keine zehn Meter mehr entfernt. Er hob das gewaltige Schwert neben seinem Kopf in die Waagerechte, sodass die Spitze nach vorn wies. Niccolo hatte diese Angriffsposition schon früher gesehen, bei den Mandschu und bei Wisperwind.

Ein urgewaltiges Brüllen hallte von den Felswänden wider, gefolgt von einem Echo, das körperlich spürbar war, durch alle Knochen vibrierte bis hinein in die Zahnwurzeln.

Guo Laos Augen weiteten sich. Sein Kranich tänzelte mit einem Mal nervös auf und ab.

Mondkinds Hand krallte sich in Niccolos Seite, als wollte sie ihn davor bewahren, irgendetwas Falsches zu tun.

Ganz unten, am Fuß des gewaltigen Grottenportals, trat eine winzige Gestalt aus den Schatten ins Sternenlicht. Sehr klein, sehr schmal und sichtbar geschwächt; sie stützte sich auf einen langen Stab.

Absurderweise erkannte Niccolo als Erstes den Stab wieder – eine Schaufellanze, genau wie jene, die der Unsterbliche Li getragen hatte. Vielleicht lag es an seiner Erschöpfung, an seiner Müdigkeit, vielleicht auch nur daran, dass er einfach nicht fassen konnte, wen er da sah.

„Nugua?“ Er flüsterte ihren Namen, leise wie ein Atemzug. Wüstensand hatte sich in seinen aufgesprungenen Lippen festgesetzt, und erst jetzt wurde ihm bewusst, wie schwer ihm das Reden fiel.

„Nugua!“ Jetzt wurde schon ein krächzender Ruf daraus. Doch als er ihren Namen schließlich zum dritten Mal herausbrachte, war es ein Brüllen, so laut, dass es sich an den Bergflanken brach und lang gezogen in der Schlucht widerhallte.

Nugua blieb außerhalb des Portals stehen und blickte zu ihnen auf. Aus der Distanz war nicht zu erkennen, ob sie Guo Lao oder Niccolo und Mondkind ansah.

Jetzt hob sie eine Hand und winkte. Aber es war keine Begrüßung, sondern ein Signal. Ein Signal an jemanden, der sich hinter ihr in der Dunkelheit des Grotteneingangs aufhielt.

Niccolo verengte die Augen, starrte an Guo Lao vorbei zum Tor, über Nugua hinweg – der winzigen, unendlich verloren wirkenden Nugua.

Die Finsternis in ihrem Rücken lebte.

Massige Formen schoben sich dort über- und untereinander wie ein Nest turmgroßer Riesenschlangen. Er sah keine Umrisse, nur ein Verschieben unterschiedlicher Schattierungen von Schwarz – und dann, von einem Augenblick zum nächsten, ein Aufflammen von strahlendem Goldrot, so als fiele schlagartig Sonnenlicht durch das Tor und bräche sich auf tausend spiegelnden Schuppen.

Aber das goldene Licht fiel nicht von außen in die Grotte, sondern ergoss sich, ganz im Gegenteil, von innen heraus ins Freie, erhellte die Schlucht mehrere hundert Meter weit, floss wie Lava über die Stufen der gewundenen Felsentreppe und erfasste schließlich die beiden Kraniche in der Luft.

Hinter Nugua erschien ein haushoher Schädel mit spitzem Maul, aus dessen Lefzen sich zwei lange Fühler schlängelten und am Boden einen schützenden Wall um das Mädchen formten. Den Kopf des Drachen krönte ein Geweih, groß wie eine uralte Eiche und ebenso verästelt. Niccolo verstand jetzt, warum Wisperwind gesagt hatte, er habe Drachenaugen: Die des Ungetüms dort unten glänzten ebenso golden wie seine eigenen.

Der Schädel des Drachen schwebte über Nugua in der Luft; sie selbst war kaum größer als einer seiner Fangzähne. Die beiden riesigen Fühler wanden sich nur einen Schritt vor ihr über- und untereinander, und Niccolo war nicht mehr ganz sicher, ob sie jemanden davon abhalten sollten, ihr zu nahe zu kommen, oder ob sie umgekehrt dafür sorgten, dass Nugua sich nicht vom Portal der Heiligen Grotte entfernte.

Er machte gar nicht erst den Versuch zu verstehen, warum sie hier war. Und weshalb sie die Drachen ausgerechnet an diesem Ort wiedergefunden hatte. Er war zu erschöpft, seine Gedanken kreisten immer wieder nur um Mondkind, die so dringend Hilfe benötigte, *irgendeine* Hilfe, und um den Xian, der jetzt das Schwert hatte sinken lassen, aber keine Anstalten machte zurückzuweichen.

Ihm war jetzt, als finge er Nuguas Blick auf, und obgleich er aufgrund der Entfernung nicht sicher war, meinte er, sie lächeln zu sehen.

„Xian!“, ertönte die grollende Stimme des Drachen. „Gib den Weg frei!“

Der Unsterbliche zog seinen Kranich mit einer Hand herum, sodass er nun seitlich zwischen dem Portal und Niccolo und Mondkind schwebte. „Sei gegrüßt, Drachenkönig! Ich bin Guo Lao, der Letzte der Acht. Ich habe keinen Streit mit dir oder anderen deines Volkes.“

Die goldenen Augen des Drachen blitzten. „Wir teilen den Schmerz über deinen Verlust, Guo Lao. Und wir wissen, dass es unser aller Verlust ist. Drachen und Xian sind immer Verbündete gewesen.“

„Dann sollst du auch wissen, großer Yaozi, dass dies dort die Schuldige am Tod meiner Brüder und Schwestern ist."

Niccolo fasste sich ein Herz und rief mitten hinein in dieses Gespräch zwischen zwei übermenschlichen Wesen: „Mondkind wird sterben! Das Schwert Silberdorn hat sie verletzt! Wir brauchen deine Hilfe, Drachenkönig." Er geriet ins Stocken und fügte mit schwankender Stimme hinzu: „Nugua, bitte – sag ihm, dass er uns helfen muss."

Guo Lao hob sein Schwert. „Nein!"

Niccolo sah, wie Nugua nach oben griff und an einem Barthaar des Drachenkönigs zog. Ungehalten kniff er ein Auge zusammen, dann wurde der riesige Schädel ein Stück zurückgezogen und zugleich gesenkt, bis Nugua sich zu ihm umdrehen und ihn ansehen konnte. Mit einer Hand hielt sie sich weiterhin an Lis Schaufellanze fest, aber mit der anderen gestikulierte sie wild, während sie auf Yaozi einredete. Was sie sagte, war oben in der Luft nicht zu verstehen.

„Alles wird gut", flüsterte Niccolo Mondkind zu und wusste nicht, ob sie ihn überhaupt noch hörte.

„Ich bin nicht hier, um zu verhandeln!", rief Guo Lao zum Felsenportal hinüber. „Drachen und Xian sind Freunde, und so soll es bleiben. Lass keinen Zwist zwischen uns entstehen, Yaozi, indem du eine Entscheidung triffst, die wir alle bereuen werden."

Nugua redete noch immer, aber der Drachenkönig nahm den Blick von ihr und blickte zu dem Unsterblichen auf. „Dies sind schwere Zeiten, Guo Lao. Für jeden von uns. Wir sollten sie nicht schlimmer machen, indem wir uns gegenseitig bedrohen."

Der Xian neigte das Haupt. „Das ist wahr, und ich bitte um Verzeihung. Aber sie muss bestraft werden für das, was sie getan hat. Ich bin der Letzte der acht Unsterblichen, und du weißt, was das bedeutet."

Nugua war merklich entrüstet, dass Yaozi ihr nicht mehr zuhörte, und so pikte sie ihn mit einer Spitze der Schaufellanze in die Nase. Der Gigant stieß ein Schnauben aus, das sie nach hinten umblies, fing sie aber zugleich mit einem seiner Fühler auf und stellte sie sanft auf die Füße. Empört holte sie aus und trat dagegen, fuhr dann herum und rief: „Niccolo, die Drachen haben mich gesund gemacht, und sie können auch Mondkind – "

„Schluss damit!", donnerte Guo Lao. „Ich bin nicht hier, um zu verhandeln. Die Gerechtigkeit ist auf meiner Seite. Niemand kann das anzweifeln."

Hinter Niccolo regte sich Mondkind im Sattel. „Müssen uns ... beeilen", wisperte sie schwach. „Der Aether ... erholt sich. Seine Wunden halten ihn nicht mehr ... lange auf." Er wusste nicht, was genau der Aether dann tun würde, tun *konnte*, aber er erinnerte sich sehr wohl an die Schmerzen, die Mondkind erlitten hatte, als sie sich ihrem Meister oben auf den Lavatürmen widersetzt hatte. Möglicherweise war Niccolo selbst jetzt ebenso anfällig dafür wie sie, und es würde keine große Mühe kosten, sie unter Krämpfen vom Rücken des Vogels in die Tiefe zu schleudern.

Der Xian riss seinen Kranich herum, brachte das Schwert erneut in Anschlag und rief dem Tier einen Befehl zu. Unvermittelt schoss es auf Niccolo und Mondkind zu. Die Durchschlagskraft, die Phönixfeder allein durch die Geschwindigkeit erhielt, war groß genug, um sie beide mit einem einzigen Hieb zu töten.

„Nein!", schrie Nugua. Plötzlich riss sie Lis Lanze hoch. Die mondsichelförmige Klinge an ihrem Ende blitzte im Goldschein des Drachenkönigs, und selbst als das Mädchen die Waffe schleuderte, hielt das Glühen an und zog eine feurige Bahn durch die Nacht.

Guo Lao brüllte auf, als er dem Wurfgeschoss auswich. Die Lanze verfehlte ihn um eine Mannslänge, aber für ein Mädchen wie Nugua war es ein ganz erstaunlicher Wurf. Sie selbst hätte nie die Kraft dazu aufgebracht, und es musste die Magie der Lanze selbst sein, einst erschaffen in denselben Schmiedefeuern wie Silberdorn und Phönixfeder, die sie himmelwärts rasen ließ, die ganzen zweihundert Meter weit. Selbst der Drachenkönig war einen Moment lang sprachlos.

Mondkind flüsterte etwas, so unverständlich wie alle früheren Befehle, die sie dem Kranich gegeben hatte. Augenblicklich setzte sich der Vogel in Bewegung, jagte an Guo Lao vorbei, der noch immer Mühe hatte, sich zu fangen, und schoss in gerader Linie auf das Portal der Heiligen Grotte zu.

Der Xian stieß ein zorniges Brüllen aus, zwang den Kranich zurück unter seine Kontrolle und nahm die Verfolgung auf. Niccolo spürte das Schlagen der großen

Schwingen in ihrem Rücken, und einmal mehr kam es ihm vor, als wären sie beide zu einem einzigen Wesen verschmolzen.

Das Portal kam näher. Noch hundert Meter.

Nugua winkte aufgeregt. Die goldenen Brauen des Drachenkönigs zogen sich zusammen, während er den beiden Kranichen finster entgegenblickte. Niccolo begriff, dass Yaozi die Grotte nicht verlassen würde, ganz gleich, was geschah. Bewahrte dieselbe Macht, die Mondkind und Niccolo in den *Dongtian* beschützte, auch den Drachen vor den Augen des Aethers?

All das waren keine bewussten Gedanken, die ihm durch den Kopf gingen. Eher ein blitzartiges Verstehen, ein plötzliches Erahnen von Zusammenhängen, das ganz ohne sein Zutun ablief. Er verwandte all seine Konzentration darauf, sich auf dem Rücken des Kranichs zu halten, der mit rasender Geschwindigkeit auf das Felsportal zuschoss. Das Licht des Drachenkönigs nahm sein ganzes Blickfeld ein, löschte sogar Nuguas Silhouette unten am Boden aus; es war, als flögen sie geradewegs ins Zentrum eines Sonnenaufgangs.

Hinter ihnen schrie Guo Lao wutentbrannt auf, als er begriff, dass sie dem Drachen zu nahe kamen. Yaozi hob langsam den Schädel und baute sich auf dem vorderen Teil seines titanischen Schlangenkörpers auf. Im ersten Moment glaubte Niccolo, er wollte den Weg blockieren, doch dann wuchs der Drache nicht weiter in die Höhe, und der Kranich hatte freie Bahn. Krächzend schoss der Vogel zwischen den Enden des Drachengeweihs hindurch, das sich hinter ihnen abermals hob und dem nachfolgenden Xian den Weg versperrte.

Dann war da nur noch ein Meer aus Goldlicht, die Feuerglut mächtiger Drachenleiber jenseits des Portals, nicht allein Yaozi, sondern noch andere seines Volkes, die einen hohen, abwärtsführenden Felstunnel ausfüllten. Die Wächter der Heiligen Grotten. Drachen über Drachen, die aus den Tiefen aufgestiegen waren, um zu sehen, was oben am Tor geschah. Mit goldenen Augen beobachteten sie, wie der Kranich mit Niccolo und Mondkind über sie hinwegschwebte, tiefer in die Grotte hinein, tiefer hinab in den Schlund der Berge.

Der Kranich kreiste eine ganze Weile unter der Höhlendecke, ehe er schließlich ausreichenden Platz zum Landen fand. Mondkinds Seidenbänder lösten ihren Griff um Niccolos Körper. Ehe er es verhindern konnte, glitt sie zu Boden.

Als er ihr taumelnd und nur noch halb bei Sinnen folgte, lag sie lang ausgestreckt auf dem Fels. Nugua war außer Atem herbeigeeilt. Mondkinds Kopf ruhte sanft in ihrem Schoß.

„Bitte“, sagte er, „die Drachen müssen ihr helfen.“

Nugua blickte weinend zu ihm auf, und selbst durch den Nebel seiner Erschöpfung begriff er, dass diese Tränen nicht Mondkind galten, sondern Nuguas Liebe zu ihm, und dass sie erkannt hatte, dass es für diese Liebe keine Hoffnung gab.

Er ging neben ihr in die Hocke, nahm ihre Hand und berührte mit der anderen Mondkinds eiskalte Wange.

„Bitte“, flüsterte er noch einmal.

Und während das Goldlicht von allen Seiten näher rückte, ein Wall aus gewaltigen Drachenleibern, sah Nugua ihn lange an, lächelte traurig und nickte.

ENDE DES ZWEITEN BANDES

Kai Meyer
Seide und Schwert

Nie ist Nugua einem anderen Menschen begegnet. Sie wächst als Mädchen unter Drachen auf, bis die Drachen spurlos verschwinden. So beginnt sie ihre lange Suche in den Weiten Chinas. In einer ihr fremden Welt begegnet sie unsterblichen Magiern, fliegenden Schwertkämpfern – und Niccolo, einem Jungen mit goldenen Augen. Auch er ist auf der Suche. Seit Jahrhunderten lebt sein Volk auf einer Wolke, hoch oben in den Lüften. Doch das Wolkenvolk ist vom Untergang bedroht. Niccolo wurde ausgesandt, eine rätselhafte Substanz zu finden, ohne die es auf den Wolken kein Leben geben kann – den Atem der verschollenen Drachen.